D1280181

FABRICATION
D'UNE STAR

Jean Beaulne
Avec la collaboration de
Sophie Ginoux et Bertrand Breuque

FABRICATION D'UNE STAR

Les clés de l'industrie musicale

LES ÉDITIONS
PUBLISTAR
QUEBECOR MEDIA

Catalogage avant publication de Bibliothèque et Archives Canada
Beaulne, Jean

Fabrication d'une star
  ISBN 2-89562-167-5
  1. Arts du spectacle. 2. Imprésarios. 3. Arts du spectacle – Production et mise
en scène. I. Ginoux, Sophie. II. Breuque, Bertrand. III. Titre.

PN1584.B422 2006   791   C2006-940084-9

Directrice des éditions : Annie Tonneau
Révision linguistique : Corinne De Vailly
Mise en pages : Gaétan Lapointe
Photo de la couverture : Nicolas Vincent Poirier et Dreamstime 2006
Graphisme de la couverture : Suzanne Vincent
Photo de l'auteur : Pierre-Yvon Pelletier
Photos des coauteurs : Jocelyn Bigot
Photos publiées avec l'aimable autorisation de Jean Beaulne.

Remerciements
Les Éditions Publistar reconnaissent l'aide financière du gouvernement du Canada par
l'entremise du Programme d'aide au développement de l'industrie de l'édition (PADIÉ) pour
ses activités d'édition. Nous remercions la Société de développement des entreprises
culturelles du Québec (SODEC) du soutien accordé à notre programme de publication.
Gouvernement du Québec – Programme de crédit d'impôt pour l'édition de livres – gestion
SODEC.

Tous droits de traduction et d'adaptation réservés ; toute reproduction d'un extrait
quelconque de ce livre par quelque procédé que ce soit, et notamment par photocopie ou
microfilm, est strictement interdite sans l'autorisation écrite de l'éditeur.

Les Éditions Publistar
7, chemin Bates, Outremont (Québec) H2V 4V7
Téléphone : (514) 849-5259   Télécopieur : (514) 270-3515

Distribution au Canada
Québec-Livres
2185, autoroute des Laurentides
Laval (Québec) H7S 1Z6
Téléphone : (450) 687-1210
Télécopieur : (450) 687-1331

Copyright © 2006, Jean Beaulne
Dépôt légal Bibliothèque et Archives nationales du Québec, 2006
Bibliothèque nationale du Canada
ISBN-10 : 2-89562-167-5
ISBN-13 : 978-2-89562-167-6

Les trois ennemis de l'artiste sont le sexe, l'alcool et la drogue.

Jean Beaulne

Table des matières

PRÉFACE

En 1995, j'ai eu la bonne idée de déménager à Los Angeles (Californie), où j'ai vécu jusqu'en 2000. J'ai travaillé dans le monde du cinéma sur des productions dont les vedettes étaient Al Pacino, Robert de Niro, Michael Douglas, Sandra Bullock et plusieurs autres.

Même si j'avais beaucoup d'expérience comme producteur de spectacles, de disques et comme gérant d'artistes, cette période fut pour moi le complément de mes connaissances du show-business, une université dans la production cinématographique.

Ensuite, en 2001, j'ai fondé ma maison de production pour réaliser des documentaires et des émissions de variétés essentiellement francophones.

J'ai eu la joie de travailler avec plus d'une cinquantaine de grands artistes français, tels Charles Aznavour, Nana Mouskouri, Enrico Macias, Georges Moustaki, qui ont marqué la chanson française.

Quel plaisir ce fut de faire la biographie de mon idole, Pierre Delanoë, qui est devenu un ami et un collaborateur. Grâce à lui, je suis entré dans le monde des auteurs-compositeurs talentueux. Il a écrit plus de 5 000 chansons, dont près de 500 succès chantés par une cinquantaine d'artistes (250 chansons pour Gilbert Bécaud, 150 pour Joe Dassin, pour Michel Fugain et le Big Bazar, etc.).

Je le considère comme le plus grand auteur de l'histoire de la chanson française. Il n'y a pas sur terre un francophone qui n'ait pas entendu au moins une de ses chansons.

Toutes ces expériences m'ont permis d'écrire cet ouvrage, source de renseignements indispensables pour les jeunes qui désirent se lancer dans une carrière artistique.

Bonne lecture.

Jean Beaulne

PRÉFACE

À mon ami Jean.

J'ai connu Jean Beaulne lors de la réalisation du projet du documentaire *Pierre Delanoë*, ce qui a donné une biographie et un document exceptionnels, et j'en profite pour le remercier ainsi que son équipe pour leur professionnalisme.

Dans ce livre, *Fabrication d'une star*, Jean explique la façon de s'y prendre pour réussir dans le milieu artistique, surtout si vous avez participé à des concours tels que Star Académie ou autres, et que vous ayez, en quelques semaines, été propulsé vedette en l'espace de quelques semaines.

Que connaissez-vous de ce métier ? Avec toute l'expérience acquise au long des années, il est celui qui est en mesure de vous aider à choisir un bon gérant, de bonnes chansons, une maison de disques et par-dessus tout comment rester au sommet longtemps.

Tout jeune artiste devrait se faire un devoir de lire un document comme celui-ci.

Pierre Delanoë

PRÉFACE

Quelle meilleure personne qu'un gérant chevronné peut-on rencontrer, lorsqu'on est un artiste de la relève, pour apprendre à réussir dans le domaine du spectacle ? En 40 ans de carrière, Jean Beaulne a côtoyé quelques-unes des plus grandes stars du *show-business* international. Son expérience du secteur artistique est totale et, surtout, impressionnante. À une époque où il n'y avait pas encore de spécialisation professionnelle, il a occupé tous les rôles clés dans ce secteur d'activité, sautant avec aisance de la gérance d'artistes à la mise en scène de spectacles, et de la production de disques à la réalisation de reportages télévisuels. Devant la recrudescence actuelle du nombre de jeunes inexpérimentés qui souhaitent se lancer dans le métier, ce passionné a décidé de livrer quelques-uns des secrets qui ont contribué à la réussite de sa carrière. Ils sont nombreux, souvent subtils et, quand on s'y attarde, on réalise que l'univers mystérieux et fascinant du spectacle correspond à une mécanique d'horlogerie parfaitement huilée que l'on aurait tort de sous-estimer.

Lorsque Jean nous a contactés pour l'aider à matérialiser ce guide, nous avons immédiatement été séduits par sa proposition et avons accepté ce défi à bras ouverts. Issus de la relève, nous

sommes tous deux musiciens, mais également mélomanes. Notre expertise s'adresse aux nouvelles générations qui souhaitent en savoir davantage sur un milieu considéré comme indéchiffrable. Du gérant au producteur, en passant par les médias et les maisons de disque, nous avons abordé dans ces pages toutes les exigences du secteur artistique afin de vous offrir une vision plus réaliste des enjeux actuels qui entourent la réussite d'une carrière de chanteur, de compositeur ou même, le cas échéant, de technicien du spectacle.

Comme nous le soulignerons également à de multiples reprises, cette connaissance est incontournable pour percer dans le métier. Des artistes aussi prestigieux que Pascal Obispo, Britney Spears ou Eminem doivent une bonne part de leur réussite à ce principe. Car ce rêve que nous avons toutes et tous au moins caressé une seconde dans notre vie, celui de briller de mille feux sous la lumière des projecteurs, ou d'exceller dans notre discipline, est en réalité bien difficile à réaliser sans une connaissance approfondie des coulisses et des règles tacites qui règnent dans le milieu artistique.

Il est vrai que cette reconnaissance publique et visible, peu de secteurs d'activité peuvent véritablement nous l'offrir. Nous pouvons toujours nous illustrer en politique, en littérature, dans les arts visuels ou les sciences, mais nous ne pourrons alors jamais atteindre une popularité qui nous permettra de signer des autographes aux quatre coins du monde et de susciter, partout où nous passerons, les cris déchaînés d'une foule d'adolescentes en délire. Par contre, si nous évoluons dans le monde du cinéma, de la musique ou de l'animation, bref dans le sacro-saint et très restreint cercle du *show-business*, nous pourrons peut-être nous ouvrir toutes grandes les portes de la gloire.

Cette gloire n'est malheureusement réservée qu'à quelques élus. Malgré tout, même si les chances d'accéder au «star-système» sont très faibles, chaque année des milliers de jeunes se lancent dans l'aventure de la reconnaissance médiatico-artistique.

Des phénomènes de masse comme *Star Académie*[1], *Canadian Idol* ou *Star Search* ne font que renforcer cette tendance, car ils font miroiter une réussite facile et prometteuse au premier venu. Une réussite qui n'arrive pourtant pas si aisément, puisque sur les milliers de personnes qui auditionnent pour ce genre d'émissions, de 12 à 15 seulement seront sélectionnées et, en définitive, une seule triomphera à l'issue d'une série d'épreuves dignes des travaux d'Hercule.

Quant à ce triomphe soudain et inespéré, il pourra s'estomper aussi vite qu'il sera venu si le public décide de jeter son dévolu sur un nouveau phénomène, suivant comme à son habitude les fluctuations des modes et les tendances du moment. Toute nouvelle star devra, par conséquent, faire montre d'une pugnacité hors norme pour rester dans la course tant la concurrence et le milieu sont durs avec les débutants.

Il en est d'ailleurs des concours amateurs ou hypermédiatisés comme de tout autre type de recrutement. Lorsque vous possédez une belle voix, une belle image, une belle personnalité et une bonne préparation, vous avez bien plus de chances de l'emporter qu'un autre. Jouer votre carrière sur la chance et quelques pirouettes ne vous permettra pas d'aller très loin. Il ne suffit donc pas de vous entraîner avec l'appareil de karaoké que l'on vous a offert à Noël ou de singer les trémolos et les attitudes de vos vedettes préférées pour vous croire capable de faire une grande carrière artistique. Comme dans tout autre domaine, peut-être plus encore que dans tout autre domaine, vous n'arriverez à vous distinguer de vos concurrents qu'à force de volonté, de détermination, de travail… et d'un soupçon de chance, bien entendu. C'est tout cela que vous allez découvrir en détail grâce à *Fabrication d'une star*.

Bonne chance à tous !

Sophie Ginoux et Bertrand Breuque

---

1. Pour faciliter la lecture, l'orthographe québécoise du nom de l'émission a été retenue. *Star Académie* au Québec, *Star Academy* en France.

INTRODUCTION

Quarante années passées aux côtés de quelques-unes des plus grandes personnalités du *show-business* francophone et américain m'ont appris, parmi tant d'autres leçons, une règle d'or qui fait partie intégrante de mon métier et à laquelle il est bien difficile de déroger. Le grand public, l'audience, les spectateurs ou les téléspectateurs ne retiennent jamais que le nom des stars qui occupent le haut de l'affiche, personnalités qui les passionnent ou les agacent, les arrachent de leur quotidien et qui, pour une raison ou une autre, leur procurent de la joie, de l'envie ou de l'émotion. Bien rares en fait sont les personnes qui se souviennent du visage de l'ouvreuse à l'entrée de la salle où est présenté le spectacle de leur chanteur préféré. Encore moins nombreux sont les *fans* de tel ou tel musicien capables d'évaluer le nombre d'heures de travail nécessaires à la préparation d'un seul de ses spectacles dans une grande salle parisienne. Qui a également la moindre idée du stress accumulé par le producteur à la pensée de la critique qui suivra la prestation de son ou sa protégé(e) et des conséquences que cette dernière pourrait entraîner quant au futur de cette carrière ? Personne, bien entendu !

Savez-vous que lorsque vous rentrez chez vous après ce spectacle qui vous a tant plu, toute une kyrielle d'acteurs anonymes se précipitent pour démonter le décor, transporter le matériel de scène, gérer l'entourage de l'artiste, lui faire rencontrer des journalistes ou encore signer des autographes ? *Show must go on*, chantait le regretté Freddy Mercury. Effectivement, le spectacle doit continuer et continue bien après que les derniers projecteurs sont éteints ou que les spectateurs ont retrouvé le confort de leur foyer.

En réalité, le spectacle ne s'arrête jamais, c'est un tourbillon infini qui vous aspire en un clin d'œil et ne vous lâche plus, pour peu que la passion vous entraîne elle aussi. Pour ma part, ce tourbillon m'a emporté il y a maintenant 40 ans et m'a donné la chance inouïe de mener une carrière passionnante que je n'échangerais contre aucune autre. Et tout cela malgré tous les obstacles, les sacrifices, les désillusions et les pertes financières que j'ai parfois pu connaître au cours de ma vie. L'aventure en valait la peine, j'en reste convaincu. Je vais donc partager un bout de cette aventure avec vous, si vous le voulez bien, et tenter de vous communiquer ma passion pour l'un des plus beaux métiers au monde, celui d'artiste. Je tâcherai aussi de vous donner une image crédible de ce milieu que l'on a trop tendance à galvauder, oubliant toutes celles et ceux qui le portent secrètement à bout de bras.

Lorsqu'on a 20 ans ou moins et que l'on veut réussir dans le milieu artistique, il est nécessaire de connaître les rouages et le rôle de chacun des acteurs professionnels du spectacle pour bien comprendre le métier qui nous attend avant de nous y consacrer. Partout, de nombreux jeunes bourrés de talent échouent, car ils ne distinguent pas l'importance de certaines fonctions clés comme celle du gérant ou du producteur de disques ou de la maison de disques dans l'orientation de leur future carrière. La star et le succès qui l'entourent ne constituent, en réalité, que la partie visible d'un iceberg volumineux. Pour réussir, il faut plonger dans les méandres du milieu et avoir de bonnes notions du *show-biz*, étayées et précises.

Or, avec tous les moyens informatifs dont nous disposons aujourd'hui, à savoir la télévision, Internet et la radio, il est bien plus aisé d'apprendre toutes les ficelles de ce métier qu'à mon époque. Moi, j'ai dû tout apprendre sur le tas, en autodidacte et au contact des autres. Je n'ai en effet pris aucun cours — les écoles de *show-business* n'existaient pas encore à cette époque — et n'ai suivi aucune formation particulière, me contentant de saisir le plus vite possible les notions d'un secteur lorsque j'avais la chance d'en croiser des spécialistes. En un mot, j'ai figuré parmi les pionniers d'un métier qui déborde à présent d'experts formés et compétents. Si bien que seuls la réalité concrète du milieu, mon acharnement, mon expérience et la passion m'ont finalement permis de devenir ce que je suis aujourd'hui. Comme le diraient nos amis anglo-saxons, je suis l'exemple parfait du *self made man*!

Malheureusement, la majorité des experts du spectacle sont invisibles. On ne connaît leur existence que si l'on lit attentivement les minuscules caractères à la dernière page du livret inséré dans les disques compacts, ou si l'on prête attention aux remerciements que notre star préférée fera sur scène à ses collaborateurs. Entre nous, vous êtes-vous déjà arrêté, lors des remises de trophées dans le domaine musical, sur ceux destinés aux meilleurs ingénieurs du son et aux meilleurs réalisateurs d'albums? Probablement pas, et cette réaction est tout à fait naturelle, puisque les lois du milieu privilégient les paillettes et la tête d'affiche à l'aspect plus technique et moins séduisant des coulisses.

La première conséquence engendrée par cette méconnaissance est de ne pas permettre au grand public de s'intéresser, voire de soupçonner l'existence de toutes ces femmes et de tous ces hommes qui travaillent dans l'ombre des stars. Ils sont pourtant nombreux, occupent tous des places stratégiques et jouent des rôles primordiaux sans lesquels l'artiste, malgré son talent et sa personnalité, ne serait rien.

Je sais que beaucoup d'entre vous me répondront, avec raison, que le spectacle ne serait rien non plus sans cette part d'ombre

derrière les feux de la rampe, et que le mystère est une condition *sine qua non* pour que la magie opère dans cet univers du rêve. D'autres argueront, dans le même ordre d'idées, que les vrais magiciens ne dévoilent jamais leurs secrets. Je ne les contredirai pas, et leur concéderai même volontiers que le mystère qui entoure l'artiste contribue largement à faire du spectacle un univers passionnant que je n'aurais d'ailleurs vraisemblablement pas embrassé depuis l'âge de 14 ans s'il ne m'avait pas moi-même fasciné. Cela dit, cette fascination aveugle pour la seule et unique personne de l'artiste pousse trop souvent les jeunes à se lancer dans cette carrière pour de mauvaises raisons facilement identifiables : l'appât du gain, le désir de mener une vie de château ou, tout simplement, l'envie plus légitime de se faire connaître du plus grand nombre.

La deuxième conséquence de cette ignorance généralisée du milieu est de faire croire au grand public que tout cela est très facile. Il n'en est rien. La scène m'a permis de mener une carrière passionnante durant laquelle j'ai pu côtoyer les plus grandes stars du monde du spectacle au Québec, aux États-Unis et en France. Cette longue expérience m'a appris qu'être une star de la chanson demande une quantité inimaginable de travail et d'énergie ! Il faut avoir les nerfs solides et surtout travailler d'arrache-pied, car la concurrence, ainsi que la pression cumulée du public et des médias vous y contraignent généralement très vite.

J'exerce aujourd'hui une activité passionnante et tout aussi prenante que la gérance d'artistes, puisque je suis producteur pour la télévision. Cette occupation me permet d'accomplir, au jour le jour, un vieux rêve caressé depuis des années, celui de tourner des documentaires sur le monde musical pour que les téléspectateurs percent la part d'ombre qui prévaut dans le domaine du spectacle. J'ai longtemps été producteur et ai même eu ma propre maison de disques où se côtoyaient de nombreux artistes de la relève. Tout au long de ma carrière, j'ai rencontré des gens fabuleux et passionnés, bourrés de talent ou d'illusions, ainsi que d'autres beaucoup moins fréquentables... Qu'à cela ne tienne! Parmi les personnes de confiance qui m'ont entouré, il y en avait toujours une ou deux auxquelles je faisais part, à l'occasion, de toutes ces idées reçues que le grand public peut développer à l'endroit des célébrités, mais aussi de l'importance qu'il fallait concéder à l'ensemble des professionnels du spectacle. À la fin de chaque discussion, les gens me disaient régulièrement: «Tu connais tellement le milieu, tu devrais écrire un livre.» Mes occupations et la frénésie de mes activités m'en avaient alors dissuadé. Pourtant, après mûre réflexion, je me suis dit: «Pourquoi pas?» Voilà comment ce livre est né. Et j'espère qu'il satisfera vos attentes.

Jean Beaulne

Jean Beaulne, Pierre Labelle, René Angélil, 1965.

OÙ TOUT COMMENCE

Introduction
Souvenirs souvenirs...

Par où commencer ? Quand on me pose cette question, je ne peux m'empêcher de sourire et de repenser à ma tendre enfance. En l'espace d'un instant, les souvenirs s'enchaînent.

J'ai eu la chance de voir le jour au sein d'une famille qui avait la fibre artistique, ce qui m'a naturellement prédisposé, à mon insu, à la carrière que j'allais mener. À l'âge de neuf ans, mon frère était déjà musicien. Il jouait de l'accordéon. Pour ma part, j'étais un adepte de la batterie et de la clarinette. Nous avons ainsi tout jeunes commencé à régaler notre famille de prestations musicales improvisées au cours des différentes fêtes qui pouvaient nous réunir, qu'il s'agisse du mariage de nos cousins ou tout simplement des rendez-vous familiaux du dimanche. Vous pouvez aisément imaginer la réaction de notre famille devant le spectacle charmant de deux bambins à peine plus hauts que trois pommes qui se prenaient déjà pour des vedettes ! Nous étions en fait véritablement heureux de faire notre petit numéro sur scène et d'attirer l'attention des adultes. De plus, nos prestations étaient souvent récompensées de quelques dizaines de pièces, nous étions confortés dans notre envie de nous produire en public. Forts de ces petits succès sans prétention, nous nous sommes donc mis à jouer un peu plus sérieusement lors de mariages et réceptions diverses. Plus que le simple désir de nous distinguer — désir que l'on retrouve chez la plupart des adolescents –, nous avions un réel plaisir à jouer de la musique et, personnellement, j'étais particulièrement attiré par le vedettariat. J'ai même décidé de devenir chanteur à l'âge de neuf ans en voyant un pied de micro esseulé dans une salle de mariage ! Et, comme depuis je n'ai plus jamais quitté le métier, j'en déduis qu'un zeste de folie personnelle est souvent essentiel pour commencer dans ce milieu !

Les années ont passé et nous nous sommes bientôt retrouvés à l'école secondaire, cette passion pour la musique toujours intacte. Nous avions d'ailleurs monté un véritable petit orchestre et commencions à développer une certaine qualité musicale. Cet amour de la musique dépassait largement le simple cadre des loisirs. Par exemple, je me souviens que si un professeur devait s'absenter de la classe pendant un cours, nous nous mettions immédiatement à improviser des tours de chant soutenus par quelques rythmiques tapées sur nos pupitres, pour le plus grand bonheur de nos petits camarades qui ne demandaient pas mieux que de se divertir. C'est aussi à l'école que j'ai rencontré trois personnes qui allaient changer le cours de mon existence et ce, pour de nombreuses années.

La première de ces trois personnes, un certain René Angélil, est aujourd'hui le gérant et le mari de Céline Dion. Je l'avais rencontré au gymnase, lors d'un cours de basket-ball, et déjà ce jeune homme qui avait un an de plus que moi s'était mis en tête de me démontrer sa supériorité au jeu ! Il avait à cet effet parié

une pièce de monnaie qu'il marquerait plus de paniers que moi au cours d'une partie, défi que j'avais relevé. C'est ainsi que notre relation a commencé. En dehors de nos joutes sportives et de la compétitivité constante qui faisaient le charme de nos rapports, nous nous sommes rapidement découvert un certain nombre de points communs qui ont scellé le début d'une belle complicité, teintée parfois, il faut bien l'avouer, de quelques dissonances passagères. J'ai ainsi très vite appris que René avait la même passion que moi pour la chanson et que lui-même chantait dans une chorale avec l'un de ses amis d'enfance, un certain Pierre Labelle. René m'a présenté ce fameux Pierre, ainsi qu'un troisième larron, le dénommé Gilles Petit, adepte lui aussi du basket-ball et de chant. Nos quatre personnalités s'accordaient à merveille et nous sommes très vite devenus inséparables. Je me souviens d'ailleurs que René et Pierre étaient très attirés par la comédie et qu'ensemble ils formaient déjà un véritable duo de comiques amateurs. En effet, René adorait plus que tout faire le pitre et se distinguait continuellement par ses blagues et ses canulars, ce qui nous faisait tordre de rire.

Nous avions pris l'habitude de sortir ensemble en ville. Un soir, de retour du spectacle d'un chansonnier en vogue dans un café de Montréal, nous nous sommes tous les quatre mis à chanter dans le taxi la chanson *Bye Bye Love* des Everly Brothers. La soirée à laquelle nous venions d'assister nous avait survoltés et nous ne cessions d'enchaîner les chansons dans la voiture. Le chauffeur nous a alors lancé que nous étions tous doués pour le chant. Il n'en fallait pas plus pour nous convaincre. Et c'est à cet instant précis que j'ai eu l'idée de former un groupe de chanteurs. Il ne nous restait plus, à présent, qu'à nous préparer pour postuler à l'un des nombreux concours de chant organisés en ville. Après les prémices artistiques de mon enfance, une deuxième page musicale allait donc se tourner pour mon plus grand bonheur… J'étais cependant encore loin d'imaginer où elle allait me mener.

À la suite de cette soirée, nous nous sommes mis à travailler quelques chansons empruntées à des vedettes de l'époque, et nous nous sommes fait la main en présentant un tour de chant lors d'une fête organisée dans notre école. Nous avons fait sensation ce soir-là, ce qui nous a confortés dans notre envie de nous servir d'un prestigieux tremplin radiophonique de l'époque : *Les Découvertes de Billy Monroe*. Pour y participer, il nous fallait cependant peaufiner notre numéro et l'agrémenter d'une chanson originale.

Or, il m'arrivait, à l'occasion, de griffonner quelques paroles de chansons sur des cahiers dont je gardais le secret. Et j'avais justement écrit une chanson qui s'intitulait *Joanne*, titre que j'ai été fier de proposer à mes amis, qui l'ont accepté sur-le-champ. Quelques répétitions plus tard, nous étions sélectionnés pour participer au concours de Billy Monroe sous le nom Les Flyers, nom que nous avions trouvé sur le vif et qui a très bien fait l'affaire pour débuter. Et c'est ainsi que les quatre comparses blagueurs et rieurs qui donnaient jusqu'ici des récitals dans les taxis ont gagné le premier prix du concours. Cette réussite, rehaussée de détermination et de passion, nous en a fait gagner bien d'autres. En fait, trois en l'espace de quelques semaines… Les Baronets étaient nés ! La chance nous avait souri et nos petites expériences respectives de musiciens et de chanteurs avaient joué en notre faveur. Inutile de préciser que nous jubilions et que notre succès naissant nous a bien vite détournés des bancs de l'école. Je me suis donc mis à travailler comme tous mes camarades.

Cependant, Gilles nous a fait savoir que la carrière d'artiste ne l'intéressait plus et nous a quittés. Ce départ n'allait pas pour autant nous détourner de notre passion première, la scène, bien au contraire. Nous avons ainsi rapidement décroché notre premier engagement professionnel dans un cabaret, *La Feuille d'érable*, au grand dam de nos parents qui ne voyaient pas d'un très bon œil notre envie irrésistible de nous lancer dans le *show-business*. Une nouvelle fois, le succès a été au rendez-vous, car notre spectacle, qui mélangeait humour et chansons, récoltait toujours beaucoup d'applaudissements.

Dès lors, nous nous sommes mis à enchaîner tous les types de spectacles possibles et imaginables aux quatre coins du Québec devant des audiences enthousiasmées par nos prestations. Parallèlement, nous avons continué à remporter des premiers prix dans plusieurs concours de chant. C'est à cet instant précis que les demandes de spectacles se sont accélérées. Bien sûr, nous n'en avons refusé aucune, même si nous continuions à travailler le jour. Nos soirées et nos fins de semaine étaient en fait entièrement consacrées à la musique et, bien qu'extrêmement fatigués, nous ne lâchions pas. Cette détermination allait bientôt porter ses fruits.

Nous étions en 1960 et allions sous peu connaître les affres de la carrière artistique naissante, une période jonchée d'épreuves, comme celles que de nombreux artistes ont traversées avant de percer dans le métier. Une expérience que vous connaîtrez peut-être également si vous décidez de tenter votre chance dans le milieu artistique. Car même si nous étions heureux de nous produire en public, on ne peut pas dire que nos rentrées d'argent étaient proportionnelles à notre enthousiasme ! Bars enfumés, cabarets et tenanciers parfois tout aussi minables que leurs établissements ont marqué, comme ceux de tant d'autres, les débuts de notre carrière. À cela s'ajoutait le ressentiment grandissant de nos parents qui nous avaient destinés, selon eux, « à bien mieux que cela » !. Pour couronner le tout, nous étions devenus incapables d'assurer nos fonctions officielles de la journée, autrement dit nos « vrais métiers ». À notre place, beaucoup se seraient découragés, et pourtant nous avons continué… avec de nouvelles orientations, toutefois. En effet, nous avons tout d'abord définitivement quitté nos occupations professionnelles puis, sur ma proposition, avons décidé de nous adjoindre les services d'un gérant.

C'est sûrement grâce à ces deux judicieuses décisions que notre carrière a pris un tournant décisif. Ben Kaye est devenu notre *manager* attitré. Ce personnage, qui œuvrait dans le monde de la musique depuis quelques années et était littéralement fasciné par le célèbre colonel Parker — le *manager* d'Elvis Presley –, nous a permis d'entamer un début de carrière aux États-Unis, carrière dont nous rêvions depuis fort longtemps. Nous avons également enregistré notre premier 45 tours, *Joanne*, disque qui a occupé la première place des ventes au Québec pendant plusieurs semaines. Cette fois-ci, le succès était palpable et les événements se précipitaient. Nous avons même donné une série de spectacles à l'étranger, à Porto Rico, à Dallas et à Boston. Nos cachets commençaient à augmenter et nous avons finalement compris que nous n'étions pas si fous que ça, après tout, de nous être lancés dans cette aventure. Nous étions en fait si ravis que nous ne pensions même plus à nos cinq longues premières années de misère !

Entre-temps, de l'autre côté de l'Atlantique, un petit groupe de *rock'n'roll* faisait sensation en Angleterre. Son nom restera à jamais gravé dans les mémoires, puisqu'il s'agissait des Beatles. Au début de l'année 1963, notre équipe de production a reçu un album de ce groupe, alors inconnu en Amérique du Nord. Nous sommes tous immédiatement tombés sous le charme de cette musique jeune et novatrice. Pour tout vous dire, cette découverte a été un véritable coup de foudre, si bien qu'en 48 heures, nous avons décidé de reprendre leur chanson *Hold me Tight*, une chanson que nous allions immédiatement traduire, puis enregistrer. Et dans la foulée, nous avons aussi complètement changé de look pour nous plier au style des *Fab Four*, coupes de cheveux et tenues vestimentaires calquées sur ces idoles du moment. Cette transformation et ce titre ont propulsé Les Baronets au rang de véritables vedettes de la chanson. Toutes les difficultés que nous avions connues jusqu'alors allaient très vite être oubliées pour faire place à la gloire et au succès. Nous déclenchions même de véritables scènes d'hystérie quand nous nous produisions sur scène. Les filles se jetaient à nos pieds, nous suivaient après les spectacles et nous hurlaient des « Je t'aime » à n'en plus finir. S'ajoutait à cette reconnaissance du public une vaste couverture médiatique de nos activités. Bref, la réussite nous tendait les bras.

Nous avons vraiment vécu d'inoubliables moments avec toutes les folies que la réussite peut vous faire faire : fréquenter les meilleurs restaurants de la ville, ou s'acheter une voiture sur un coup de tête. Mais, dans l'ensemble, je peux dire que nous avons gardé la tête froide et avons évité tous les excès néfastes du milieu artistique comme les abus d'alcool ou la prise de drogue, ce qui n'a malheureusement pas été le cas de tous les artistes de l'époque.

Notre ascension vers les sommets a finalement atteint son apogée en 1965, alors que nous courrions d'entrevue en enregistrement, son couronnement demeurant la prestation inoubliable que nous avons donnée à la Comédie canadienne, l'une des salles les plus prestigieuses de l'époque.

En repensant à ce passé glorieux, je me dis que j'ai eu beaucoup de chance de vivre tout cela et que si c'était à refaire, je recommencerais sans hésitation, avec certaines nuances toutefois. En effet, au moment même de notre summum artistique, quelques dissensions sont apparues au sein de la formation. Mes relations avec René n'étaient pas toujours au beau fixe et j'avais de plus en plus le sentiment d'avoir des objectifs très différents de ceux de mes camarades.

Ces derniers semblaient en effet à mes yeux se contenter d'une vie de bohème où l'on enchaîne soir après soir la même prestation dans un cabaret différent, alors que pour ma part je voulais aller plus loin. Las de l'inertie des Baronets et peiné à la suite de quelques altercations malheureuses, j'ai décidé de quitter le groupe. Mes camarades ont continué sans moi pour finalement mettre un terme à leur carrière quelques mois plus tard.

Cette décision a sonné le glas d'un des groupes québécois les plus populaires des années 1960, mais ce ne fut pas pour autant la fin du parcours de ses membres. Pierre Labelle a effectivement poursuivi une brillante carrière d'humoriste pendant de nombreuses années, avant de nous quitter, bien trop tôt, le 18 janvier 2000. Quant à René Angélil, malgré des débuts d'impresario très difficiles avec plusieurs artistes, il a connu la réussite que l'on sait en permettant à Céline Dion de devenir l'une des plus grandes artistes de la chanson sur cette planète.

Une carrière d'artiste pourrait donc vous mener très loin. De mon côté, par exemple, j'ai connu de nombreux succès après Les Baronets. J'avais certes souvent été l'instigateur de décisions qui s'étaient révélées très favorables pour le groupe dans le passé et ce qui m'a encouragé à continuer dans cette voie, je me sentais l'âme d'un gérant. À l'époque de notre séparation, j'avais d'ailleurs déjà pris quelques groupes de musique sous mon aile, avec l'objectif de les mener plus haut et plus loin. Ma nouvelle carrière allait ainsi pouvoir commencer ! Et cette dernière a duré des années, de 1970 à aujourd'hui, soit près de 40 ans de bons et loyaux services pour une multitude d'artistes.

Pendant cette période, j'ai notamment découvert Les Bel Canto, un groupe qui a remporté un très grand succès à la fin des années 1960 et que j'ai emmené au Japon, à New York, et même à Londres dans le mythique studio d'enregistrement des Beatles ! Ils demeureront d'ailleurs comme l'une de mes plus belles fiertés professionnelles. Parallèlement à ce groupe, je me suis aussi occupé, entre autres, de la carrière des Bel-Air et d'André-Philippe Gagnon.

Si je repense à mon parcours, je dirais que ma carrière dans le domaine artistique a à la fois tenu de la prédestination et du hasard. De la prédestination, car j'ai eu la chance de grandir au sein d'une famille à la fibre artistique prononcée. Et du hasard, car bien des décisions se sont faites sur le tas, en improvisant au moment venu ou en fonction des rencontres. De bons concours de circonstances m'ont également aidé, je dois l'admettre. Il va de soi, par exemple, que si je n'avais pas relevé le défi de René ce jour-là au gymnase de l'école, peut-être que Les Baronets n'auraient jamais vu le jour, que je ne me serais jamais destiné à la carrière de gérant, et encore moins à celle de producteur de films pour la télévision. C'est effectivement l'ensemble de ces expériences qui m'a par la suite conduit à produire des documen-

taires sur les plus grands de la chanson française, dont Félix Leclerc et Pierre Delanoë, deux de ses illustres représentants. Ainsi court le chemin sinueux de notre destinée.

Naît-on artiste ?

Le ballon gonflé

Je débute cet ouvrage en abordant un concept qui va probablement vous être étranger. Si l'on vous parle en effet d'un ballon gonflé, seules viendront à votre esprit les réminiscences de votre prime jeunesse. J'emploie cependant cette expression pour évoquer ce dont beaucoup d'entre vous rêvent inconsciemment : les projecteurs, les applaudissements, les cris d'ivresse, la clameur d'une salle pleine, bref, tout ce qu'un apprenti artiste souhaite un jour vivre pleinement, mais qu'il se contente souvent de suivre, assis devant l'écran de sa télévision. Un écran sur lequel évoluent, chaque année, un certain nombre de jeunes espoirs de la chanson qui deviennent, du jour au lendemain, de petites vedettes que s'arrachent les médias et les *fans* de toutes les générations. Suivre leur parcours du combattant semble aussi magique qu'impressionnant. Révélés au cours d'auditions, ces jeunes sont tout à coup entourés d'un halo de lumière et de professionnalisme. En moins de trois mois, on leur apprend à chanter, à danser, à jouer, à se conduire comme des stars. Il ne faut cependant pas s'y tromper. Leurs conditions d'apprentissage ont beau être idéales, et leurs vies bouleversées par la rencontre de leurs idoles et d'un public toujours plus nombreux, un concours demeure un concours. Bon gré mal gré, ce dernier constituera un bon tremplin pour leur carrière naissante ou demeurera une expérience mémorable dans leur existence. Mais en aucun cas ces artistes en herbe ne pourront prétendre connaître toutes les ficelles du métier en si peu de temps ! Il n'y a d'ailleurs qu'à s'intéresser au parcours de ces élus à la suite de tels concours, pour se rendre compte que la majorité d'entre eux retourneront à leurs occupations habituelles, souvent fort éloignées de la scène et des studios d'enregistrement.

Il faut donc rationaliser dès à présent les objectifs que vous vous donnerez en consultant ce livre. Vous y trouverez les clés qui vous permettront de gagner ce genre de concours, ou au contraire de les fuir pour réaliser un parcours plus classique avec de bons atouts en mains.

Sachez cependant que le phénomène du ballon de baudruche touche beaucoup de jeunes qui croient pouvoir aisément connaître le succès et la fortune une fois qu'ils ont été sélectionnés par une émission très populaire. Ce phénomène est aussi révélateur que menaçant. Révélateur, parce qu'il s'adresse à une clientèle jeune qui se reconnaît dans l'apprentissage et les questionnements des candidats de ces programmes. Menaçant, car il est extrêmement rare de tomber sur des artistes qui maîtriseront dès leurs débuts des talents, non seulement vocaux et scéniques, mais aussi d'ordre pratique, comme l'attitude, la détermination et la patience nécessaires pour parvenir au sommet des palmarès.

Cette vérité est d'ailleurs tout aussi valable pour les aspirants artistes comme pour les vedettes confirmées. Après avoir tenu le devant de la scène pendant près de 20 ans, je peux aujourd'hui vous affirmer, en toute sincérité, qu'il est extrêmement difficile de demeurer numéro un toute sa vie. Seules quelques exceptions viennent démentir dans les faits cette règle. C'est le cas par exemple d'un tout petit pourcentage d'artistes tels que Johnny Hallyday, Charles Aznavour ou Henri Salvador, qui ont su garder, même après 50 ans de carrière, un public toujours aussi nombreux et intéressé. Mais ce genre d'artistes exceptionnels ne représente qu'un pourcentage infime par rapport au nombre de ceux que l'Histoire a tout simplement oubliés. Je pense d'ailleurs que si l'on examine des statistiques sur les artistes qui ont eu un tant soit peu de succès dans les années 1960, 70 ou 80, on s'aperçoit très vite que la grande majorité de ceux qui étaient populaires à l'époque ont presque tous disparu de la circulation ! Moralité : ce sont surtout les modes qui font et défont le nom des artistes, ainsi que leur carrière.

Nous verrons un peu plus loin, dans un chapitre spécialement consacré à ce sujet, qu'il est beaucoup plus difficile de rester au sommet de la gloire que de se faire connaître du public pour la première fois. C'est dire si la tâche est rude. Car si se faire connaître est déjà en soi un défi difficile à relever avec toutes les contraintes et sacrifices que cela suppose, rester un artiste populaire exige de se remettre continuellement en question pour conserver ce degré d'excellence.

Il faut donc relativiser vos ambitions avant de vous lancer tête première dans une carrière que vous pourriez peut-être regretter par la suite. Un simple ballon gonflé d'oxygène s'élèvera très haut pendant quelques heures, avant de s'écraser lamentablement sur le sol pour reprendre sa forme initiale. Par contre, un ballon gonflé d'hélium gardera son plein potentiel. Le succès n'arrivera donc pas toujours facilement, et vous le devrez davantage à vos efforts et à ceux de vos collaborateurs de confiance qu'à la magie ou à la part de rêve véhiculée par une émission de variétés.

La voix, un don inné ou acquis ?

Au risque de sombrer dans l'évidence, je dois vous avouer que l'une des clés du succès dans la chanson est de travailler ardemment sa voix pour arriver à séduire le public et, éventuellement, les jurys des concours de chant. En effet, la maîtrise de la voix n'est pas un don paranormal ou inné comme on voudrait trop souvent nous le faire croire. Ce n'est en réalité qu'une connaissance poussée et la technique aboutie d'une fonction naturelle que nous possédons tous. Les voix de Bruno Pelletier, de Nana Mouskouri, de Michel Sardou ou d'Andrea Bocelli ne se sont pas développées en un jour grâce aux coups de baguette magique d'une quelconque divinité. Il a fallu à ces interprètes du travail pour arriver aux sommets et compter parmi les grandes voix de ce monde.

À ce propos, qu'est-ce que la voix? C'est cette singularité qui nous distingue de l'animal et qui, de siècle en siècle, nous a permis de reléguer les premiers grognements de nos ancêtres aux oubliettes de l'Histoire pour aboutir au discours articulé, à la poésie et enfin à la plus belle expression orale qui soit, le chant.

La voix est généralement divisée en trois sous-systèmes fonctionnels qui œuvrent de concert à la production de vibrations sonores. Le premier est le système comprenant les fameuses cordes vocales, le larynx et l'épiglotte. Lorsque nous sommes au repos, nos cordes vocales sont détendues, relâchées et ne bouchent pas le larynx, permettant ainsi une libre circulation de l'air dans ce dernier qui l'expulsera vers l'extérieur. Dès que notre cerveau ou notre envie nous poussent à émettre un son, qu'il soit grave ou aigu, harmonieux ou discordant, nos cordes vocales se referment sous la pression de l'air qui passe dans le larynx. Selon les différences de pression produites par l'air sur les cartilages du larynx, nos cordes vocales s'entrouvrent de nouveau et se mettent à vibrer. Ceci se répète de manière cyclique pour produire du son. L'intensité de la pression exercée par l'air déterminera quant à elle la fréquence de ces vibrations, autrement dit les notes que vous produisez en parlant ou en chantant. Et comme le dit si justement la chanson du célèbre groupe AC/DC : *Let there be sound !* *(Que le son soit !)*

Mais, vous l'aurez compris, et votre professeur de chant ne cessera jamais de vous le répéter, pour qu'il y ait voix, il faut aussi qu'il y ait souffle et maîtrise, c'est-à-dire une parfaite connaissance de votre propre respiration. C'est précisément ici qu'entre en jeu notre deuxième sous-système fonctionnel : l'appareil respiratoire. Nos deux poumons, qui nous permettent d'apporter l'oxygène requis au bon fonctionnement de notre organisme, représentent un important réservoir d'air. Au cours d'une expiration, une quantité suffisante de cet air parvient à faire vibrer nos cordes vocales pour émettre du son. L'importance de la maîtrise de cette colonne d'air est absolument capitale dans la pratique du chant. Citons également le système bucco-nasal, qui tient lieu de « caisse de résonance » et de filtre sonore donnant à notre voix sa couleur particulière, ainsi que notre bouche, nos lèvres et notre

langue qui nous permettront de prononcer des paroles articulées et intelligibles.

Ensuite, c'est un autre outil naturel qui entre en jeu, notre oreille. En effet, une fois le son produit par l'enchaînement des phénomènes physiques que nous avons décrits plus haut, notre oreille prend le relais et son fonctionnement est le même, que l'on soit chanteur ou tout simplement spectateur ! Les vibrations produites par nos cordes vocales s'échappent de notre corps et continuent de se propager dans l'air. En chemin, elles atteignent notre oreille externe, puis le tympan qui se met lui aussi à vibrer en fonction des fréquences qui lui sont soumises. Cette réaction purement mécanique engendre une transformation électrochimique qui est transmise à notre oreille interne, puis à notre cerveau par le biais du nerf auditif. Ce fonctionnement est valable pour les vibrations émises par le système vocal comme pour toutes les autres vibrations acoustiques qui nous permettent tout bonnement d'entendre des sons, de les reproduire et, surtout, de chanter juste !

Il est donc évident que sur le plan strictement anatomique, nous bénéficions tous du même système vocal et du même système auditif, à l'exception des personnes souffrant de malformations, évidemment. Ce sont finalement nos seuls dons innés. Bien sûr, certaines personnes ont des facilités ou des prédispositions naturelles à l'expressivité orale. Ce sont cependant nos différences de capacités pulmonaires, ou tout simplement la différence de nos systèmes bucco-nasaux, qui donneront à notre voix son timbre propre, sa portée et sa fréquence. L'ensemble des fréquences produites par l'être humain varie d'ailleurs d'un individu à l'autre, les femmes ayant généralement une voix plus aiguë que les hommes. En ce qui a trait à la qualité de cette voix, c'est-à-dire à sa force, à son potentiel et à son capital de séduction, le travail et l'apprentissage du chant demeureront les seuls outils indispensables qui nous permettront de nous distinguer du commun des mortels.

Or, notre utilisation courante de la voix pour parler ou chantonner ne fait appel qu'à une infime partie de son potentiel. Seule une formation en chant fera en sorte qu'un artiste aura plus de voix qu'un autre. Ce phénomène de développement de la voix, bien connu des chanteurs, nous permet d'entrevoir ici les limites des supposés talents innés des individus. Seul le travail de la voix pourra faire la différence, comme le trapéziste qui répète inlassablement le même numéro, ou le culturiste qui développe sa masse musculaire avec acharnement. Il vous faudra donc, pour réussir, commencer à développer vos merveilleuses cordes vocales comme les biceps de l'haltérophile.

Si j'avais moi-même pour objectif de présenter ma candidature aux sélections de la *Star Académie* ou de *Canadian Idol*, j'irais vraisemblablement prendre des cours de chant et plus précisément des cours d'opéra, non pour m'engager dans cette voie artistique, mais pour en apprendre la technique et les particularités. L'opéra est en effet une très bonne école, si ce n'est la meilleure en terme de développement vocal. Si vous appliquez notamment les connaissances apprises en chant classique dans le domaine de la pop ou des variétés, vous aurez beaucoup plus de facilité pour chanter et maîtriserez mieux votre voix. La qualité générale de vos prestations en sera nettement améliorée, vous assurant ainsi l'aval et la reconnaissance du public. Quant à votre système vocal, vous aurez compris son fonctionnement, ce qui vous permettra de mieux l'amadouer et le transcender.

Prenons l'exemple du chanteur français de variétés Florent Pagny. Cet artiste émérite et prolifique qui collectionne les disques d'or a commencé, comme beaucoup d'autres, par le répertoire classique en suivant des cours de chant au conservatoire. Cet apprentissage l'a dans les faits pourvu d'une des voix les plus solides du paysage musical francophone, tout en lui permettant d'interpréter des chansons dans un style très populaire. Je me rappelle d'ailleurs l'avoir vu donner une prestation remarquable aux côtés du célèbre ténor Luciano Pavarotti, et sa voix ne faisait

pas pâle figure en comparaison de celle du maître, loin de là. Le grand public était pourtant loin de se douter que Pagny, ce chanteur de variétés aux *looks* changeants avait suivi la voie de la formation classique lorsqu'il était jeune. Il n'est donc pas étonnant d'apprendre que cet ancien parrain de la *Star Académie* française a sorti un album mélangeant opéra et variétés[2], lequel vient à point nommé souligner le fait qu'une formation classique en musique pourrait vous mener loin. Par conséquent, la voix se travaille, et même s'il est vrai que certains artistes ont pu se passer d'efforts, vous constaterez très vite qu'ils sont extrêmement rares.

La question à se poser maintenant, au regard des explications que je viens de vous donner, est la suivante : où et comment apprendre à chanter ? Il y a plusieurs réponses possibles à cette interrogation et différents axes d'approche envisageables dont nous traiterons plus loin.

Vous devez d'abord absolument intégrer le fait que la majorité des grands chanteurs s'exercent intensivement. Pour ceux qui officient à l'opéra, ce sont généralement plus de deux heures de travail par jour qui sont nécessaires à leur développement vocal. Ils répartissent d'ailleurs souvent leurs horaires comme suit : une heure de vocalises le matin, une heure d'exercices l'après midi, sans oublier le temps et l'énergie nécessaires aux spectacles qu'ils préparent ou présentent. Pour les adeptes du piano-bar, l'entraînement peut atteindre cinq heures chaque jour, heures auxquelles se rajoutent celles passées en représentations. Il y a même des compagnies de chanteurs et de danseurs qui, à force de jouer sur scène tous les jours jusqu'à deux ou trois heures du matin, finissent, comme des athlètes, par progresser de manière fulgurante. L'entraînement assidu et répété est donc un facteur indéniable de progrès.

Je me rappelle à ce sujet avoir été fasciné par Raymond Berthiaume, un arrangeur vocal dont la capacité de travail était

---

2. Florent Pagny, *Baryton*, Mercury, 2004.

saisissante. Cet homme remarquable débutait en effet toujours son travail vers neuf heures et chantait sans interruption toute la journée au cours d'enregistrements et d'émissions télévisées, passant allègrement de studio en studio jusqu'à 10 longues heures d'affilée. Vous comprendrez facilement que ce genre de rythme de vie demande une dose d'énergie phénoménale, car il faut allier plusieurs qualités et les maintenir constamment au meilleur niveau. Garder son effort de concentration, chanter juste et maintenir la puissance de sa voix suffisamment longtemps, tels étaient quelques-uns des petits secrets de Raymond, et malgré cet acharnement, il n'avait jamais de mal de gorge ! « L'important, m'avait-il dit, c'est la technique vocale. La voix est un muscle qui se développe et s'endurcit. » Étonnamment, j'ai constaté à mon tour que les chanteurs avaient toujours, ou presque, une meilleure santé que les autres individus, à croire que le fait d'entretenir sa gorge favorise la santé générale de l'organisme.

La base d'une bonne carrière de chanteur repose d'ailleurs toujours sur une bonne santé. Ménager son système immunitaire — ce qui est capital dans ce domaine — et demeurer physiquement en forme sont autant d'atouts pour favoriser la réussite. En effet, l'exercice physique renforce le système immunitaire et donne de la puissance à la voix. Ainsi, si vous faites du sport régulièrement, mangez sainement, ne buvez ni ne fumez, votre système vocal et votre organisme verront leurs capacités décuplées, ce qui vous permettra de travailler davantage certaines techniques comme la précision ou le coffre. J'ai à ce propos remarqué que les personnes physiquement fortes ont, certes, bien plus de coffre que les autres, mais dès que la fatigue les rattrape, leur voix s'en ressent et s'affaiblit automatiquement.

Beaucoup de débutants ignorent tout cela et détériorent malheureusement leur voix très rapidement. Même des artistes aussi prestigieux que Céline Dion doivent ménager leur voix le plus souvent possible, leur rythme de vie, ponctué de spectacles et de voyages, étant très exigeant.

Prenons un autre exemple significatif, celui des hommes politiques. Vu qu'ils ont l'habitude de donner des discours ou de parler toute la journée face aux micros ou aux caméras, ils doivent aussi être très vigilants vis-à-vis de leur voix, car dans ce genre d'exercice de style, les cordes vocales sont les premières agressées. Découvrez, transcendez et ménagez votre voix, vous y trouverez un plaisir nouveau et des sensations incomparables, mais de grâce, gare à l'aphonie !

Le leurre de l'enfant prodige

Tout au long de mon parcours professionnel, j'ai été amené à répondre à cette question émanant de parents inquiets : « Est-il souhaitable de diriger un jeune enfant vers une carrière artistique ? » De nombreux parents s'interrogent à ce sujet, notamment depuis le fantastique essor des concours de chant télévisés et autres *castings* très à la mode chez les 10-35 ans, car, derrière ce phénomène médiatique, il faut bien l'admettre, toute une jeunesse rêve de reconnaissance publique, de succès ou, plus spirituellement, d'accomplissement de soi. Aujourd'hui, les jeunes enfants s'identifient en effet davantage aux candidats de *Star Académie* qu'aux métiers classiques, jugés plus banals, de pompier ou d'infirmière, ou même de sportifs professionnels, métiers qui façonnaient jadis l'imaginaire de leurs parents.

Le monde du spectacle n'a jamais été autant en vogue, à un tel point d'ailleurs que les fabricants de jouets ont emboîté le pas à cette mode avec toute une panoplie d'accessoires pour apprentis chanteurs ou chanteuses, dont les petits montages qui permettent de s'adonner au fameux karaoké devant son téléviseur. S'ajoutent à cela les ministudios portatifs d'enregistrement qui font fureur pendant les fêtes de fin d'année, au détriment des Barbies et autres voitures télécommandées de naguère. Au sein d'une société qui pousse les enfants à adopter un comportement individualiste, la reconnaissance qu'amènent les concours télévisés semblerait donc constituer le moyen idéal de se démarquer des autres.

Pourtant, en se penchant d'un peu plus près sur la question, je pense que ce phénomène n'est pas si nouveau que cela. La carrière artistique a toujours attiré les jeunes enfants, et surtout des parents en quête de satisfaction personnelle, une satisfaction qu'ils n'ont pu obtenir eux-mêmes au même âge. Certaines de ces jeunes stars ont même été créées de toutes pièces et sont devenues des idoles multimillionnaires, pour le meilleur comme pour le pire. Tout le monde connaît par exemple le destin incroyable de Michael Jackson, qui a commencé à travailler en studio, sous l'égide de son père, dès l'âge de cinq ans. On pourrait aussi citer le petit Jordy, un bambin qui a défrayé la chronique en France dans les années 1990. Ses parents, Claude et Patricia Lemoine, respectivement producteur de musique et auteure de chansons, en avaient fait une vedette dès l'âge de quatre ans et demi en lui faisant enregistrer *Dur dur d'être un bébé*, morceau qui est resté numéro 1 au top 50 pendant près de 15 semaines en 1992. La suite de sa carrière s'est malheureusement révélée beaucoup moins rose que ses débuts. En effet, malgré quelques autres succès après le fameux *Dur dur...*, ses parents, qui avaient fait fortune, ont ouvert une sorte de parc d'attractions qui a très vite fait faillite, précipitant leur divorce et la fin de l'aventure Jordy. Ce petit phénomène, qui est tout de même aujourd'hui âgé de 17 ans, a cependant réussi à revenir sur le devant de la scène en participant, avec le légendaire Plastic Bertrand — l'auteur de *Ça plane pour moi* —, à une émission de téléréalité française, *La Ferme*, inspirée du programme américain *The Simple Life*. Dans le même ordre d'idées, nous pourrions aussi parler de Vanessa Paradis, qui a enregistré son premier 45 tours à l'âge de 13 ans pour connaître un succès qui, malgré des hauts et des bas, ne l'a jamais vraiment quittée. Cette dernière avait d'ailleurs commencé sa jeune carrière à l'âge de sept ans sur les planches du Théâtre de l'Empire aux côtés du célèbre animateur français Jacques Martin, lors de la non moins fameuse émission télévisée *L'École des fans*. Il est intéressant de noter que cette émission a fait fureur pendant des années en France et qu'elle a suscité, bien avant *Star Académie*, des vocations d'artistes chez les plus jeunes. Elle

avait aussi pour but de motiver les parents à inciter leurs enfants à monter sur les planches, de manière à ce que les grands-parents fondent devant la candeur et l'innocence des jeunes participants… Ah, la séduction des cotes d'écoute.

Mais demeurons sérieux. En ce qui me concerne, même si je suis d'accord avec le fait que l'apprentissage de la musique dès le plus jeune âge est une bonne chose pour le développement général de l'individu, je ne recommande pas aux parents de faire entreprendre à leurs enfants une véritable carrière artistique trop tôt. Premièrement, il m'apparaît plus que jamais indispensable que les enfants acquièrent une base de connaissances et une culture générale complètes. Cette règle peut d'ailleurs tout aussi bien s'appliquer aux enfants qu'aux adultes. Un artiste aura besoin, au fil de son cheminement, d'un jugement sûr et approprié auquel s'ajouteront certains acquis indispensables de culture générale, d'aisance dans l'expression orale ou de diplomatie. Deuxièmement, en ce qui concerne la voix de l'enfant, un travail trop assidu alors qu'il est très jeune l'obligera à exploiter au maximum ses cordes vocales et ceci en pleine période de croissance, ce qui n'est pas souhaitable. Enfin, et sans vouloir ici jouer les rabat-joie, je ne crois pas qu'une salle de spectacles, un cabaret ou un studio d'enregistrement soient les lieux les plus appropriés pour l'éducation d'un bambin, les adultes ne s'y sentant parfois eux-mêmes pas très à leur place. À trop vouloir pousser leurs enfants, certains parents commettent donc une faute irréparable qui se solde souvent par l'épuisement de leur progéniture, la détérioration de leur santé, voire leur total découragement, ce qui peut aboutir à la perte de toutes leurs ambitions. Ce genre de choix peut aussi briser une jeunesse, car il n'est pas normal pour un jeune enfant de mener une vie d'adulte, de vivre entre deux valises ou deux vols d'avion. Certains de ces jeunes prodiges ne s'en sont jamais remis ou ont tout simplement mal tourné, à l'image de Shirley Temple, Garry Coleman ou Drew Barrymore.

Ainsi, plutôt que de lancer un enfant dans un début de carrière destructeur pour son avenir, il est préférable de l'initier à certaines pratiques artistiques, qu'il s'agisse de musique, de chant ou de danse, et ceci de manière modérée. Il existe énormément de structures, d'associations et d'écoles qui fournissent aux jeunes ce genre d'activités bénéfiques pour leur développement individuel et, en admettant que ces activités extrascolaires ne prennent pas le pas sur leur cursus général de formation, je n'y vois que du bien. Les jeunes enfants, nous le savons, sont tous très différents les uns des autres. Certains ont le caractère déjà bien trempé, quand d'autres sont carrément renfermés sur eux-mêmes, accusant une timidité maladive. Une activité artistique pourra donc transformer avantageusement ces traits de personnalité extrêmes et, dans bien des cas, les faire oublier. Mais un enfant ne devrait pas commencer à délaisser ses études au profit de ce genre d'activités. La principale raison en est que les jeunes ont tendance à s'emballer très vite pour des occupations de cet ordre, surtout s'ils ont conscience de l'admiration béate que leur vouent leurs parents ou leurs camarades de classe.

Il y a une autre idée reçue qui concerne les enfants prodiges. Le grand public s'imagine toujours que les enfants d'artistes qui ont réussi doivent tout à leurs parents et que leur talent ne serait que l'aboutissement d'un héritage génétique. Ce n'est absolument pas vrai. Encore une fois, étant donné que l'appareil phonatoire est le même pour tous, la plupart des enfants ont les mêmes prédispositions naturelles à la musique, au chant ou à n'importe quelle autre discipline artistique. Leur comportement, leur caractère ou leur qualité d'écoute seront en fait les seuls éléments qui les distingueront les uns des autres. Je vous concède que le milieu où l'enfant vient au monde peut influer de manière significative sur son avenir, surtout si l'on considère l'aisance financière des parents ou encore les liens de ces derniers avec le monde du spectacle. Mais ces prédispositions ne changeront pas le fait que tout enfant, quelle que soit la renommée de ses parents, devra faire des efforts, travailler pour progresser et ne pas perdre la tête, ce qui, au regard du parcours de certains, n'est malheureusement pas toujours chose facile.

Un enfant vedette au destin tragique : Michael Jackson

Sur scène depuis l'âge de cinq ans, celui qui fut l'idole de plusieurs générations, qui a réussi à fracasser des records de vente d'albums, exploits inégalés à ce jour, mais dont la popularité médiatique a si souvent été accompagnée de scandales qu'elle en constitue aujourd'hui un fardeau écrasant ; le grand Michael Jackson a connu une vie aussi mouvementée qu'atypique.

Considéré par certains comme l'un des génies musicaux les plus précoces de l'histoire de la musique, et comme un dangereux mégalomane par d'autres, le Roi de la pop était, au printemps 2005, passible d'une lourde condamnation pour pédophilie et détournement de mineurs. Comment expliquer un tel cheminement ? Qu'est-ce qui aurait pu pousser le coauteur de la fantastique chanson *We Are the World* (1985), au bénéfice des enfants malades du monde entier, à abuser de ces mêmes bambins par la suite ? Quels liens peut-on encore établir entre le jeune homme fringant qui a bouleversé toutes les statistiques musicales en 1982 grâce à l'album *Thriller*, et l'être méconnaissable de 45 ans, à la pâleur aussi surprenante que ne l'est son univers, un univers fantaisiste délibérément en marge de la réalité ? Les théories, biographies et reportages sur le phénomène Michael Jackson abondent et nous fournissent à présent, si ce n'est la totalité, du moins une bonne partie des réponses à ces questions. Il faut en fait revenir à la petite enfance de cet artiste pour comprendre ce qui a motivé les choix plus ou moins inconsidérés que ce dernier a effectués à l'âge adulte.

Michael Joseph Jackson a vu le jour en 1958, à Gary, une petite ville de l'Indiana, aux États-Unis. Issu d'une famille noire très pauvre de neuf enfants, il a vécu ses premières années dans un appartement de la taille d'un garage. Sa mère Katherine, employée de magasin, et son père Joseph, grutier, parvenaient difficilement à subvenir aux besoins d'un foyer à peine salubre et dépourvu de toutes les technologies d'après-guerre, dont la sacro-sainte télévision. La légende veut que, faute de mieux, la musique occupait déjà une place importante dans le quotidien des Jackson. Un jour, le cadet de la famille, Tito, aurait été l'élément déclencheur du projet Jackson Five en faisant une démonstration remarquable de chant à ses parents pour se faire pardonner l'emprunt de la guitare paternelle. Il n'en aurait pas fallu plus pour éveiller l'intérêt du père qui, dès lors, s'acharnera à faire de ses cinq garçons des vedettes. De petits concours en cabarets, ceux que l'on consacrerait bientôt comme les stars d'une décennie, âgés de 5 à 11 ans, ont subi un entraînement digne d'une formation paramilitaire pour gravir un à un les échelons de la réussite.

Après cinq années d'efforts au cours desquelles Michael s'est de plus en plus imposé, malgré son jeune âge, comme le leader charismatique du groupe, les Jackson Brothers ont décroché, en 1967, le concours du théâtre Apollo de New York, une salle de concert mythique dans laquelle tous les plus grands chanteurs noirs, de James Brown à Stevie Wonder, se sont produits.

Après une première maquette signée sous l'étiquette Steeltown, les désormais Jackson Five ont été approchés par Berry Gordy, le directeur et fondateur de la plus importante maison de disques de *Rythm and blues* de l'époque, la société Motown. Enthousiasmé par leurs performances, Gordy leur a promis la gloire. La suite de cette histoire est connue de tous. En octobre 1969, leur premier succès, *I Want You Back*, s'est vendu à plus de deux millions d'exemplaires en moins de six semaines et a constitué le plus gros *hit* jamais enregistré par la Motown. Michael n'avait alors que 11 ans. Puis les simples et les albums se sont enchaînés avec le même succès. Les titres *ABC*, *The Love You Save*, *I'll Be There*, *Never Can Say Goodbye* sont tous passés à l'histoire et se sont écoulés à des millions d'exemplaires. Profitant du charisme et du talent incontestables du jeune Michael, la société Motown a également sorti, de 1972 à 1976, plusieurs albums solo de ce jeune phénomène,

dont les très célèbres *Got To Be There* et *Ben*.

Les années se succédant, les Jackson Five se sont malgré tout sentis de plus en plus à l'étroit dans leurs costumes à paillettes et des chansons d'enfants qu'ils n'étaient plus. Ils ont alors décidé, à l'exception de Jermaine, de rallier les rangs de la maison Épic, en 1976. Ils ont ainsi revalorisé leur image en sortant sous le nom de The Jacksons deux albums historiques, *Destiny*, en 1978, et *Triumph* en 1981. Michael n'avait cependant pas tiré un trait sur sa carrière solo et, grâce à l'appui du producteur Quincy Jones, a réalisé une série de succès sans précédent. Les albums *Off the Wall* (1979), *Thriller* (1982), *Bad* (1987) et *Dangerous* (1991) l'ont consacré comme l'artiste le plus adulé du siècle, détrônant même Elvis et les Beatles.

C'est cependant à partir de 1984 que l'on a commencé à observer les premiers comportements originaux d'un homme que l'on aurait cru pétri de discipline. À la suite du tournage d'une publicité pour la firme Pepsi, au cours duquel il s'était gravement brûlé au visage, Michael Jackson a soudain accumulé les opérations de chirurgie esthétique, s'est enfermé dans des caissons à oxygène, déguisé allègrement et ne se présentait plus devant les photographes sans son chimpanzé. Sa somptueuse résidence, Neverland, nommée ainsi en hommage au dessin animé *Peter Pan*, est devenue un véritable parc d'attractions dans

Fabrication d'une star

lequel l'artiste s'isolait ou recevait des enfants. Des enfants dont il se disait d'ailleurs si proche qu'il les invitait à dormir chez lui, voire dans sa propre chambre. Cette série de bizarreries a tout d'abord été attribuée aux caprices d'une star qui ne savait pas comment dépenser son argent. Mais on a bientôt appris, à mots couverts, lors des entrevues que donnait Michael, que celui-ci cherchait avant tout à revivre une enfance qu'on lui avait volée et à s'éloigner de son père. Un père auquel il venait de retirer, en 1983, son titre de gérant, et dont il essayait à présent d'oublier la marque de toutes les manières possibles. Évidemment, ces aveux ont fortement ébranlé une opinion publique qui avait encensé le modèle familial des Jackson au point de les mettre à la une du magazine *Ebony* dans les années 1980 en tant que famille modèle de l'année.

Il faut malgré tout aller fouiller au-delà de la légende des Jackson Five pour comprendre que les enfants de cette petite famille d'Indiana ont été non seulement gérés d'une main de fer par leur père Joseph, mais aussi traumatisés par ce même homme, un chanteur frustré qui s'était transformé en véritable tortionnaire. En effet, derrière les applaudissements et la gloire, les malheureux frères Jackson vivaient un véritable calvaire. Dès l'instant où leur père a compris qu'il pourrait peut-être les utiliser pour en faire des vedettes, il n'a pas hésité à sacrifier leur enfance, leurs loisirs et leur

personnalité pour arriver à ses fins. Tout comme ses aînés, peut-être plus qu'eux encore, le petit Michael a subi les foudres d'un homme qui croyait que force et rigueur dans le travail rimaient avec esclavage et humiliations quotidiennes. Dès 1963, le petit phénomène s'attirant déjà les bravos sur de petites scènes locales, son père l'avait intégré sans attendre dans la dynamique qu'il voulait mettre sur pied. Si bien qu'au lieu de s'adonner, comme la majorité des enfants de son âge, à des activités qui participent à la socialisation de toute personne normalement constituée, Michael répétait inlassablement avec ses frères, le matin, le midi, le soir et les fins de semaine, ses seuls temps libres devenant ceux qu'il passait à l'école. Cet entraînement plus qu'exigeant s'accompagnait régulièrement de démonstrations de violence et d'humiliation. Par exemple, la grinçante émission américaine *Jerry Springer Show* a rapporté, en 2003, qu'il n'était pas rare que les enfants Jackson reçoivent des gifles lorsqu'ils n'effectuaient pas correctement un pas de danse particulier ou soient aidés à tomber sur les instruments de musique qui les entouraient. À cela s'ajoutaient, spécialement pour Michael, des problèmes de taille, de morphologie et d'acné qui faisaient de lui la risée de ses proches, qui le traitaient chaque jour de nain ou de gros nez.

Vaille que vaille, le petit Michael a tout de même réussi à devenir le leader charismatique du groupe mythique des Jackson Five. La tutelle tyrannique de son père n'a malheureusement pas cessé avec le gain des premiers radio-crochets. Joseph voulait à présent gagner de l'argent, beaucoup d'argent avec sa marmaille, et ne reculait donc devant rien pour se faire quelques sous. Quitte à entraîner ses enfants dans des cabarets enfumés ou dans des boîtes de *strip-tease* peu recommandables, alors que lui-même et son épouse avaient joint les rangs des Témoins de Jéhovah. «Ce qui me plaisait dans cette religion, a-t-il admis par la suite, ce n'était pas la spiritualité, c'était la discipline.» Une discipline digne des meilleurs camps militaires, en effet, car dès que les frères Jackson ont commencé à briller sur les grandes scènes et à cumuler les succès avec la maison Motown, ils ont littéralement été astreints à s'entraîner tout le temps. Il n'était plus maintenant question de s'amuser à gagner des concours et le cœur des gens, mais à produire et à se produire sans cesse en oubliant tout le reste. Les Jackson Five ont ainsi enregistré, entre 1969 et 1975, près de 469 chansons et ont parcouru le monde entier. D'enfants, ils sont devenus les soutiens financiers d'une famille qui ne cessait de les culpabiliser au moindre faux pas.

Des pressions mentales et physiques, donc, auxquelles se greffaient les aléas du vedettariat, évidemment. La famille Jackson regorgeait en effet de petits secrets assez méconnus. Comme les nombreuses aventures que monsieur Jackson père se permettait en tournée devant ses fils, tout en les menaçant des pires atrocités si ceux-ci répétaient quoi que ce soit à leur mère. Comme la fille que ce même monsieur a eue hors mariage avec une certaine Cheryl Terrel, une petite fille qu'il allait visiter de temps à autre dans l'une des grosses voitures qu'il pouvait à présent s'acheter. Comme aussi, les jeunes *fans* que le compagnon de chambre de Michael, Jermaine, ramenait souvent dans le lit qu'ils partageaient.

Aux yeux de Michael, les années Jackson Five ont, par conséquent, davantage représenté un drame quotidien qu'une aventure extraordinaire. Et malgré l'empreinte du temps, il lui est encore aujourd'hui insupportable de pouvoir vivre une vie d'adulte sereinement. Ceci n'explique pas tout et ne pardonne rien, c'est certain. Avoir brandi son fils au-dessus du vide du cinquième étage d'un immeuble et peut-être avoir abusé de jeunes enfants[3] sont des actes qui ne se réclament pas automatiquement d'un sordide passé. Ils sont cependant le signe d'un déséquilibre. Un déséquilibre qui est fort probablement lié aux actes d'un seul homme : Joseph Jackson, qui a toujours davantage voulu sa gloire que celle de ses enfants vedettes.

---

3. Le jugement de cette affaire, au printemps 2005, l'a lavé des accusations que plusieurs jeunes garçons portaient contre lui.

Un mal nécessaire : la formation

En plus du travail de la voix et de la découverte des sensations physiques qui lui sont associées, l'apprentissage du solfège et d'un instrument de musique peut se révéler capital dans la formation d'un apprenti chanteur. Comme nous l'évoquions précédemment, pour chanter il faut à la fois connaître, maîtriser et développer son appareil vocal, mais aussi se servir avec finesse de son oreille, qui garantit la justesse du chant.

L'oreille est d'ailleurs une fausse amie. La nature nous prédispose naturellement à l'imitation des sons que nous entendons et l'appareil auditif est très doué pour ce petit jeu. Après avoir entendu une ou deux fois une belle chanson à la radio, vous serez donc logiquement capable d'en reproduire la mélodie, ou du moins les écarts de notes qui la composent. Mais en réalité, et vous l'aurez constaté vous-même si vous êtes un adepte du karaoké, une fois que la version originale de la chanson sera rejouée, vous remarquerez que vous chantiez faux ! Moralité : la chanson s'apprend en fait comme toute autre leçon, et elle a son langage, ses règles et sa technique.

Pour chanter juste et de manière professionnelle, je vous encourage par conséquent à vous lancer dans l'apprentissage du solfège.

Se donner la motivation d'apprendre la musique de manière structurée est une démarche tout à fait excellente et il ne faut pas hésiter à y consacrer du temps. Il s'agit cependant d'un apprentissage difficile et de longue haleine, aussi faut-il avant tout se poser la question de savoir si l'on est prêt à ce sacrifice-là.

J'ai lu à ce propos récemment un article au sujet de la *Star Academy* française qui m'a conforté dans l'idée que j'avais sur ce phénomène depuis quelques années. Interrogé au sujet des candidats de cette célèbre émission de téléréalité, le représentant officiel de la société productrice de l'émission, Endemol, répondait ceci :

> Nous avons vu arriver beaucoup de candidats qui se prévalaient d'avoir fréquenté des écoles de chant ou de danse. Ce qui

n'était pas le cas les années précédentes [...] Il s'agissait souvent d'écoles très récentes, très chères, qui ont surfé sur l'effet Star Ac' et qui, souvent, ne dispensaient manifestement pas un enseignement de qualité[4].

En effet, l'offre en la matière est véritablement très abondante et il est difficile d'y voir clair. Ceci dit, je peux vous donner quelques conseils qui devraient vous permettre de vous en tirer à moindres frais et, surtout, de vous adresser aux personnes les plus compétentes.

Pour éviter les charlatans de tous bords, vous auriez manifestement avantage à vous rapprocher, en premier lieu, d'une école de musique dite « classique ». Je ne veux pas parler ici d'une école qui va nécessairement vous apprendre la musique classique, mais d'un établissement public ou institutionnalisé comme on en trouve dans toutes les villes de moyenne importance à travers le monde. En France, ces écoles de musique agréées (EMMA[5]) répondent à des critères d'enseignement très précis. Les professeurs qui y enseignent disposent de diplômes reconnus par l'État.

Ces écoles bénéficient d'une sorte d'agrément national qui peut vous confirmer la qualité de leur enseignement. Il vous sera possible d'y apprendre le chant, ainsi que tout instrument de musique de votre choix, du piano au violon, en passant par la harpe ou les percussions. Hiérarchiquement, ces écoles se placent juste en dessous des écoles nationales de musique (ENM) qui sont, quant à elles, chapeautées par les conservatoires nationaux de régions (CNR). Vous pouvez vous inscrire en toute confiance dans ces trois types d'institutions. Il va de soi, par contre, que ces écoles proposent un enseignement classique de la musique qui passe inévitablement par l'apprentissage du solfège. Le cursus musical y est divisé en cycles qui peuvent s'échelonner sur trois à

---

4. « Derrière la *Star Academy*, une jeunesse rêve de télévision », *Le Monde*, édition électronique du 22 décembre 2004 : <www.lemonde.fr>
5. EMMA : École municipale de musique agréée.

quatre années. Leur principal avantage réside dans leur politique tarifaire extrêmement peu élevée. Ainsi, pour une inscription annuelle dans ce type d'établissement, la fourchette de prix s'étalera de 150 à 400 € (c'est-à-dire de 240 à 650 $ pour leurs pairs canadiens). Au Québec, des personnalités comme Vincent D'Indy ont notamment pu donner, par la qualité de leur enseignement, toutes leurs lettres de noblesse à ce type d'écoles.

Ces conditions tarifaires sont très attrayantes, mais la durée de l'apprentissage et le contenu des cours pourraient en décourager certains. Aussi puis-je vous conseiller d'autres solutions.

Parallèlement à ces réseaux d'établissements sous tutelle de l'État, il existe en effet une multitude d'écoles privées axées sur les musiques actuelles, parfois spécialisées dans une discipline, comme le chant. L'enseignement prodigué sur place peut tout à fait être à la hauteur d'une école publique, même si ces établissements ne disposent généralement pas d'accréditations officielles. Aussi renseignez-vous sur ces écoles pour savoir ce qu'elles valent, en vous rapprochant par exemple d'anciens étudiants, ou en cernant la réputation de l'école auprès d'un établissement agréé. Ces entreprises font souvent appel à des musiciens professionnels qui interviennent à la fois dans l'enseignement pratique et théorique. Leurs tarifs varient en fonction de la réputation de leurs professeurs et des services qu'elles proposent. Certaines disposent même de programmes entièrement consacrés à la préparation de concours ou de *castings*, mais dans ce cas-là il vous faudra casser votre tirelire, car une année de cours dans ce genre d'établissements très spécialisés peut atteindre la coquette somme de 1 200 à 4 000 € (de 2 000 à 6 500 $ CAD).

Une autre solution consiste à trouver un professeur de chant particulier chez qui vous vous rendrez ou qui se déplacera à votre domicile. Il peut s'agir d'un professeur à la retraite, d'un musicien professionnel ou encore d'un étudiant en musique qui veut arrondir ses fins de mois. La bonne vieille méthode des petites annonces dans les journaux gratuits vous permettra facilement d'en trouver un rapidement sans trop dépenser d'argent. Assurez-vous cependant au préalable que la personne que vous aurez choisie puisse vous fournir des références convaincantes vous prouvant son degré de compétence. Enfin, si vous ne vous sentez pas prêt à vous investir dans un enseignement de longue durée, que ce soit personnellement ou tout simplement financièrement, il vous restera quelques solutions pour vous initier à la pratique du chant.

De nombreuses écoles privées ou de simples associations dédiées à la musique proposent notamment des ateliers d'été, des stages, ou bien encore des *master class* qui pourraient constituer une bonne entrée en matière, toujours à moindres frais. Vous pourrez aussi facilement trouver sur Internet des sites consacrés à la pratique vocale, à des exercices de respiration et de contrôle de soi. Sans oublier tous les petits livres et méthodes, parfois accompagnés de vidéocassettes ou de disques compacts pédagogiques, que vous pourrez acheter dans n'importe quel magasin de musique.

Il existe également de nombreuses solutions plus ou moins abordables et efficaces pour apprendre la musique. Les règles qui infléchiront vos choix devraient d'ailleurs être les mêmes que celles qui vous feraient choisir une école de chant. Ainsi, pour l'apprentissage du solfège, je vous conseille de vous rapprocher d'écoles publiques accréditées par l'État ou des ministères tels que ceux de la Culture ou de l'Éducation, quel que soit le pays où vous vous trouvez. L'instruction y sera fiable et répondra à des exigences et à des critères de qualité qui vous serviront toujours si vous vous engagez dans une carrière artistique professionnelle.

Encore une fois, vous inscrire dans ce type d'écoles vous demandera de la patience et de la discipline, car l'enseignement y est long et parfois difficile. Les jeunes qui croient en la facilité et qui veulent absolument aller plus vite que la musique seront rapidement déçus par ces établissements. D'une part, parce que l'apprentissage du solfège qu'on y inculque est le fruit d'une longue évolution de l'enseignement musical qui fait la part belle au répertoire classique et non pas aux morceaux de vos artistes préférés. D'autre part, parce que les cycles d'enseignement y sont longs et peuvent rebuter les jeunes adultes qui se retrouvent sur les bancs de l'école à déchiffrer des morceaux comme *Frère Jacques* en compagnie de camarades de classe qui pourraient être leurs petits frères, voire leurs enfants. Malgré ces quelques éléments négatifs, les écoles publiques demeurent souvent les solutions les plus abordables et les plus fiables, en raison de leur rapport qualité-prix.

Bien entendu, les écoles publiques ne sont pas les seuls établissements où l'on peut vous apprendre à jouer d'un instrument. Déjà, depuis de nombreuses années, un réseau parallèle d'écoles de musique a vu le jour pour répondre à la demande croissante du public. On peut en effet apprendre aujourd'hui à jouer d'instruments qu'il était auparavant impossible d'approcher au conservatoire ou dans les écoles publiques. Par exemple, pour les *fans* de Jimi Hendrix ou des Rolling Stones, il était encore très difficile il y a 20 ans d'apprendre des notions de guitare électrique ou de batterie dans un établissement digne de confiance. Cette époque est heureusement révolue et, devant la pression cumulée de la demande et l'engouement populaire, ces musiques profanes, appelées également actuelles ou amplifiées, ont à présent droit de cité dans l'enseignement. Il existe aussi des écoles qui se spécialisent dans l'apprentissage d'un instrument de musique en particulier, comme la guitare ou la basse. Apogée des ressources multimédias oblige, vous trouverez même des sites Internet qui vous permettront de prendre des cours de musique en ligne devant votre écran. Moyennant un paiement sécurisé par carte bancaire, bien entendu ! Malheureusement, l'opacité entourant la qualité des critères pédagogiques de ce type d'entreprises rend encore difficile le choix d'un système particulier par rapport à un autre. N'importe quelle académie peut en effet se prévaloir, sur son site Internet, d'être l'école la plus réputée de Paris ou du Québec, mais un approfondissement ou une petite enquête préalable pourrait vous être utile afin de vous assurer du bien-fondé de cette réputation.

Autre solution qui a fait ses preuves : le professeur particulier, un ancien musicien qui vous donnera quelques-uns de ses trucs ou vous initiera aux rudiments du solfège. Le recours à ce procédé pourrait être une piste envisageable pour ceux qui ne veulent pas se lancer dans un long cursus pédagogique. Enfin, pour ceux qui veulent apprendre à leur rythme et à moindres frais, les méthodes, cahiers, vidéocassettes et autres supports polyvalents, comme nous l'avons dit plus haut pour le chant, peuvent se révéler très pratiques pour s'approprier les bases d'un instrument, sans pour autant dépenser des fortunes.

Quel que soit le système que vous privilégierez, soyez patient. En effet, même si l'on a l'habitude de dire qu'il vaut mieux commencer le solfège très jeune, les enfants ayant une meilleure réceptivité à l'apprentissage et une vivacité d'esprit qui les distingue des adultes, ce n'est pas une raison pour abandonner au premier écueil. Il est vrai qu'en commençant tôt, le solfège ou la pratique de la musique deviennent très vite comme une seconde nature pour l'individu. On gagne aussi par ce biais beaucoup de temps sur un cursus qui peut s'étaler jusqu'à une dizaine d'années. Mais cela ne doit en aucun cas vous décourager. Pour maîtriser la chanson, la lecture à vue et les notions basiques d'un instrument simple comme la guitare, il ne vous faudra pas une éternité. Une certaine capacité de concentration et de la volonté pourront même vous faire réaliser des progrès significatifs dès les six premiers mois de travail. Il ne vous restera ensuite qu'à peaufiner vos connaissances pour plus de polyvalence technique si vous en avez l'envie et, surtout, l'énergie.

Ces efforts personnels, si vous les entreprenez, ne seront pas vains. Avant tout, apprendre la musique est une chance, un privilège même, qui vous fera connaître une science fantastique truffée de secrets et de découvertes. Votre travail sera forcément récompensé et vous découvrirez deux facettes de la vie d'artiste

que l'on a trop tendance à occulter : l'acharnement et le perfectionnisme ! Tous ceux qui ont, par exemple, connu Céline Dion à ses débuts ont pu constater les immenses progrès qu'elle a pu faire entre ses premières chansons — elle avait beaucoup moins de coffre qu'aujourd'hui — et ses dernières interprétations dans lesquelles elle a développé une voix superbe et puissante. Pour en arriver à ce niveau d'exception, Céline Dion a énormément travaillé, aussi bien dans la pratique que dans la théorie.

Parmi les rubriques qui composent l'apprentissage de la musique, la lecture à vue sera un axe crucial à explorer. Elle représente en effet un aboutissement, car elle permet, à force d'entraînement, d'avoir une compréhension rapide des partitions musicales.

Car une partition se présente comme un langage à part entière. Il ne s'agit pas que d'une succession de notes de musique, mais bien d'un ensemble d'annotations permettant d'interpréter une œuvre de la même manière que l'aura composée son auteur. Et comme il ne vous viendrait pas à l'idée d'entreprendre la lecture d'un livre dans une langue que vous ne connaissez pas, vous devrez impérativement pour être en mesure d'interpréter des chansons passer par la lecture à vue ; l'idéal étant d'acquérir une technique de lecture vous ouvrant à une vision globale et analytique des partitions. Cette connaissance est capitale pour interpréter les œuvres musicales le plus fidèlement possible au pied levé. Pour chanter en studio, cette maîtrise pourrait notamment s'avérer indispensable, car elle vous distinguera toujours du musicien amateur et de l'autodidacte. Lors d'un concours du type *Star Search*, elle vous donnera un avantage immense sur les candidats non lecteurs qui éprouveront plus de difficulté à comprendre les chansons. Si vous ne réussissez pas comme chanteur ou chanteuse vedette, la bonne maîtrise de la lecture à vue ou du solfège pourrait également vous permettre de vous introduire, à titre de choriste ou de musicien de studio, dans le milieu du spectacle. À défaut de devenir une star, vous pourriez ainsi au moins être reconnu comme musicien à part entière, ce qui n'est pas rien.

Parmi tous les instruments de musique, la guitare est celui qui est souvent considéré comme un partenaire d'accompagnement facile à aborder pour les néophytes de la musique. Quelques heures d'exercice vous permettront en effet de jouer des accords faciles en haut du manche. Après deux ou trois mois de discipline, la douleur au bout de vos doigts ne sera déjà plus qu'un lointain souvenir et vous pourrez alors vite chanter quelques-uns des morceaux qui ont fait la gloire des Beatles ou des Rolling Stones. Jouer d'un instrument vous permettra aussi de développer votre oreille et votre justesse quand vous chanterez. Et, dans un laps de temps assez court, avec quelques accords seulement, vous pourrez commencer à chanter plusieurs chansons, ce qui rendra votre étude plus facile.

Solfège et pratique d'un instrument sont donc deux incontournables dans la vie d'un artiste, peu importe le ou les styles dans lesquels il évolue. Pour ma part, je joue de la batterie depuis l'âge de neuf ans et j'ai aussi été familiarisé avec la pratique vocale depuis ma prime jeunesse. Mes connaissances musicales m'ont beaucoup aidé dans ma carrière, et même si je ne suis pas un spécialiste de la musique, cet apprentissage m'aura permis d'en retirer de nombreux aspects positifs. N'oubliez pas que s'il y a beaucoup d'autodidactes dans le monde musical, une carrière dans le domaine des variétés sera beaucoup plus prolifique si vous connaissez la musique et le solfège. Enfin, cette initiation vous permettra de tester votre degré d'engagement personnel et de volonté, car son apprentissage demande de la rigueur, de la discipline et du courage. Nous allons maintenant voir que ces trois aspects ne s'arrêtent pas qu'à la théorie musicale.

Du travail, du travail, et encore du travail !

Un nouveau paramètre rend le métier d'artiste beaucoup plus difficile qu'il ne l'était il y a encore quelques années. L'éclosion de prodiges polyvalents, doués à la fois pour le chant et la danse, comme les Michael Jackson et autres Claude François, a en effet contribué au fait que les artistes doivent se montrer de plus en

58 Fabrication d'une star

plus complets dans l'expression de leur art. Pour travailler aujourd'hui dans le milieu musical, il ne faut pas seulement avoir des talents de chanteur, il faut aussi être un artiste complet. Par exemple, Céline Dion chante, danse et s'adonne parfois même par plaisir à quelques jeux d'imitation, ce qui montre l'étendue de son talent et de sa polyvalence. C'est pour cette raison que l'apprentissage théorique que nous abordions précédemment devient quasiment incontournable de nos jours. Et vous devrez tout aussi bien appréhender les techniques vocales de la chanson que les postures corporelles de la danse contemporaine. La maîtrise de ces techniques vous ouvrira bien des portes, comme celles des comédies musicales qui peuvent se révéler de très bons tremplins, que vous soyez musicien, choriste ou chanteur solo.

La polyvalence et la maîtrise de plusieurs champs de compétence artistiques, ajoutées à une forte détermination personnelle, vous seront alors des plus utiles pour percer dans le milieu du *show-business*. De la détermination, je le répète, car même si vous gagnez un concours comme *Star Académie* ou *Star Search*, la réussite à long terme n'est pas forcément assurée. Beaucoup de gagnants de ce genre de programmes télévisuels n'ont effectivement pas connu de continuité dans leur carrière. On se rappelle par exemple de la grande déception d'Élodie à la suite de sa victoire, lors de la *Star Academy* 3, en France. Convaincus que leur nouvelle égérie allait triompher dans les bacs des disquaires, les producteurs de la star ont dû se résigner à des ventes de disques très modestes qui n'ont jamais dépassé les 300 000 exemplaires. La candidate s'est aussi vu refuser l'organisation d'une tournée qui se serait logiquement soldée par un échec retentissant.

Nous ne parlerons donc même pas des semi-finalistes qui l'accompagnaient lors de sa victoire et qui sont depuis tombés dans l'oubli. Nolwen Leroy, grande gagnante de la *Star Academy* 2, a cependant connu un début de carrière fulgurant, puisque son premier album éponyme a dépassé les 500 000 exemplaires vendus après seulement deux semaines d'exploitation. Également, cette fois-ci au Québec, les deux finalistes de la première *Star Académie* locale, Wilfred Le Bouthillier et Marie-Élaine Thibert, ont connu bien plus de succès que ceux qui leur ont succédé.

Pourquoi tant de disparités entre les vainqueurs du célèbre concours ? En dehors des contingences de marketing et de mode, ces différences sont, à mon avis, liées à la notion de travail, au demeurant un élément clé de la réussite. Tous les candidats font certes énormément d'efforts pour se qualifier et parvenir en finale dans ce genre d'événements. Mais leurs efforts ne doivent en aucun cas s'arrêter à ce stade, car lorsque les juges et le public vous ont plébiscité en vous couronnant meilleur candidat d'une promotion, vous devez redoubler de volonté pour continuer sur votre lancée. Il ne s'agit plus, en effet, de votre seule découverte, mais d'une carrière qu'il vous faut à présent crédibiliser. Les entraînements et les automatismes que vous aurez acquis avant et pendant le concours ne devront donc pas être oubliés, mais être appliqués à la lettre avec rigueur et discipline, et ce, jour après jour. La nécessité de mener une vie très saine s'imposera alors également comme une règle de conduite incontournable.

Citons encore Céline Dion à cet effet. Elle mène une véritable existence d'athlète, très rangée et sans histoire. L'alcool et les cigarettes sont bannis de son quotidien depuis des années. Elle fait énormément d'exercice physique et travaille le chant tous les jours. Céline, vous le reconnaîtrez, est un modèle de perfection en la matière, un modèle que je n'ai d'ailleurs jamais pu croiser ailleurs en 40 ans de carrière. Elle a commencé à chanter, tout comme moi, lorsqu'elle était très jeune lors du mariage de son frère et, depuis, n'a jamais cessé, car elle a développé une passion incomparable pour cette discipline. C'est vraisemblablement cette passion qui lui a permis de travailler fort et de croire qu'elle pourrait un jour arriver à être ce qu'elle est aujourd'hui.

Voici d'ailleurs comment se déroule, dans le détail, le quotidien de cette grande artiste. La journée typique de Céline Dion ressemble dans les faits à un véritable marathon qui nous écarte

bien vite des clichés *glamour* qui peuvent entourer la supposée vie rêvée des stars. Céline avait ainsi, avant de débuter son projet à Las Vegas, pris l'habitude de dormir le plus convenablement possible, le sommeil étant une condition essentielle à la pratique du chant. Je le rappelle, le corps est l'instrument de musique du chanteur et, à ce titre, entretenir son corps, c'est aussi entretenir sa voix. Dans les moments de grande fatigue, les cordes vocales sont touchées elles aussi et il en résulte un manque de force, voire des extinctions de voix. Le sommeil réparateur maintient donc les capacités vocales de l'individu au meilleur niveau.

La pratique du sport et une saine alimentation sont aussi essentielles pour être en bonne condition physique et, par conséquent, en bonne forme générale. Qu'importe le sport que l'on pratique, il faut avant tout en faire, que ce soit du *roller*, de la bicyclette, de la natation ou du ski. Il constitue une source d'énergie, d'équilibre et de bien-être dont on a du mal à se passer lorsqu'on entreprend une carrière artistique professionnelle au cours de laquelle le stress est monnaie courante. Il n'est donc pas étonnant d'apprendre que certains artistes comme Mick Jagger et Madonna entreprennent toujours, avant chacune de leurs tournées, un entraînement sportif digne d'un boxeur de haut niveau. Le leader des Stones s'enferme même dans un camp d'entraînement intensif au milieu de la forêt, où le jogging et les pratiques à l'extérieur l'oxygènent au maximum.

Pour en revenir à Céline Dion, elle se nourrit aussi sainement afin d'avoir toute l'énergie nécessaire pour assurer ses tours de chant et conserver un physique irréprochable, lequel est avant tout un garant de la qualité de sa voix. Ses spectacles à Las Vegas lui demandent une quantité d'énergie physique et mentale inouïe, car ils durent en moyenne deux heures par soirée. Extrêmement exigeant, ce spectacle requiert l'expertise de nombreuses personnes, en l'occurrence 70 musiciens et danseurs ainsi que 80 professionnels œuvrant en coulisses. Céline ne peut donc se permettre aucune erreur, le moindre écart ou la moindre fausse note pouvant réduire à néant la réputation d'une artiste dont le spectacle attire chaque soir des milliers de personnes. À ce sujet, il faut également mentionner que le succès de ce show est aussi intimement lié à la minutie nécessaire aux prestations de plus de 80 personnes sur la scène. Les anicroches sont évidemment beaucoup plus faciles à assumer lorsqu'on est seul sur place et que l'on décide de sa chorégraphie ou de sa mise en scène. Mais lorsqu'on est intégré à une troupe de danseurs et de musiciens, comme c'est le cas pour Céline Dion, la performance doit toujours être parfaite. Tout écart est immédiatement relevé par le public, surtout lorsque celui-ci débourse plus de 150 $ USD pour assister à cet événement.

Malheureusement, le spectateur lambda, assis confortablement sur son siège, a toujours tendance à croire que la journée de travail de son idole débute une fois qu'elle monte sur scène. Il n'en est rien, croyez-en mon expérience en la matière.

Avec ses accumulations d'entrevues, d'enregistrements de disques et d'annonces publicitaires, les journées d'un artiste d'envergure sont remplies de contraintes et d'obligations dont le public n'a pas la moindre idée.

Ce travail incessant pousse Céline Dion à prendre tout le repos qu'elle peut, sans concession aucune. Cette dernière dort donc si possible jusqu'aux alentours de midi, oubliant de ce fait le réveil aux aurores qu'elle affectionnait pourtant beaucoup. Après cette grasse matinée amplement méritée, elle doit quotidiennement réaliser des vocalises qui la préparent au spectacle du soir puis, entre 16 et 17 h, elle se rend ensuite au théâtre où aura lieu le concert pour entamer les prises de son préparatoires que nous appelons, dans notre jargon, les balances ou *sound check*. Évidemment, il y a bien moins de travail de ce type lorsqu'on demeure dans un lieu précis plus d'une soirée, les balances n'étant plus utiles tous les jours. En tournée, par contre, Céline doit se rendre à la salle de spectacle au tout début de l'après-midi pour peaufiner, non seulement les réglages du son, mais aussi prendre contact avec cette nouvelle salle, son acoustique et sa disposition.

Après avoir dîné de manière très saine, la chanteuse entame une phase particulière, celle de la préparation mentale. Cette dernière est un gage de succès et de contrôle de soi bien connu des grands sportifs qui répètent mentalement les gestes qu'ils accompliront une fois lancés dans une course ou tout autre type de compétition. Il s'agit dans un premier temps de se centrer sur soi, ce que permet, par exemple, la méditation orientale, de reprendre contact avec ses sensations, son humeur, etc. La préparation mentale, adjointe à des techniques de respiration, constitue également un excellent moyen pour évacuer la pression due à la célébrité et surmonter bien des obstacles tels que le trac ou la fatigue.

Après cette petite phase de repli sur soi vient le dernier contact avec la salle. En général, il faut retourner sur place au moins deux heures avant le spectacle pour être bien conditionné et prendre toutes ses marques. Toutes ces étapes quotidiennes, réglées comme du papier à musique par Céline, contribuent pour une grande part au niveau exceptionnel et constant de ses prestations scéniques.

Arrive alors le temps béni du rêve pour tous les *fans* de la diva, alors que le rideau s'ouvre et que le spectacle commence. L'artiste oublie à ce moment-là tout ce qui a pu se passer au cours de la journée, pour ne plus se consacrer qu'au seul bon déroulement du *show*. Débauche de moyens et d'énergie, celui-ci est constitué de l'enchaînement ininterrompu de tableaux chorégraphiques et des tubes de la star. Le public conquis et en admiration devant ce déluge de magie et de moyens en redemande encore. Pourtant, le dernier rappel de Céline et son départ de la scène ne mettent pas fin à une journée qui s'est déjà révélée très longue. En effet, à cet instant précis, la chanteuse se prête avec une formidable générosité à l'incontournable séance de signatures d'autographes. Céline en signe la plupart du temps entre 100 et 200 par soir, pour le plus grand bonheur des spectateurs pour qui le contact avec leur idole a une signification toute particulière. Viennent ensuite les rencontres beaucoup plus formelles avec les

VIP[6] et autres personnalités importantes qui sont venues voir le spectacle, rencontres au cours desquelles, là encore, la star se prête généreusement au jeu des autographes et des photographies.

Enfin et très tardivement, arrive l'heure du souper, qui a lieu environ six heures après le dernier repas réellement consistant de la chanteuse. À la suite de celui-ci, Céline, qui vient d'enchaîner en une seule journée un entraînement physique intense, des séances de vocalises, des prestations promotionnelles à la télévision et un spectacle survolté de deux heures peut enfin se coucher, souvent aux alentours de quatre ou cinq heures du matin.

Cette vie d'artiste est donc extrêmement exigeante et, lorsqu'il n'y a pas de spectacle à l'horaire, il ne faut pas oublier les longues heures de transport en avion et la vie d'hôtel, loin de chez soi, entre deux valises. Un quotidien en vérité si perturbant pour ceux qui l'ont choisi qu'il n'est pas rare que certains d'entre eux craquent ou prennent des années sabbatiques. L'une des proches de Céline m'a d'ailleurs confié un jour que parfois, au réveil, celle-ci ne se souvenait même plus dans quelle ville elle se trouvait.

La vie « rêvée » des stars n'est donc pas toujours de tout repos, et même si la gloire amène son lot de bonheur, qu'il s'agisse d'argent ou de toutes les facilités matérielles qui en découlent, il y a aussi un revers à la médaille du succès. Et ce revers est de taille. Dès lors qu'un artiste génère beaucoup de succès, les appels téléphoniques commencent à pleuvoir chez son producteur et les entrevues s'enchaînent. Dans la rue, vous ne pouvez plus faire un pas sans que l'on vous demande de faire la pose ou de signer des autographes. Les journalistes de la presse à sensations épient constamment les moindres de vos faits et gestes pour déceler des failles dans votre comportement ou dans votre vie privée. Et bien évidemment, il vous faut faire face à cela avec

---

6. VIP : de l'anglais *Very important person* (*Personne très importante*). Abréviation souvent employée par les journalistes et les responsables des relations publiques.

le plus large des sourires, car il serait bien indécent de mordre la main de ceux qui vous nourrissent, n'est-ce pas ?

Je me rappelle, par exemple, qu'un jour Céline avait fait arrêter sa limousine en pleine rue, malgré les réticences unanimes de son entourage, afin de signer des autographes à deux *fans* qui avaient été déçus de ne pas en obtenir. Ce comportement est à l'image de Céline, professionnel et respectueux... Ce qui n'est pas toujours le cas de certaines vedettes.

Vous comprendrez donc aisément qu'avec tout ce travail accumulé soir après soir, il serait inconvenant de contester à Céline sa place de numéro deux au palmarès des artistes dont les spectacles rapportent le plus d'argent sur la planète.

Céline Dion n'est pourtant qu'un exemple parmi tant d'autres. Les Beatles, eux aussi, ont eu à faire beaucoup de sacrifices avant d'atteindre la gloire qu'on leur connaît. Des concerts interminables dans les clubs et bars enfumés de Liverpool, aux salles de spectacles minables de Hambourg en Allemagne, il aura fallu beaucoup de passion et d'énergie pour faire de la bande à John Lennon et à Paul McCartney les stars de la chanson les plus adulées du monde.

Nous pourrions donc résumer ainsi les grandes lignes à suivre en ce qui concerne le train de vie à mener lorsque l'on postule au statut de vedette de la chanson. Il est primordial de comprendre que le conditionnement mental et physique constitue la pierre angulaire de toute réussite. Dans le même ordre d'idées, la discipline, la rigueur, autant personnelle que professionnelle, et enfin l'assurance de mener une vie saine, sont des règles auxquelles il vaut mieux ne pas déroger. Ces principes, souvent accompagnés de dérives, je l'admets, demeurent malgré tout des conditions communes à toutes les carrières artistiques réussies. En un mot, il s'agit de repousser toujours plus loin les limites du travail. Puissent-elles contribuer à votre succès !

Lara Fabian, un modèle de détermination

Lara Fabian appartient à une catégorie d'artistes que l'on adore ou déteste. Celle qui est devenue aujourd'hui une vedette incontestable de la scène musicale francophone a en effet suscité autant de critiques que d'émulations. Cataloguée de nombriliste et d'opportuniste par les uns, de talent à l'état pur par les autres, Lara a toujours attiré et entretenu les regards. « Il s'agit du lot de toutes les stars », diraient certains. Et ils n'auraient pas tort, puisque depuis plus de 10 ans, Lara accumule les victoires. Son parcours a donc beau être décrié par les plus zélés des journalistes, il n'en demeure pas moins impressionnant.

Rappelons-en d'ailleurs les grandes lignes. En 1988, Lara a participé à un premier tremplin d'importance, l'Eurovision, ce qui lui a permis de vendre 600 000 exemplaires de sa première chanson enregistrée, *Croire*. Tombée peu de temps après amoureuse du Québec, la jeune Bruxelloise est parvenue à fidéliser son nouveau public et a obtenu, en 1993, des succès à la fois discographiques et populaires dans cette province.

Couronnée en quelques années de plusieurs titres canadiens prestigieux — l'ADISQ[7] et Juno — à titre de Meilleure interprète, de Meilleur spectacle et de Meilleur album, Lara a dès lors souhaité conquérir le monde, à commencer par l'Europe.

En 1995, ses efforts se sont soldés par une première invitation sur scène de Serge Lama qui avait été particulièrement touché par l'interprétation qu'elle avait faite de la chanson *Je suis malade*, ainsi que par le rôle musical d'Esméralda qu'elle avait incarné dans le film *Le Bossu de Notre-Dame* de Walt Disney. Puis, au mois de juin 1997, l'album *Pure* est sorti dans les bacs des disquaires européens. Son succès a été fulgurant, puisqu'en l'espace de quelques semaines seulement près de 500 000 exemplaires en ont été vendus. Dans la foulée, dès le mois de septembre de la même année, Lara a reçu son premier disque d'or européen, est apparue sur la couverture de tous les plus grands magazines et a été sollicitée par toutes les émissions radiophoniques et télévisuelles françaises. Finalement, des duos mémorables au Stade de France avec Johnny Hallyday — *Requiem pour un fou* — et deux salles combles au Palais des Sports de Paris en 1998 l'ont consacrée comme l'une des étoiles les plus prometteuses de la musique francophone.

---

7. ADISQ : Association québécoise de l'industrie du disque, du spectacle et de la vidéo.

Nommée en 1999 artiste féminine de l'année aux Victoires de la musique et meilleure vendeuse aux World Music Awards, Lara a voulu franchir une nouvelle étape, celle du continent américain. Depuis deux ans déjà, la chanteuse avait signé une entente avec la maison de disques Sony et cette dernière lui avait permis de travailler avec les plus grandes pointures, dont Walter Afanassief (Barbra Streisand), Patrick Leonard (Madonna) et Brian Rolling (Cher) pour concrétiser son rêve planétaire. Si bien qu'au mois de novembre 1999, un premier album en langue anglaise intitulé *Lara Fabian*, dont 90 % des titres avaient été coécrits par la chanteuse, est sorti sur le marché international. Le public a bien réagi, puisque le titre *I Will Love Again* a dominé le Billboard[8] et les radios américaines, tandis qu'*Adagio* a ouvert à Lara les portes d'endroits qui lui étaient encore inconnus, comme l'Italie, le Portugal, le Mexique, l'Allemagne, le Liban, la Norvège, la Pologne, la Tunisie et même le Japon et la Corée du Sud. Le succès appelant la reconnaissance, la chanteuse a réalisé, en 2001, les bandes originales de deux superproductions américaines, *A.I. (Artificial Intelligence)* de Steven Spielberg et *Final Fantasy*.

Mais le marché anglophone s'est assez vite épuisé et les ventes de *Pure* n'y ont pas dépassé les deux millions, ce qui a marqué la fin d'une carrière internationale qui se voulait dans les traces de la seule *French voice* indétrônable, Céline Dion. Lara a donc sorti un nouvel album, intitulé *Nue*, véritablement destiné à sa clientèle francophone. Elle ne s'est pas pour autant résignée, alternant jusqu'en 2004 les tournées, les festivals, les duos — comme l'exceptionnelle interprétation de *Mais la vie* avec Maurane en 2003 —, les participations à des concerts de grande ampleur (concerts des Enfoirés, *Star Académie*, Actor's Fund, etc.), avec quelques initiatives anglophones comme l'album *A Wonderful Life* et un rôle dans le film musical *De-Lovely* (2004) aux côtés de Sheryl Crow, Diana Krall, Alanis Morissette et Robbie Williams.

Un tel destin, malgré les quelques écueils professionnels que l'on y discerne, laisse rêveur à défaut de pantois. Pourtant, et en tenant compte bien sûr de la touche de chance qui est nécessaire à chaque artiste pour percer, le succès de Lara Fabian n'a pas été improvisé, bien au contraire. Que ceux qui croient donc que la voix de cette chanteuse est un don du ciel et que le public l'a immédiatement adoptée soient détrompés. Lara a travaillé depuis sa plus tendre enfance dans le but de réussir et n'était pas préalablement destinée à ce métier. Son intérêt pour la musique s'est certes éveillé

---

8. Billboard : classement américain des meilleures ventes de disques.

tôt, puisque, à l'âge de cinq ans, elle chantait déjà à tue-tête les chansons qui passaient à la radio. Son père, un musicien accompli — il a notamment été guitariste pour Petula Clark —, l'a évidemment poussée à étudier la musique lorsqu'il s'est rendu compte de ses qualités vocales.

Le reste de cette histoire relève cependant de la détermination. Lara a suivi pendant plus de 10 ans des cours de solfège, de piano et de chant au conservatoire. À 14 ans, tout en poursuivant ses études scolaires et musicales, elle a commencé à donner de petites prestations et à participer à des concours. En 1986, elle a ainsi décroché, à force d'acharnement, les trois principaux titres du Tremplin belge, ce qui lui a donné l'occasion d'enregistrer son premier simple, *L'Aziza est en pleurs*, en hommage à Daniel Balavoine. Entourée de quelques amis croyant en son talent, elle a réussi à faire parvenir des exemplaires de ce premier 45 tours à des personnes influentes comme feu Hubert Terheggen. Celui-ci, intrigué, a rendu visite à la chanteuse lors d'une de ses fréquentes prestations dans une petite salle de Bruxelles et est tombé sous le charme de cette jeune femme à la voix puissante et au calme olympien, un calme hérité de nombreuses années de pratique en public. Il l'a par conséquent engagée pour l'Eurovision, où elle est arrivée seconde, derrière Céline Dion, mais est tout de même parvenue à imposer sa chanson *Croire*. Cette première victoire aurait déjà satisfait ou gonflé

d'orgueil nombre d'aspirants artistes dont on n'a jamais plus entendu parler par la suite. Lara était cependant tellement déterminée à réussir qu'elle n'a pas hésité à abandonner le marché restreint qu'elle avait acquis en Belgique pour se lancer avec un brillant compositeur, Rick Allison, sur les routes du Québec.

Un an plus tard, le succès lui a souri sur place et ne l'a plus quittée. Elle n'abandonnera cependant jamais certaines recettes gagnantes qui lui ont permis, jusqu'à ce jour, de s'attacher et de fidéliser des millions de personnes à travers le monde : des pratiques régulières de chant pour développer sa voix, un choix scrupuleux et une confiance aveugle envers ses collaborateurs, une présence scénique impressionnante, un rythme de vie suffisamment sain pour faire face à la frénésie médiatique, des paroles et des musiques adaptées à son répertoire vocal et à ses publics cibles. Ceci sans compter certaines recettes tout à fait particulières pour attirer l'attention du public et des médias, comme la participation régulière à des événements caritatifs, des duos avec de grands noms, ainsi que la diversification de ses activités, de la composition de chansons pour Nolwen, la première gagnante de la *Star Academy* française, à l'interprétation de plusieurs bandes originales de films.

En vérité, les seules lacunes dans ce portrait type de battante se révèleraient être une ambition ostentatoire et un caractère plus fragile qu'elle-même ne se le serait avoué.

«Il a fallu que je meure un peu pour pouvoir renaître», a-t-elle d'ailleurs confié à une journaliste du magazine *Questions de femmes*, en 2001. «J'ai une grande part de responsabilité dans l'image que les gens avaient auparavant de moi. On me croyait indestructible, alors qu'en fait, je suis quelqu'un de vulnérable, de cassable. De plus, lorsque j'étais gamine, j'étais inspirée par l'itinéraire de Hallyday, de Sardou, de Streisand. Je ne savais pas qu'être ambitieux, ce n'était pas bien… Mon ambition a été interprétée comme opportuniste. Cela dit, je ne me pose pas en victime, car j'ai dû donner cette impression. Peut-être que, sans le savoir, en chantant avec mes bras tendus, avec cette expression que j'ai dans les yeux, j'ai moi aussi donné des raisons à certains d'appuyer sur ce qui pouvait être caricaturé.»

Lara Fabian a ainsi effectué un *mea culpa* que beaucoup, y compris ses *fans* de la première heure, attendaient d'elle depuis plusieurs années. La chanteuse a, avant tout, compris qu'avant d'être une star inattaquable, l'artiste est avant tout une personne avec ses défauts et ses faiblesses. Et que ces faiblesses n'empêchent pas de réussir si on arrive à les canaliser… Ce qui a sans aucun doute été son cas, puisqu'elle a sorti au printemps 2005 un nouvel album, intitulé *9,* avant d'effectuer à l'automne plusieurs spectacles à l'Olympia.

La présence à tout prix

En règle générale, l'apprenti artiste est irrémédiablement attiré par la scène, car il sent en lui un intense désir de création jumelé, le plus souvent, à une forte envie de s'extérioriser. Malgré tout, même si ce désir est commun à la grande majorité des chanteurs et des musiciens, interpréter un morceau devant un public demandera, outre du talent et de la technique, une bonne dose de charisme et de présence scénique.

Un artiste ne réussira en effet à faire briller ses interprétations que s'il vit vraiment son répertoire et le travaille constamment avec amour et générosité. Tout cela explique en partie l'attrait que les artistes génèrent lors de leurs spectacles, ainsi que les types de réactions variables que le public peut leur réserver. L'artiste doit effectivement emmener, voire quasiment enlever son audience au cœur de son monde musical, ce qui n'est pas toujours chose aisée. Pour y arriver, il devra d'abord communiquer une bonne part de sa sensibilité au public. Une fois sur scène, il devra également oublier tous ses problèmes et ses anxiétés du moment pour donner à l'auditoire l'image parfaite d'un *performer* en pleine possession de ses moyens.

La lassitude et la fatigue contrecarreront parfois inéluctablement cet objectif et la qualité des prestations fluctuera de soir en soir, ceci est inévitable. Mais cet artiste devra malgré tout toujours faire le maximum pour donner le meilleur de lui-même. Mais, comment s'y prendra-t-il exactement?

Vous avez déjà dû entendre cette phrase que l'on répète souvent au théâtre: «La présence, on l'a ou on ne l'a pas!» Répétée à tort et à travers, elle aura tôt fait de décourager les plus timides d'entre vous. Gardez-vous-en, car en vérité elle n'est pas tout à fait juste! En effet, on peut très bien travailler une présence scénique que vous jugeriez, ou que certains qualifieraient, d'un peu faible à l'origine. Un talent caché peut même progressivement apparaître chez certains, que ceux-ci s'adonnent par plaisir au chant ou à un instrument, ou qu'ils commencent à travailler plus sérieusement la théorie musicale. Des cours d'art dramatique peuvent également en décoincer plusieurs. Finalement, pour être plus judicieuse, cette fameuse petite phrase devrait plutôt être comprise ainsi: «La présence, on l'a ou on ne l'a pas, mais on peut la développer!» Je sais que certains vont brandir des exemples pour me contredire en affirmant que les grandes personnalités du *show-business* disposent naturellement d'un charisme ou d'un talent particulier. Je peux le concevoir dans une certaine mesure, mais pour garder au meilleur niveau une aura personnelle sans égale, ces stars n'ont généralement d'autres choix que de travailler inlassablement certains aspects de leur personnalité ou certaines qualités artistiques. Il s'agit d'une règle d'or du milieu à laquelle personne n'échappe. Je suis même convaincu que le caractère et l'esprit de jugement d'un artiste peut s'améliorer avec le temps, au même titre que son talent. Elvis Presley avait notamment développé, en quelques années, une prestance natu-

relle doublée d'un incontournable flair pour les affaires. D'autre part, la personne qui rêve d'embrasser la carrière artistique doit se sentir sur scène comme à la maison, et ceci même si elle a le trac, un phénomène tout à fait naturel. Un véritable artiste aura d'ailleurs toujours le trac, ce qui est une bonne chose. Lorsque nous nous apprêtons à donner un spectacle de deux heures devant un public que nous ne connaissons pas et dont nous ignorons à l'avance le comportement comme les réactions, il est tout à fait compréhensible de faire preuve de nervosité et d'appréhension.

C'est cependant à ce moment précis que nous devrions faire preuve de confiance pour dominer nos émotions et surtout le public. Il en résultera un certain ascendant sur la foule, un ascendant qui constitue le seul bon moyen d'agrémenter notre charme naturel de ce petit plus qui nous distinguera des autres artistes. Car le contrôle de la foule et du public est déterminant, c'est d'ailleurs cette qualité qui distingue les artistes moyens des grandes bêtes de scène. Avez-vous déjà songé, ne serait-ce qu'une minute, à la force de caractère qu'il faut pour se produire devant des publics de plus de 100 000 personnes, comme le font régulièrement de très grandes stars du spectacle ? Vous devez sûrement être convaincu qu'il en faut énormément… C'est vrai ! Mais au risque de décevoir ceux qui croient que cet exercice est particulièrement délicat, il est en fait bien plus difficile de jouer devant de plus petites audiences. Celles-ci ont en effet constamment les yeux rivés sur vous et ne vous pardonnent aucune erreur. À l'inverse, les foules sont beaucoup moins exigeantes, car une part de l'excitation vient justement du fait qu'elles sont composées de nombreuses personnes qui assistent au même spectacle et appréhendent cet instant comme une sorte de cérémonie de groupe, un peu comme dans les *rave parties*. Ce genre d'événements rend d'ailleurs le rapport artiste-public quasiment plus spirituel que physique et demande par conséquent moins de présence scénique lors des spectacles.

Certains artistes sont tout de même passés maîtres dans l'art de contrôler le public. C'était particulièrement le cas de Sammy Davis Jr et de Gilbert Bécaud. Quand ils entraient sur scène, ces deux génies du *music-hall* pouvaient à peu près tout faire devant leur public, sur lequel ils avaient un ascendant total. Pour en arriver à une telle performance, ils devaient se donner corps et âme, bien sûr, mais aussi, comme dans le cas de Bécaud ou de Brel, aller chercher des sentiments de l'ordre du drame ou de la tragédie pour hypnotiser l'attention des spectateurs.

Si nous reconnaissons immédiatement les artistes doués pour la scène, il en est par contre de même avec ceux qui ne sont pas à l'aise sur les planches. C'est par exemple le cas de la très célèbre Barbra Streisand. Elle s'est privée d'un nombre incalculable de spectacles à cause de cette agoraphobie. Nous sommes également conscients que certains artistes n'ont pas la moindre présence et conquièrent leur public grâce à leurs disques, ce dernier se contentant alors d'une prestation technique sur scène plutôt que d'un déluge d'émotions. Ces adeptes de la chanson en studio croient souvent bien plus à la vertu des textes et à la technicité d'une œuvre que dans le charisme de celui ou de celle qui va les interpréter. Les *fans* d'Andrea Boccelli sont, entre autres, au rang de ce public bien particulier, souvent constitué de connaisseurs, qui pardonnera facilement à son idole son manque de présence scénique, mais exigera d'elle des performances techniques supérieures à la moyenne en studio.

Mais attention ! il peut parfois arriver que les spectacles ne rendent pas service aux artistes, alors que d'ordinaire les *shows* sont censés accélérer les ventes d'albums. Aussi faut-il gérer ses prestations avec prudence et jugement !

La présence est donc quasiment incontournable pour percer dans le domaine de la chanson. Nous allons bientôt voir qu'elle peut être multiforme et, surtout, qu'elle se nourrit de plusieurs facteurs déterminants. L'image que vous donnerez de vous-même influera beaucoup sur votre succès, mais vous ne la peaufinerez

qu'en accumulant sans relâche de multiples expériences de scène afin de vous familiariser avec le contact du public.

Vous allez aussi constater qu'un autre paramètre entre en jeu dans le domaine de la présence, un paramètre bien plus subtil qu'il n'y paraît de prime abord, puisqu'il s'agit du choix de son répertoire. Car ce n'est pas le chanteur qui fait la chanson, mais bien la chanson qui fait le chanteur !

Le choix de la bonne chanson

Lorsque le grand public tombe sous le charme d'un nouveau morceau de musique, du jour au lendemain les critiques ne tarissent plus d'éloges à l'égard de l'interprète de ce nouveau tube, ce qui est logique puisque c'est le chanteur qui véhicule et représente le mieux sa musique. On associe irrémédiablement le morceau à l'interprète, ce réflexe est naturel. Par exemple, si je vous dis : *New York, New York*, vous allez tout de suite me citer Frank Sinatra ; si je vous dis encore *Sunday, Bloody Sunday*, c'est la bande à Bono de U2 qui va surgir de votre subconscient en un éclair. Vous ne citerez ainsi jamais, dans le cas de *New York, New York*, l'auteur Fred Ebb et le compositeur John Kander qui sont pourtant les deux véritables parents de cette chanson passée à la postérité.

C'est donc ce pouvoir d'attraction fascinant de la chanson que nous allons tenter d'expliquer dans ce chapitre, afin de vous faire prendre conscience de l'importance qu'il vous faudra accorder au choix de votre répertoire personnel, lequel sera toujours considéré comme votre marque de fabrique, votre signature, votre identité artistique.

Il faut d'ailleurs se souvenir que certains artistes n'ont percé qu'avec une seule œuvre dont le succès échappe encore à toute logique. Cela a été notamment le cas du chanteur Marc Hamilton, qui a obtenu un grand succès avec *Comme j'ai toujours envie d'aimer*. Malgré cette réussite retentissante, cet artiste n'a par la suite jamais atteint un réel statut de vedette, puisque la plupart de ses titres postérieurs ont été des échecs. On pourrait citer des centaines d'autres exemples de même nature.

Il va donc de soi que l'interprétation que vous allez donner d'un morceau influera énormément sur son succès auprès du public. Jimi Hendrix a ainsi, en 1967, littéralement transcendé le titre *Hey Joe*, de Billy Roberts, pour en faire un tube planétaire qui allait devenir un symbole aux yeux des guitaristes du monde entier. Un titre qui a officiellement été repris, jusqu'à ce jour, par 800 formations différentes. Il est certain que sans l'interprétation d'Hendrix, ce morceau et son auteur n'auraient jamais connu la gloire. La chanson *Yesterday* n'aurait pas non plus été reprise près de 4 000 fois sans le talent de Paul McCartney et de ses comparses.

Mais il n'y a pourtant pas que l'interprète qui contribue au succès d'une chanson. Ses paroles, son univers et, bien entendu, sa composition mélodique jouent un rôle essentiel lorsqu'il est temps de la faire ressortir parmi des milliers de chansons qui sont composées chaque semaine. L'interprète aura donc tout intérêt à faire montre des meilleurs talents d'auteur-compositeur, ou de s'adjoindre les compétences avisées de professionnels du spectacle, pour franchir le cap de l'anonymat. Toutes les plus grandes stars et les plus gros vendeurs de disques, de Madonna à Johnny Hallyday, en passant par Mylène Farmer, ont su s'entourer d'équipes performantes d'auteurs et de compositeurs.

Il serait en effet présomptueux de vouloir s'improviser auteur-compositeur du jour au lendemain. Un auteur-compositeur aura bien souvent beaucoup plus de facilité qu'un simple interprète à percevoir et à puiser au sein de la société qui l'entoure les éléments qui feront d'une chanson un succès. Dans le même ordre d'idées, n'oublions pas que si les artistes de renom savent habilement attirer l'attention du public comme nous l'évoquions dans le chapitre précédent, les grands auteurs ont pour leur part une sagacité hors norme qui peut faire de leurs mots des outils, voire des armes tout aussi efficaces que les qualités attractives de

plusieurs bêtes de scène. En outre, avec le temps et l'habitude, les auteurs sentent beaucoup mieux la portée de leurs paroles et, en développant un rapport particulièrement personnel et étroit avec les artistes qu'ils côtoient, ils finissent par savoir quels types de chansons leur conviennent le mieux. Un constat que les stars en herbe refusent bien souvent d'admettre en début de carrière. Pourtant écrire une chanson est aussi un art à part entière, un travail dans lequel certains sont passés maîtres à force de temps, d'efforts et d'abnégation !

Je ne voudrais en aucun cas dresser un tableau trop simpliste des éléments qui font le succès d'une chanson, car ils sont dans les faits beaucoup plus complexes qu'un simple recours à la théorie. Cela pourrait même sembler trop facile, trop accessible à certains, alors qu'en fait écrire la bonne chanson est loin d'être une science exacte ! D'ailleurs, si c'était le cas, nous connaîtrions déjà tous depuis longtemps les secrets de cette recette miracle, une recette qui, en vérité, demeure celle qui allie de bons atouts et une bonne part de chance. Voilà pourquoi les auteurs, tout autant que les interprètes, traversent au cours de leur existence de grands moments de doute et de manque d'inspiration.

Je constate cependant que, de nos jours, l'écriture de chansons s'est diversifiée. Par exemple, il ne faut plus automatiquement marier un répertoire avec telle ou telle culture, alors que dans les années 1970, cela était encore le cas. En effet, à l'instar de grandes voix québécoises comme Ginette Reno ou Diane Dufresne, dont les capacités vocales étaient telles qu'elles pouvaient se lancer sur des morceaux jouant sur une large gamme de notes et de puissance, les Européens préféraient encore de petites voix fluettes et sensuelles, comme celles de Jane Birkin et de Françoise Hardy. Cela explique pourquoi des artistes de la Belle Province comme Diane Tell se sont davantage fait connaître en France que dans leur propre pays.

Voici un exemple plus personnel. En 1991, un projet très intéressant et original pour l'époque m'avait conduit à organiser des

auditions en France pour un spectacle de chansons qui aurait lieu à Saint-Sauveur, au Québec. Pour rendre l'événement plus attrayant, j'avais décidé de joindre aux artistes locaux quelques candidats européens, en majorité des Français, à l'exception de trois Belges et de deux Suisses. Cette expérience m'a permis de réaliser une nouvelle fois et de manière flagrante combien la différence de culture musicale était grande entre les Français et les Québécois. J'avais en effet remarqué que l'influence de la culture américaine avait permis aux artistes québécois d'acquérir un meilleur sens du rythme que les Français et souvent un meilleur coffre, c'est-à-dire une plus grande puissance de la voix. Les Français, que je ne voudrais surtout pas vexer, avaient pour leur part une plus grande maîtrise de la langue française, preuve par ailleurs incontestable de leur supériorité dans ce domaine, puisque la grande majorité des auteurs-compositeurs dont les chansons ont été diffusées ou traduites à travers le monde sont français. *Et maintenant*, de Pierre Delanoë, est ainsi devenue *What Now My Love*, et *Comme d'habitude*, *My Way*. On pourrait citer bien d'autres exemples du même genre. Même des artistes très connus comme Barbra Streisand, Frank Sinatra, Elvis Presley ou Neil Diamond ont interprété ces succès originellement écrits en français.

Mais les données ont changé depuis cette époque. Le succès grandissant des comédies musicales, *Starmania* en premier lieu, et surtout le phénomène *Star Académie* ont rendu caducs ces *a priori*. J'ai notamment remarqué que les Français ont énormément progressé en termes de techniques vocales. Leur sens du rythme a été décuplé grâce à l'influence de la musique anglo-saxonne et leur coffre s'est formidablement développé. Les jeunes se sont même appropriés certaines techniques vocales utilisées par des grandes stars comme Céline Dion. Ces techniques, qui proviennent souvent de l'héritage de la musique noire américaine, ont inspiré beaucoup d'artistes, comme Elvis Presley, qui a été le premier blanc à adopter la manière de chanter de Little Richard, Chuck Berry ou Fats Domino.

Le Québec a également été influencé par son puissant voisin du sud. Noyé dans une mer d'anglophones, ce petit peuple de quelques millions d'habitants a forgé son oreille aux sons de la musique populaire américaine. Je me souviens par exemple qu'à ses débuts en France, Robert Charlebois chantait du *jouâl* — langage populaire québécois — sur une musique très rythmée à l'américaine. Diane Dufresne en avait fait autant et les Français ont aussi leur ambassadeur en la matière en la personne de Johnny Hallyday, qui a réussi le difficile pari d'allier la beauté de la langue française au rythme afro-américain. La langue de Molière a d'ailleurs un avantage de taille sur la langue de Shakespeare. Elle est en effet bien plus raffinée et romantique, la langue anglaise se prêtant davantage au rythme musical. Plus concrètement, en anglais, on peut allégrement transformer un *I love you* en *I love ya* dans une chanson, le public n'y fera pas attention, parce que cette pratique est courante dans le langage familier. D'autres expressions pourront aussi être tronquées pour les besoins d'une mélodie, ce qui est quasiment impensable en français.

Le véritable enjeu pour les auteurs-compositeurs francophones n'est donc pas de choisir la langue qui sera le plus à la mode à tel ou tel moment — beaucoup de groupes se sont imaginés dans les années 1980 qu'ils parviendraient davantage à réussir s'ils utilisaient la langue anglaise et, depuis quelques années, l'espagnol semble revenir en force grâce à des artistes comme Manu Chao —, mais d'évoluer dans un style linguistique dans lequel ils se sentiront à l'aise. S'ils choisissent finalement le français, ils devront réussir à marier correctement la beauté et la connotation de chaque parole avec un rythme musical qui lui fera honneur et qui se conformera aux exigences musicales du moment.

Car il ne faut pas dédaigner l'aspect commercial d'une chanson, et ce même si notre tempérament d'artistes est généralement plus porté vers la création personnelle que vers la séduction de notre prochain. Ce comportement est tout à fait naturel,

puisque notre répertoire est avant tout le miroir de notre personnalité. Mais sans nous trahir, je crois qu'il est vraiment fondamental qu'une fois notre ou nos publics cibles déterminés, nous mettions tout en œuvre pour les conquérir, quitte, peut-être, à modifier partiellement nos compositions. En effet, n'oublions pas qu'une bonne chanson peut nous propulser vers des sommets du haut desquels nous pourrons par la suite, et en toute sérénité cette fois-ci, revenir à nos anciennes amours. Tandis que nous acharner à imposer un répertoire qui ne plaît pas peut à plus ou moins long terme essouffler l'ardeur de nos plus grands admirateurs.

L'un des exemples les plus flagrants de ce phénomène est le groupe Radiohead. En effet, après avoir conquis la planète au début des années 1990 avec l'album *Pablo Honey*, aux accents rocks somme toute assez classiques, il peut à présent se permettre d'évoluer dans un style qui lui est cher, à savoir l'électro-rock aérien et expérimental.

Le chanteur Sting a connu le même destin, puisque après avoir imposé son nom grâce au groupe The Police et quelques succès solo marquants dans les années 1980, il s'est aujourd'hui lancé dans la musique du monde. Des dizaines de stars, francophones ou anglophones, ont compris ce principe et le mettent en pratique tous les jours.

Passons à présent aux lieux communs qui accompagnent souvent la réputation de tel ou tel chanteur. Si certains grands noms de la musique sont certes parvenus à garder le même type de répertoire pendant toute leur carrière — Francis Cabrel en est un bon exemple — et ont même réussi à créer par ce biais une marque de commerce qui leur est propre, bien d'autres ont en vérité dû évoluer avec le temps afin d'obéir aux attentes du public et aux exigences de la mode.

Vous pourrez en effet éclore sur le marché avec une seule bonne chanson. Le public vous acclamera, votre style trouvera de nombreux adeptes pendant un temps plus ou moins déterminé.

Mais, pour une raison inconnue, ou parce que la mode aura soudain changé, votre cote de popularité redescendra, entraînant dans sa chute vos ventes de disques. Sachez par conséquent qu'aucun artiste n'est à l'abri de ce genre d'échecs et tentez de trouver un style de compositions qui vous ressemblera tout en étant évolutif.

C'est aussi dans ce genre de situations périlleuses que les bons gérants se distinguent des mauvais. Bien entouré, l'artiste pourra faire de bons choix de chansons et savoir quel morceau sortir, mais aussi à quel moment et pour quel public le faire. Son équipe, dirigée par le fameux gérant, préparera une étude de marché afin de définir le type de chansons qui pourrait faire la différence, et ce, au moment le plus propice. Eh oui, la sortie d'une chanson ne s'apparente souvent ni plus ni moins… qu'à une étude de marketing ! Quand celle-ci est mal faite, tous les projets artistiques, qu'il s'agisse d'une tournée à l'étranger ou de la préparation d'un spectacle, sont tout simplement impossibles ou voués à l'échec. Il s'agit en fait d'un procédé très courant dans le secteur musical et dont le succès revient essentiellement à la qualité de l'équipe qui aura entouré l'artiste et cerné ses forces comme ses faiblesses, le gérant en particulier.

Il faut en effet bien comprendre qu'une simple secrétaire de direction, aussi compétente soit-elle, n'aura jamais les compétences d'un gérant expérimenté et avisé pour s'infiltrer dans les méandres du milieu artistique. Seul le gérant pourra analyser quels sont les acteurs à connaître et à cibler, ceux au contraire qu'il sera nécessaire d'éviter et enfin ceux qui pourront se révéler utiles au cours d'un cheminement professionnel.

Cela n'a pas toujours était le cas, je dois l'avouer. Dans les premiers chapitres de ce livre, j'évoquais les premiers succès des Baronets. Nous avions enregistré notre première chanson, *Joanne*, qui a connu un franc succès dès sa sortie, tant à la radio que dans les salles du Québec. Pour tout vous dire, je n'aurais jamais cru que cette petite chanson sans prétention puisse avoir une telle

destinée. En effet, nous n'avions aucune idée, à l'époque, de ce que pouvait être un plan marketing, du moins tel qu'on en réalise de nos jours ! J'avais simplement écrit cette chansonnette dans un autobus en revenant de l'école, sur une banquette inconfortable. Il faut cependant dire que, dans les années 1950, les chansons simples connaissaient énormément de succès. Félix Leclerc était même considéré comme un artiste ennuyeux par le grand public québécois, car ses œuvres étaient soi-disant trop compliquées ! Cette croyance était d'ailleurs alors tout aussi répandue dans les pays francophones qu'anglophones. Prenons l'exemple du fameux *Let's Twist Again*. Si l'on y réfléchit bien, ce texte ne voulait pas dire grand-chose ! J'irais jusqu'à dire que bien des chansons de ces années-là étaient véritablement insipides, y compris d'énormes succès comme *I Want to Hold Your Hand* ou *She Loves You* des Beatles. En effet, si nous traduisons ces titres en français, cela donne « Je veux tenir ta main » et « Elle t'aime » ! Même agrémentées d'un *yeah yeah* très dynamique, vous avouerez quand même que ce type de compositions étaient vraiment des plus basiques, n'est-ce pas ? Pour reprendre d'ailleurs l'exemple des *Fab Four*, ces derniers ne se sont mis à écrire de très belles chansons et à concevoir des albums concepts aussi brillants que *Sergent Pepper's Lonely Heart Club Band*, qui a révolutionné le monde de la pop, qu'après avoir essuyé de nombreuses railleries de la part des critiques qui trouvaient leurs textes trop pauvres.

En définitive, si l'on dit avec justesse que la langue anglaise se prête davantage à la mélodie, et la française à la qualité des paroles, une règle incontournable demeure : la qualité engendre toujours la qualité. Si vous entonnez par conséquent des chansons simplistes dès le début de votre parcours, cette marque de commerce vous suivra très longtemps et pourra vous nuire. On vous considérera alors comme un artiste simpliste, à l'image de votre répertoire. Si par contre vous recherchez le raffinement, c'est exactement l'inverse qui se produira. Il vous faudra donc effectuer des choix avisés dans ce domaine.

Fabrication d'une star

Isabelle Boulay
ou les chansons du succès

Ah, les chansons d'Isabelle Boulay! De petits monuments d'émotion, selon de nombreux mélomanes et critiques. «Mélange de grâce et d'autorité, elle possède le tempérament pour empoigner des chansons fortes. Elle a quelque chose dans le ventre, comme une douleur venue de loin», a dit d'elle le journaliste André Ducharme, du magazine québécois *L'Actualité.* Et il n'est pas le seul à se pâmer devant cette chanteuse qui connaît, depuis 1990, un parcours extraordinaire. Cette jeune Gaspésienne a en effet réussi, en l'espace de quelques années, à si bien communiquer son talent et sa fougue que toute la francophonie se l'arrache. Il n'aura en fait suffi que d'un oui, un petit oui au journaliste Joselito Michaud, à la suite d'un concours de chant, pour que son destin bascule et l'entraîne vers les sommets. Il est évident qu'un soupçon de chance, la rencontre de bonnes personnes au bon moment, et surtout une voix extraordinaire l'ont aidée. Mais ces facteurs ne conditionnent jamais une carrière à long terme. Il a donc été nécessaire à Isabelle Boulay, en plus «d'entrer en chanson comme on entre en religion» comme elle se plaît à le dire, de disposer d'atouts convaincants. À commencer par le choix d'auteurs et de compositeurs qui ont parfaitement su adapter le répertoire de la chanteuse aux attentes du public et la propulser à la tête des palmarès.

Souvenons-nous tout d'abord de l'étonnante vitesse à laquelle Isabelle a réussi à s'imposer sur la scène musicale francophone. Au tout début, elle chantait comme beaucoup d'entre nous devant ses parents et amis par pur plaisir. En 1990, alors qu'elle étudiait en littérature dans un cégep — intermédiaire québécois entre le lycée et les études supérieures —, un de ses amis l'a inscrite à son insu au concours de Petite-Vallée à Matane, en Gaspésie. Et ce qui aurait pu s'avérer un mauvais tour est devenu une bénédiction, puisque Isabelle y a fait merveille. Dès lors, son avenir a très rapidement basculé. Encouragée par Joselito Michaud, la chanteuse a remporté haut la main le prestigieux concours du Festival de la chanson de Granby, en interprétant *Amsterdam* de Brel et *Naufrage* de Dan Bigras. Elle a alors décidé de se lancer dans la carrière musicale et n'a pas tardé à trouver beaucoup d'appuis. De 1991 à 1993, elle a ainsi enchaîné les concerts à titre de choriste de plusieurs personnalités québécoises, telles que Dan Bigras, Ginette Reno, Claude Léveillé et Louise Forestier, tout en multipliant les prestations solo dans le cadre de festivals comme les FrancoFolies et en assurant la première partie de Bill Deraime. Après avoir brillamment campé la voix d'Alys Robi, chanteuse québécoise mythique, dans une télésérie éponyme, elle a été repérée en 1995 par Luc Plamondon qui lui a confié le rôle de Marie-Jeanne dans la comédie musicale *Starmania*.

La reconnaissance francophone n'était plus qu'à un pas. Un pas franchi l'année suivante avec la sortie d'un premier album, *Fallait pas*, qui lui a ouvert les portes du succès au Québec. En 1998, enrichie de nouvelles rencontres et bien implantée dans le milieu musical, Isabelle a également conquis l'Europe avec l'album *États d'amour*, vendu à plus de 220 000 exemplaires au Québec et de 125 000 en Europe. « Une nouvelle voix est née », a titré la revue française *Platine*, qui se faisait l'écho de plusieurs générations de personnes qui sont depuis restées fidèles à cette chanteuse à la voix sympathique et attachante.

Une nouvelle voix, certes, mais également un répertoire de chansons qui a su séduire un large public sur les deux continents. La question que nous nous posons donc est très simple : comment parvenir à embrasser plusieurs cultures à la fois avec une chanson ? Comment Isabelle est-elle parvenue à atteindre l'universalité nécessaire pour toucher autant de personnes si différentes les unes des autres ? Un premier élément de réponse se trouve certainement dans les thèmes qu'elle aborde, à savoir ceux relevant des émotions et de l'amour dans lesquels chacun d'entre nous peut se retrouver. De manière plus pragmatique, Isabelle a également eu l'intelligence de mêler, et ce dès ses débuts sur les planches, le meilleur des deux mondes, c'est-à-dire des compositions d'artistes aussi bien québécois qu'européens. N'oublions pas qu'elle a conquis son premier titre important, celui de Granby, grâce à ce procédé. Son premier album, *Fallait pas*, a pour sa part connu un succès mitigé en France, parce qu'il ne donnait pas suffisamment la parole à des auteurs européens. Il a cependant conquis le Québec avec des titres comme *Et mon cœur en prend plein la gueule*, *Tu n'as pas besoin* et *Un peu d'innocence*, car il répondait parfaitement aux attentes de la Belle Province. En revanche, l'album *États d'amour* a triomphé partout, car Isabelle s'était dotée des services d'une équipe d'auteurs et de compositeurs très cosmopolite. En effet, ont participé à cet opus des Nord-Américains (Luc Plamondon, Zachary Richard) et des Français (Francis Cabrel) de l'ancienne génération, mais aussi des artistes de la relève (France D'Amour, Zazie, Mario Peluso). Armée de l'ensemble de ces forces, il n'est donc pas étonnant que des chansons comme *Je t'oublierai*, *N'oublie jamais*, *Le Saule* et *La Lune* aient si bien fonctionné.

La même recette a été utilisée pour l'album *Mieux qu'ici bas*, sorti en 2000 et qui s'est vendu, jusqu'à présent, à plus d'un million d'exemplaires dans toute la francophonie. Pas moins d'une dizaine de signatures, parmi lesquelles on retrouve Louise Forestier, Marc Pérusse, Diane Tell et France D'Amour du côté québécois, ainsi que des plumes françaises averties comme Jimmy Kapler (pseudonyme de Robert Goldman, le frère de Jean-Jacques Goldman), Zazie, Patrick Bruel, Richard Cocciante, ont contribué au succès phénoménal de cet album. Sans cette habile manœuvre, il est fort probable qu'Isabelle n'aurait jamais atteint, malgré son talent naturel et sa force de caractère, les sommets qu'elle connaît aujourd'hui.

Le site V2 Music en a d'ailleurs saisi l'importance lorsqu'il a présenté l'album *Tout un jour*, sorti en 2004 : « Servie par des auteurs et compositeurs exceptionnels, toute la subtilité d'un univers intime est présente dans *Tout un jour*. Francis Cabrel, Daniel Seff, Didier Golemanas, Louise Forestier, Lionel Florence, Daniel Lavoie, Patrick Bruel, Pascal Obispo, Étienne Roda-Gil, Daniel Bélanger, Zachary Richard...

ont comme dévoilé les sentiments, les laissant dans la simplicité d'une vérité saisissante, que la voix d'Isabelle transporte en torrent d'émotions. [...] Une émotion qui habite chaque note, chaque mot de ce disque, portée par la voix d'une artiste qui a ajouté aux qualités de ses cordes vocales la profondeur d'une femme qui, basculant dans la trentaine, a grandi, mûri, d'une femme qui s'affirme. »

Isabelle Boulay y a elle-même fait allusion dans le livret d'accompagnement du disque compact du même album : « À mes auteurs et mes compositeurs, écrit-elle, qui m'apportent le plus précieux, ma matière première, la chair de mes chansons. » Comme quoi les collaborations multiples entre Québécois et Européens font merveille, les qualités intrinsèques de ces deux cultures se mariant parfaitement dans la composition comme dans l'interprétation.

La course contre la montre

Quand je replonge dans mes souvenirs de jeunesse et précisément au tout début des Baronets dans les années 1960, je me souviens que nous ne cessions de participer à des concours amateurs dans les cabarets. Tous les professionnels de l'époque nous tenaient toujours approximativement le même discours : « Si vous voulez réussir, apprenez votre métier et faites le plus de spectacles possible. » Il nous a donc fallu beaucoup de courage et de détermination pour enchaîner des représentations à un rythme effréné aux quatre coins de la province. On ne peut pas dire non plus que nos débuts aient été fort lucratifs, bien au contraire. Ceci dit, cette détermination et ces expériences ont constitué un investissement de taille pour notre carrière puisqu'elles ont décuplé notre connaissance de la scène et du public. Or, quel est le meilleur endroit pour sonder la réaction du public ? La scène ! Où apprend-on le mieux à faire face à une situation imprévue ? Sur scène, bien sûr ! C'est finalement en situation de spectacle, face au public, que vous découvrirez l'étendue des multiples secrets que recèle le métier d'artiste.

Aujourd'hui, il y a quantité de possibilités de se mesurer à la scène, de manière amateure ou semi-professionnelle, que ce soit grâce à la *Star Académie* ou à d'autres concours du même type. Vous pourrez, par exemple, facilement vous produire avec un groupe de musiciens débutants et commencer à jouer un peu partout. Avec les Baronets, nous nous produisions à l'époque, la plupart du temps, en soirée et il nous fallait parfois attendre jusqu'à 22 h 30 ou 23 h pour monter sur scène. Nous finissions notre prestation habituellement entre 1 h et 3 h du matin. À cela se greffaient les heures de transport et, pour couronner le tout, il allait de soi que dès le lendemain nous devions reprendre le cours de notre vie. Aussi, malgré la joie que nous éprouvions à nous produire en spectacle, notre quotidien n'était pas toujours très drôle. Et lors de nos rares jours de congé, il nous est même arrivé d'enchaîner deux ou trois concours dans la même journée ! Malgré tout, nous étions heureux et confiants, car nous savions que le métier était en train de rentrer pour de bon.

Moralité : ne refusez aucun engagement, acceptez de jouer et de chanter partout où l'on vous le demande, où l'on vous accepte, avec ou sans rétribution. Vos balbutiements artistiques ne vous permettront sans doute jamais d'exiger une grosse compensation financière, mais n'en soyez pas heurté, c'est le lot de tout débutant, et ces conseils sont valables autant pour les concours semi-professionnels que pour une soirée bénéfice.

Vous vous demandez sans doute pourquoi vous devriez faire preuve de disponibilité ? Tout d'abord, parce que se mesurer à d'autres apprentis artistes est une bonne chose. Cela vous permettra de vous juger vous-même par rapport à votre concurrence directe. Par exemple, alors que vous vous pensiez nul, vous vous apercevrez peut-être après coup que vous n'étiez pas si mauvais que cela. À l'inverse, si vous vous pensiez apte à remplir les tribunes d'un stade, vous vous rendrez compte que votre petite assistance ne vous écoute que d'une oreille. Vous comprendrez donc bien vite que les voies du succès ne sont pas si impénétrables que cela !

En deuxième lieu, ce genre de concours ou de petits spectacles vous permettront de vous frotter au monstre tentaculaire que l'on appelle le public. Souvent impatient, bruyant, peu ou pas captivé par votre prestation, il vous apprendra de nombreuses choses sur vous et sur le métier d'artiste.

Pour me résumer, la scène offre l'occasion unique d'accumuler de l'expérience de scène, et cette expérience n'a pas de prix, ni ne s'achète. Elle s'acquiert.

Faire le plus souvent possible des auditions constitue également une corde que vous pourriez aussi ajouter à votre arc. Lorsqu'en 1981 j'ai organisé un concours à l'intention de la relève, j'ai découvert des personnalités devenues célèbres par la suite. Je pense notamment à André-Philippe Gagnon, l'un des humoristes québécois les plus connus aujourd'hui, à Marina Orsini, que l'on a vue briller dans plusieurs films et séries télévisuelles, et à Mario Pelchat, qui s'est illustré dans les spectacles *Starmania*, *Don Juan*, ainsi que sur de nombreux disques. J'ai immédiatement constaté l'immense hétérogénéité des milliers de candidats qui se présentent aux sélections. En vérité, toutes sortes de personnes se présentent aux concours, et les talents s'y différencient pour le meilleur comme pour le pire ! C'est en effet dans ce genre de circonstances que nous sommes le plus à même de relever les fautes de goût ou les erreurs de jeunesse de nos apprentis *show men* et *show girls*. De la tenue vestimentaire au mauvais choix de chansons, en passant par la qualité exécrable du matériel promotionnel, tout y passe, faute d'expérience ou parfois par simple manque de discernement. Certains candidats sortent cependant admirablement bien du lot, alors pourquoi pas vous?

Mais revenons-en à ce tremplin que j'avais mis en place aux débuts des années 1980. Je me suis heurté d'emblée à une grosse difficulté d'organisation. Frileux et peu ouverts à ce nouveau concept, bien peu de diffuseurs avaient accepté de soutenir ce projet. Il a donc fallu que je fasse jouer mes relations pour convaincre un commanditaire privé de me financer. Ce n'est pas sans difficulté, et avec très peu de moyens, que nous nous sommes finalement lancés corps et âme dans un long périple qui nous a menés dans les plus grandes villes québécoises. L'idée avait séduit le public, malgré quelques réticences. Nous avons réussi à cumuler près de 235 spectacles, durant lesquels nous avons auditionné près de 1 000 candidats, pour ne sélectionner finalement que 30 finalistes. Les gagnants de chaque région, pour leur part, ont eu la chance de pouvoir se produire à la Place des Arts de Montréal, une salle aussi prestigieuse que l'Olympia à Paris. C'était le premier « *Star académie* » de l'histoire, au cours duquel j'ai découvert André-Philippe Gagnon, Marina Orsini et Mario Pelchat.

C'est durant ces auditions à travers le Québec que j'ai pu apprécier de nombreux talents et des voix dans des registres très polyvalents et originaux. Alors n'hésitez pas à tout mettre en œuvre pour vous faire remarquer, qu'il s'agisse de messages publicitaires, de spectacles ou de revues musicales! Vous devez absolument franchir cet astreignant barrage intérieur que l'on appelle la gêne, et que même les plus grands artistes connaissent. Alors, n'hésitez plus, foncez!

Pour reprendre l'exemple du concours, cette expérience m'a également permis de comprendre le besoin essentiel qu'ont les jeunes artistes de se faire connaître, car une rude compétition se

livre au sein de l'industrie musicale, une compétition au cours de laquelle les perdants sont beaucoup plus nombreux que les élus. Ceci dit, même perdants, les participants y gagnent beaucoup en expérience personnelle. Par conséquent, le jeu en vaut toujours la chandelle.

Vous inscrire à des concours pourrait en effet vous confronter à la réalité d'un milieu qui veut que l'on se dépasse continuellement. Il est vrai que le marché culturel français est beaucoup plus dense que son alter ego québécois, et y faire sa place relève souvent de la gageure. Malgré tout, les gagnants de mon concours ont vécu une belle aventure professionnelle puisqu'ils ont pu parfaire leurs prestations scéniques en plus de se faire connaître partout au Québec. Ce genre d'expérience peut donc s'avérer tout à fait intéressant, car même si elle n'aboutit pas nécessairement à un engagement professionnel, elle vous garantira une satisfaction personnelle, une connaissance accrue du monde du spectacle et la possibilité de nouer de nouveaux contacts.

Les concours amateurs, un bon tremplin ?

Les années 2000 ont vu naître un phénomène inédit qui est venu briser le rapport séculaire que pouvait entretenir le public à l'égard du très restreint monde du *show-business*. Pour la première fois depuis des années — et j'irais même jusqu'à dire pour la première fois dans l'histoire du spectacle –, des anonymes issus du grand public se sont vu propulsés par un superbe coup de baguette magique médiatique au rang de vedettes adulées par la masse. Ce nouveau phénomène n'est autre que *Star Academy*, version française remaniée d'un concept néerlandais.

Depuis sa création aux Pays-Bas, ce programme a fait naître bien d'autres émules partout dans le monde, comme *Canadian Idol* au Canada, sans oublier des émissions du même type diffusées en Grèce, en Argentine et même en Arabie Saoudite. Bref, ce concept est en passe de devenir une référence planétaire en la matière.

Pour ma part, je crois que des phénomènes comme *Star Académie*, *À la recherche d'une Star* ou *American Idol* ont de bonnes répercussions sur le marché du spectacle. De nombreux artistes se sont élevés pour critiquer ces concours où d'illustres inconnus réussissent à se faire connaître du jour au lendemain, mais il faut savoir vivre avec son temps et ses modes… et se poser les bonnes questions. Pourquoi ce phénomène a-t-il obtenu un tel succès? L'envie ou le désir de renouveau en sont certainement les premières raisons. Les publics, de quelque origine qu'ils soient, se lassent en effet très vite des vedettes qu'ils connaissent depuis longtemps. Les concours leur offrent donc de nouvelles têtes et de nouveaux talents qui satisfont cette demande constante de changement.

Cela ne plaît évidemment pas à tous, notamment aux artistes qui occupent déjà le marché et qui se voient confrontés à une nouvelle concurrence à laquelle il est bien difficile de faire face. Les nouveaux venus de la *Star Ac'* ont en effet tôt fait de faire oublier certains concurrents qui voient leur espace de visibilité se réduire à petit feu. Il faut également dire que, à l'instar d'autres domaines professionnels, le milieu artistique se présente comme un énorme gâteau dont chacun veut obtenir sa part. Selon la taille du marché dans lequel nous choisissons d'évoluer, ce gâteau sera plus ou moins appétissant. En France, avec une population de 60 millions d'individus, il faudra passer, pour toucher le public, à travers le filtre des diffuseurs, radios, journaux et télévisions qui se livrent une véritable guerre de l'espace et de la nouveauté. Ce sont donc bien souvent les nouvelles têtes qui s'imposent afin d'attirer l'attention du public et de le nourrir conformément à ses attentes.

L'histoire de la musique populaire regorge d'ailleurs de ce genre de révolution qui vient injecter du sang neuf à la création musicale en quelques mois. Dans les années 1960, nous avons assisté à un raz de marée musical qui a tout balayé sur son passage. Cette tempête en provenance de l'Angleterre avait pour nom les Beatles. Avant ces quatre garçons dans le vent, il y a eu

la période *yé yé*, emblématique de toute une génération et d'une époque durant laquelle tout un chacun y allait de sa petite chanson pop, faisant oublier tous les autres artistes de l'heure. Après les *Fab Four*, Mick Jagger et ses comparses des Rolling Stones ont imposé un rock'n'roll endiablé qui a envahi les palmarès du monde entier. Leur succès a cependant dépassé le clivage des générations et la logique habituelle du marché puisque cela fait à présent 30 ans qu'ils dominent la scène du rock.

Si nous nous penchons d'ailleurs en détail sur les années 1970, nous voyons à quel point et à quelle vitesse les styles musicaux et les nouveautés s'y sont enchaînés pour aboutir à une multitude de courants et de sous-familles distinctives. Par exemple, entre le *blues tribal* de Robert Johnson du début des années 1930 et le rock électro expérimental planant de Radiohead, qui tirent tous deux leurs sources des musiques des esclaves afro-américains, nous sommes allègrement passés, en moins de 70 ans, par une pléthore d'étapes musicales : le jazz, le swing, le be bop, le twist, le rock'n'roll, la pop, le disco, le rock psychédélique, le heavy metal, le hard rock, le punk, la new wave, le trash, le hard core, la techno, la house et que sais-je encore ! Je suis certain que l'on pourrait facilement remplir une page complète avec les noms de tous les styles musicaux qui émergent chaque année aux quatre coins de la planète ! Ma liste n'inventorie d'ailleurs même pas le rap, le rhythm and blues, la dance ou encore le reggae. On pourrait citer ici une multitude d'autres exemples pour étayer cet état de fait : la relève arrive, les anciens s'en vont, voici la dure réalité du spectacle.

Mais revenons-en aux concours actuels. La recette du succès de *Star Académie* repose globalement sur l'image que le grand public peut cultiver à l'égard de ses idoles. Nous avons tous en nous une image caricaturale de la star du *show-business*, et pour cause, puisque les frasques à répétition — et médiatisées — d'une partie des artistes depuis les années 1950 ont abondamment nourri la fascination que ces stars pouvaient générer autour d'elles. Elvis s'est fait connaître par son jeu de jambes légendaire qui est venu bousculer pour toujours, en l'espace de cinq minutes, l'Amérique puritaine des années 1950. Depuis ce jeu de jambes — qui ne choquerait plus personne aujourd'hui —, l'escalade de la provocation et de l'outrance a été encouragé lors des années 1970 et surtout 1980. Cela nous a conduits à voir dans la star un être qui évolue forcément dans le luxe — pour ne pas dire la luxure —, qui remplit sa baignoire d'eau minérale ou fait manger du bœuf bourguignon à son chien à tous les repas. *Star Académie* allait nous permettre — croyait-on — d'obtenir tout cela en quelques semaines. Le rêve était trop beau. Partout, les jeunes se sont accrochés à cette illusion et se sont lancés en grand nombre à l'assaut de la scène, si bien que très vite le succès national est arrivé. Voilà comment une émission de variétés est devenue ce que l'on allait bientôt nommer le phénomène sociologique d'une décennie, à l'image de l'émission *Salut les copains* que nos parents ont bien connue.

Car le concours amateur existe en fait depuis très longtemps. En France, à l'époque des débuts de Bécaud et d'Aznavour notamment, il y avait une multitude de cabarets qui permettaient aux jeunes artistes de se faire connaître. Parmi eux, le célèbre parolier Pierre Delanoë, qui a débuté sa carrière avec son beau-frère, ainsi que d'autres artistes tels que Piaf, Brel et Brassens. Évidemment, l'impact médiatique de ces concours était très restreint, du moins avant la mise en scène radiophonique et télévisuelle dans les années 1960 de plusieurs d'entre eux demeurés dans l'histoire comme *Les Stars de demain* et surtout *Salut les copains*.

En fait, ces petits cabarets permettaient à quelques-uns de donner une prestation, un aperçu de leur talent, de signer un contrat avec une salle reconnue, ou encore, plus rarement, d'être remarqués par une maison d'édition. Le parcours artistique pour arriver à imposer son nom en grandes lettres en haut de l'affiche était donc jonché d'une série d'épreuves souvent insurmontables, des épreuves qu'Aznavour a si bien réussi à immortaliser dans *La Bohème*.

Mais aujourd'hui, tout a changé. La télévision multiplie les chances de se faire connaître et permet à la relève d'être découverte très rapidement. Il est loin le bon vieux temps des cabarets ! L'audience est passée en un clin d'œil de quelques centaines de spectateurs plus ou moins attentifs à des millions de téléspectateurs passionnés par le programme qu'on leur offre. Tout cela est très alléchant, car la réussite paraît beaucoup plus accessible qu'autrefois et surtout beaucoup plus rapide. Mais ce succès fulgurant ne devrait en aucun cas ressembler à un ballon de baudruche, un objet sans consistance. Car, comme à la foire, les ballons gonflés finissent toujours par éclater ou s'envoler sans qu'on ne les revoie jamais ! Il faut donc garder en tout temps la tête froide et se présenter à ces concours bien préparés.

En ce sens, qu'il s'agisse de *Star Académie*, ou de n'importe quel autre concours du même type, le principe de sélection est toujours à peu près le même. Un jury de professionnels reconnus par leurs pairs a la lourde tâche de choisir les participants qui auront la chance, ne serait-ce que pendant trois mois, de briller sous les feux de la rampe. Les finalistes seront au nombre de 12 ou de 15 selon le type de concours, issus des quelques milliers, voire dizaines de milliers de candidats qui iront se présenter aux auditions. Et les juges se trouvent régulièrement dans la situation peu évidente de devoir choisir, parmi ces nombreux prétendants au succès, une poignée d'heureux élus.

Sachez par conséquent que si vous n'êtes pas sélectionné, ce n'est pas parce que vous n'avez pas de talent. Aux yeux du jury, la passion et la détermination qui vous animent priment. Entrain et enthousiasme pourront aussi jouer en votre faveur, mais de grâce, ne vous découragez pas à la première élimination, celle-ci ne présage pas forcément la fin de votre carrière ! Vous pourrez bien sûr tenter votre chance à d'autres concours, peut-être vous faire éliminer une deuxième ou une troisième fois ! Ce n'est pas grave ! Si vous gardez profondément en vous cette envie de réussir et de vous dépasser, vous récolterez sans aucun doute à un moment ou à un autre les fruits de votre labeur et la chance vous sourira.

Des techniques d'approche existent d'ailleurs pour participer à ce genre de tremplins musicaux en maximisant vos chances.

Je retiendrai tout d'abord la tenue vestimentaire. Choisir une tenue correcte et appropriée, une tenue qui ressemble à l'image que vous souhaitez projeter me paraît être un excellent point de départ, car elle est souvent la cause de bien des échecs lors des sélections. Mes recommandations en la matière rejoignent ici les principes édictés pour réussir un entretien d'embauche. Si vous vous présentez pour un poste de plombier, la cravate n'est pas forcément de rigueur, alors que si vous voulez diriger une entreprise d'une centaine employés, la salopette et les chaussures vous nuiront.

Alors, faites en sorte que la tenue vestimentaire que vous arborez soit en lien avec le style musical dans lequel vous vous exprimez. Et surtout, efforcez-vous de vous habiller au plus près de ce que vous êtes. On ne vous jugera pas uniquement sur votre allure, fort heureusement, mais celle-ci pourrait bien vous donner les points que vous n'aurez pas su glaner sur le plan artistique, ou, le cas échéant, jouer contre vous malgré toutes vos prédispositions naturelles pour le chant. Il est primordial de bien se présenter à ce genre de rencontre.

Deuxième point crucial : présentez-vous au concours ou à l'entrevue avec du bon matériel et de bonnes chansons. Le choix de l'œuvre que vous allez interpréter est capital, puisque vous allez être jugé en grande partie sur l'interprétation que vous en ferez. Là encore, il s'agit de mettre toutes les chances de votre côté. Mais quelle chanson choisir ? Quel artiste ? Quel style ? Parmi la multitude de pièces musicales existantes, peu ou très connues, actuelles ou anciennes, quelle chanson fera la différence ? Une énième reprise de *Yesterday* des Beatles ou une version bien à vous d'un rap ?

Les belles chansons populaires sont à mon avis des phares, des repères, car leurs refrains, reconnaissables entre mille, nous inspirent et nous poussent à les entonner lorsqu'elles sont diffusées. Ces chansons ont quelque chose de plus que les autres, voilà pourquoi nous les aimons et qu'elles sont devenues d'immenses succès. Les juges ont eux aussi leurs chansons préférées, comme vous et moi. Mais attention à l'usage de ces tubes d'hier et d'aujourd'hui. Choisir un succès comme on choisit un morceau dans un *juke box* est relativement aisé. Chanter cette chanson à la manière de l'original est moins facile, quoique avec un peu d'entraînement et quelques talents d'imitation, le défi pourra être relevé. Mais interpréter ce morceau avec ses tripes et avec son cœur ne sera à la portée que de ceux qui miseront sur l'honnêteté, la passion et le courage.

En effet, malgré des apparences trompeuses, l'interprétation d'un morceau très connu peut se révéler très difficile, car notre oreille a la fâcheuse habitude de nous tromper. Nous croyons ainsi connaître la chanson de Claude Dubois *Le Blues du businessman*[9], car nous l'avons tellement entendue que nous en connaissons les paroles par cœur.

Cette chanson est-elle pourtant si simple à interpréter ? Pas du tout ! En fait, en vous penchant d'un peu plus près sur la partition du morceau et en essayant de la chanter, vous vous apercevrez que sa tessiture[10] est loin d'être évidente à assumer et que cet air apparemment si facile vous donnera bien du fil à retordre.

Aussi, soyez modeste et ne vous attaquez pas à l'impossible. Une chanson simple et bien interprétée aura dans les faits bien plus d'impact qu'une pièce plus ardue que vous n'aurez aucune chance d'interpréter sans fausses notes. Et quel que soit le morceau que vous aurez choisi, qu'il s'agisse du *Blues du businessman* ou de *Hound Dog*, il vous faudra avant tout l'interpréter avec

9. *Le Blues du businessman* (paroles de Luc Plamondon et musique de Michel Berger).
10. Tessiture : échelle des sons qui peuvent être émis par la voix sans difficulté (*Le Petit Robert*).

votre cœur, c'est ce qui fera toute la différence entre vous et un autre candidat.

Un autre paramètre entre en ligne de compte dans cette élimination : le jury. Parfois, le jury commet une erreur parce qu'il n'aime pas votre genre ou votre personnalité, et ceci sans raison rationnelle. Vous ne pourrez malheureusement pas grand-chose contre ce préjugé, j'en suis désolé.

Récemment, j'ai tout particulièrement été frappé par l'attitude d'un juge lors d'un concours que je suivais à la télévision. Ce juge, qui devait être une personne d'expérience et donc capable d'une certaine pondération, ne cessait de rire et de se moquer des candidats pour les ridiculiser. J'ai trouvé cette attitude aberrante, car les jeunes qui se présentent aux auditions sont, par définition, sans expérience et donc extrêmement nerveux, ce qui est naturel.

Il ne faut donc pas accorder tant de crédibilité aux téléspectateurs qui, dans le feu de l'action, ou tout simplement attachés à leurs candidats préférés, ont tendance à oublier que la majorité des jeunes sont totalement inexpérimentés ! Beaucoup d'entre eux manquent même tellement d'assurance sur scène, de charisme et de voix, qu'ils ne peuvent faire autrement que d'être éliminés. Alors halte aux croyances qui s'évertuent à transformer en stars de jeunes premiers qui d'ordinaire ne parviendraient pas à s'illustrer sur une petite scène locale ! Tout comme les autres, ils devront faire leurs preuves après ce concours.

Star Ac' ou Star Arnaque ?

Depuis 2001, on ne parle que d'elle. En bien ou en mal, certes, mais de manière si intense qu'elle a, dans les bulletins de nouvelles comme dans les grands titres des magazines, la même ampleur qu'un autre phénomène du même style dans les années 1970, celui de *Salut les copains*. L'émission *Star Academy*, créée en France il y a maintenant cinq ans sur les bases d'un concept néerlandais, n'a en effet pas seulement battu tous les records d'audimat connus sur une chaîne de grande écoute, elle a également provoqué une vogue sans pareille dans les rangs de ses publics cibles, c'est-à-dire, selon les statistiques, les jeunes de moins de 35 ans et les ménagères de moins de 50 ans. Elle a même suscité tant d'intérêt qu'elle se décline aujourd'hui dans de nombreux pays et s'offre le luxe de faire face à des concurrentes sur le même territoire. Il est vrai que la *Star Ac'* — ou *Canadian Idol* au Canada, *Operacio Triunfo* en Espagne, ainsi que bien d'autres variations en Allemagne, au Portugal, en Norvège, et même au Liban — semble constituer d'une part un bon tremplin pour de jeunes interprètes talentueux, et représente, d'autre part, une excellente source de revenus pour les maisons de disques associées à l'émission — notamment la société Universal pour la France —, ainsi que pour toutes les entreprises liées à sa promotion. Nous pouvons par exemple citer ici quelques exemples d'outils promotionnels très appréciés, comme le magazine du même nom, mais aussi les porte-plumes, bracelets, figurines et même les chaussettes *Star Academy*.

En résumé, la politique de marketing liée à ce concours de masse semble aussi efficace — et tapageuse — que celle qui accompagne la sortie des grands films et dessins animés américains comme *Le Seigneur des anneaux* ou *Bob l'éponge*. Mais sert-elle vraiment l'intérêt des jeunes stars en devenir qu'elle est censée défendre ? Et remplit-elle véritablement la mission de redresser un marché du disque qui connaît mondialement, depuis quelques années, une crise assez notoire, notamment depuis le développement massif du téléchargement de musique sur Internet ?

Pour répondre à ces deux délicates questions, il faut en premier lieu étudier tous les paramètres de cette émission. La recette gagnante de la *Star Ac'* se trouve en effet dans la conjugaison de quelques facteurs essentiels :

1) un processus de sélection, puis d'élimination, qui nécessite la participation des téléspectateurs, ce qui les motive à suivre l'évolution du concours. On constate même un attachement certain de ces mêmes téléspectateurs aux candidats dont ils suivent chaque jour la préparation à des heures télévisuelles de grande écoute ;

2) une campagne de promotion majeure dans l'ensemble des médias et une déclinaison importante d'éléments promotionnels qui tentent de rejoindre, sous différents axes — du sensationnalisme, à la mode ou à la sensibilité — tous les types de publics, y compris les récalcitrants ;

3) un répertoire de chansons très étudié qui permet de revisiter des classiques qu'on aime toujours réentendre ;

4) et enfin, inutile de le souligner, le strass et les paillettes qui sont propres à l'image que l'on se fait de la vie des stars et dont beaucoup d'entre nous, intimement, souhaiteraient se parer,

ne serait-ce que pour un certain laps de temps. Finalement, les éléments qui garantissent le succès de *Star Académie* ne manquent pas. Mais, en dehors de ces contingences commerciales, il faut tout de même mentionner la mission première de cette émission: permettre à un ou plusieurs candidats, selon les saisons, de cheminer vers le succès, ou du moins de vivre de manière féerique leur passion pendant quelques mois. Une passion qui leur donnera l'occasion d'obtenir une formation auprès des meilleurs professeurs, de rencontrer les plus grands noms de la musique, de chanter sur les plus prestigieuses scènes et, bien sûr, de connaître l'adulation dont ils rêvent.

Il y a cependant des revers à cette aventure hors du commun. En tout premier lieu, est-ce véritablement au bagage artistique et au potentiel vocal et scénique des candidats que l'on s'intéresse ? Patrice, un ancien concurrent de l'émission française, a émis quelques doutes à ce sujet: «Même si la *Star Ac'* était une chance, je me suis souvent senti frustré par l'absence de cours de création pure ou d'ateliers vraiment poussés. L'émission favorisait un certain format, le visuel étant privilégié par rapport à l'écriture ou à l'artistique. Nous sentions que nous étions manipulés, que nous n'étions que des produits, mais une fois dedans, il faut jouer le jeu ou alors ne pas y aller.»

Cette vision négative a sans doute été accentuée par le fait que ce jeune homme ait fréquenté l'une des candidates de l'émission et se soit par le fait même heurté à la surmédiatisation qu'engendre toute nouvelle croustillante dans une programmation de cet acabit. Il n'en demeure pas moins que certaines de ses remarques sont judicieuses, puisqu'elles concernent l'essence même de l'émission. La *Star Ac'* obéirait-elle davantage au culte de l'image qu'à celui du talent ? Rien n'est moins sûr lorsqu'on se rend compte de l'hétérogénéité des candidats et de la politique de la chaîne qui s'acharne à les transformer, non seulement en bêtes de scène, mais aussi en mannequins aux derniers diktats de la mode. «Depuis sa création, *Star Academy* [...] représente en termes d'image plus que ce qu'elle pèse dans la filière de la musique», a d'ailleurs écrit en janvier 2005 Véronique Mortaigne, une journaliste du *Monde,* reprenant les termes du rapport effectué sur l'émission par Véronique Cayla, la directrice générale du Festival de Cannes.

À ce sujet, on pourra toujours contester cette vision un peu négative en avançant que le *look* a toujours été primordial dans le domaine musical. Par exemple, les Beatles n'auraient certainement jamais réussi aussi rapidement s'ils avaient conservé l'apparence et le comportement de *rockers* qu'on leur connaissait à leurs débuts à Liverpool et à Hambourg. Mais l'image est-elle à ce point importante qu'elle doive prendre le pas sur le talent? Encore une fois, les exemples se suivent et se contredisent. En effet, contrairement aux midinettes sans voix que l'on a pu croiser au cours de certaines saisons françaises, des candidats comme Wilfred Le Bouthillier, au Québec, ont prouvé qu'ils avaient un réel potentiel pour réussir. «Il y a un gros problème avec la *Star Ac'*, a souligné un internaute anonyme dans l'un des nombreux forums consacrés à ce thème, c'est que tous les arguments qu'on pourra trouver seront contrecarrés par la réussite de certains. Alors n'allez pas, bien sûr, me parler de certains candidats qui ont sorti leur premier et leur dernier album. Ceux-là sont exactement des produits de la *Star Ac'* et n'ont évidemment aucun avenir dans la chanson. Par contre, le cas de Jenifer (la gagnante de la première édition française en 2001) nous étonne. Certains y voient le fruit d'une formation exigeante de l'équipe de la *Star Ac' 1*. Je pense plutôt que c'est juste une fille qui avait déjà une voix, qui a gagné le droit de se faire *relooker* et qui a maintenant trouvé le chemin des ventes. Des albums pas trop débiles, des compositeurs sympas… Le cocktail est forcément vendeur.»

Oui, Jenifer et Wilfred ont réussi. Ils ont même très bien réussi puisqu'ils ont vendu beaucoup d'albums jusqu'à ce jour et veulent poursuivre leur carrière en se distanciant de l'image stéréotypée que véhicule l'émission. Ce ne sont cependant que de rares élus au sein d'une industrie qui ne pardonne pas aux amateurs. La majorité des concurrents qui leur faisaient face ont dans les faits disparu depuis fort longtemps des médias, troquant les grandes scènes et les séances de signatures contre les foires commerciales et l'anonymat.

Ici encore, on nous rétorquera qu'au fil de l'histoire, seuls les interprètes qui avaient véritablement beaucoup de potentiel, de jugement et de courage ont réussi dans le milieu musical. Ces commentaires sont totalement justes. L'image que véhicule la *Star Ac'* pendant quelques mois a donc beau faire rêver beaucoup de jeunes qui souhaiteraient réussir du jour au lendemain, il n'en demeure pas moins que les règles qui régissent réellement l'industrie du disque restent toujours autant, sinon plus, contraignantes qu'auparavant.

Alors faut-il véritablement condamner un programme qui obéit dans les faits à ces règles — ne l'oublions pas, la *Star Ac'* ne constitue qu'un tremplin, pas une promesse de réussite — ou plutôt tous ceux et celles qui pensent que la télévision ne ment jamais et croient sincèrement que la vie idéale ressemble à celle de la famille Ewing dans la série *Dallas*? Peut-être le véritable questionnement se situe-t-il à ce niveau.

Dans l'attente, tous les joueurs, des candidats aux chaînes télévisuelles concernées, et des entreprises de promotion aux maisons de disques, en passant par les artistes qui prêtent leur répertoire ou en composent spécialement pour l'émission, semblent satisfaits. En effet, la maison Universal a produit depuis 2001 en France quelque 26 albums et une soixantaine de *singles* qui ont généré des ventes dépassant les 10 millions d'exemplaires, ce qui représente 3 % de leurs ventes totales sur ce territoire. Sa collaboration avec la *Star Academy* lui a même permis, selon les statistiques, de renverser la tendance selon laquelle le marché du disque baissait internationalement de l'ordre de 3 % depuis le début du millénaire.

En France encore, la chaîne TF1, malgré une légère baisse d'audience enregistrée en 2004, rassemblait tout de même lors de sa dernière saison près de cinq millions (26,4 % de part de marché) de téléspectateurs chaque jour, et frôle généralement les 10 millions de téléspectateurs lors des finales du concours.

Bien sûr, l'ensemble de ce concept est fragile. Il suffirait d'une baisse significative de l'audimat télévisuel pour que la *Star Academy* soit reléguée à une heure de moins grande écoute, voire qu'elle ne soit plus programmée du tout et entraîne dans sa chute les ventes de disques, le magazine qui lui est consacré, le *merchandising* qui lui est lié et, évidemment, tous les jeunes qui souhaitent se servir de ce tremplin. Mais comme le dit l'adage, le jeu en vaut pour le moment la chandelle, car tous les tremplins, y compris les plus critiqués, servent à encourager les talents naissants et anonymes qui éclosent dans chaque ville ou village. «Ce genre d'émission permet à des jeunes de se montrer, et c'est cette visibilité qui devient nécessaire dans le métier, affirme une internaute. Alors au lieu de critiquer, proposez une autre forme d'aide aux jeunes artistes! Parlez-nous par exemple de Steevie: dix ans de galère, et quatre semaines de télévision pour faire la différence. Il faut dire stop à l'hypocrisie!» Cette femme a raison. Il vaut mieux encore défendre une *Star Ac'* qui parvient à aider de jeunes artistes, que condamner la «Star Arnaque» qui se cache derrière tout programme à succès. Si certains des concurrents de ce concours réussissent, ce qui est le cas, c'est que celui-ci a déjà obtenu sa légitimité.

Miroir, mon beau miroir...

Je vais me permettre ici une petite digression, car je tiens à ce que vous saisissiez l'importance et surtout les conséquences imprévisibles que peut avoir l'image sur le cours de l'existence d'un individu.

Cette scène a eu lieu à Cuba le 5 mars 1960. Un certain Alberto Korda, photographe cubain habitué à réaliser de grands reportages sur des sujets politiques et esthétiques, s'était rendu, comme de nombreux autres compatriotes, à un événement organisé par le pouvoir à la suite d'un attentat perpétré la veille par la CIA dans le port de La Havane.

Pour la petite histoire, de nombreux Cubains avaient à cette occasion été laissés pour morts à l'endroit du drame. L'autorité était déjà à cette époque, comme elle l'est toujours aujourd'hui, entre les mains de Fidel Castro, à ceci près que le pouvoir était partagé avec quelques-uns des plus fidèles compagnons de cet homme, dont une autre figure emblématique de la Révolution cubaine, le célèbre Ernesto Guevara, surnommé le Che.

Mais revenons à Korda. Ce dernier suivait attentivement ce rassemblement et écoutait les péroraisons habituelles du chef castriste pendant que la foule buvait les paroles du Maximo avec une admiration béate. Sur scène, dans un coin, Che Guevara devait penser à la Révolution, à l'avenir de son peuple ou à tous les disparus de la veille, Dieu seul le sait et finalement cela n'a guère d'importance. Le regard tourné vers l'horizon, il semblait défier tous les dieux de l'univers, la pauvreté de son peuple et bien plus encore, peut-être, l'impérialisme américain. Depuis quelques minutes déjà, Korda avait sorti son appareil et commençait à photographier la tribune pour immortaliser ce grand moment d'émotion. Puis il s'attarda un peu plus sur le Che, qui demeurait toujours à l'écart des autres dirigeants, et centra bientôt son attention sur ce visage si charismatique. Le moment était venu. Une simple pression sur la gâchette de l'appareil et l'obturateur allait immortaliser l'une des images les plus célèbres du XXᵉ siècle, une photographie qui a transcendé tout le vécu de ce piètre médecin et guérillero de la Révolution cubaine pour l'élever au rang de star inclassable et adulée par des générations entières d'adolescents, pour le plus grand bonheur des vendeurs d'affiches et de t-shirts de la planète.

Car cette photographie, vous la connaissez évidemment si bien que je n'ai pas besoin de vous la décrire pour qu'une version mentale de ce portrait surgisse à votre esprit. Peut-être avez-vous même une reproduction, chez vous, de cette image sur un poster, un livre ou une chemise ? Cette unique photographie a transformé pour toujours la vision que nous pouvions nous faire de Che Guevara. Il est même quasiment certain que si elle n'avait pas existé, le Che n'aurait jamais connu la dévotion posthume qu'on lui voue toujours aujourd'hui. Certes, ses actes ont contribué à sa légende, mais son image de rebelle immortalisée par Korda l'a entérinée pour toujours.

Vous aurez donc compris à quel point l'image dispose d'un pouvoir intrinsèque qui permet à ceux qui la maîtrisent de transcender la réalité pour créer un rêve impalpable et intemporel.

La force de l'image n'a finalement pas d'égale, ce que la majorité des artistes ont très vite compris. Au tout début du blues, un style musical issu des Noirs américains et à la connotation sexuelle à peine dissimulée, le salut des artistes et de leur respectabilité ne tenait en effet qu'à l'apparence qu'ils donnaient d'eux-mêmes. Ainsi, tous les artistes qui se lançaient dans cette voie artistique controversée adoptaient presque systématiquement des tenues classiques, voire des habits du dimanche, costume et cravate inclus, pour occulter derrière cette façade trompeuse la véritable signification de leur art. L'Amérique puritaine du début du siècle n'a d'ailleurs pas toléré d'autres types de tenues jusqu'au jour où un certain Elvis Presley allait commettre l'irréparable, c'est-à-dire se déhancher de manière explicite dans une tenue suggestive, et par-dessus tout sur une musique endiablée et irrespectueuse des mœurs de l'époque. Une autre icône était née ! Est-ce l'entourage de la star qui avait fomenté cette petite mise en scène ou est-ce tout simplement la liberté d'Elvis qui avait conquis le cœur de ses *fans* ? Pour tout dire, une grande partie du succès de cet artiste provient de sa réappropriation des attitudes scéniques des Afro-américains qu'il avait côtoyés dans sa jeunesse. Et c'est cette image véhiculée par le King qui a

Fabrication d'une star

choqué l'Amérique ségrégationniste des années 1950, bien plus encore que ses paroles, du moins au moment de son éclosion artistique. C'est également cette même image qui a à l'inverse séduit des millions d'admirateurs dans le monde.

L'exemple d'Elvis est d'ailleurs très intéressant, car cet artiste a connu une forme de décadence vers la fin de sa carrière, ce qui a profondément terni l'image du jeune premier à la chevelure gominée qui nous avait charmés dans les films hollywoodiens des années 1960 et que nous croyions immortelle. Tout le monde se souvient malheureusement ainsi d'un Elvis à moitié, si ce n'est totalement drogué, qui donnait encore des spectacles dans les casinos de Las Vegas en titubant, pesant le double de son poids normal et dont le visage était enflé par les médicaments. Cette dernière image lui aura sans doute joué beaucoup plus de tours que son célèbre déhanchement. Elle aura également précipité sa descente aux enfers et sa tragique disparition en 1977.

Pour prendre un autre exemple, c'est précisément à la fin des années 1970 qu'une autre légende du rock'n'roll est née en Angleterre. J'emploie d'ailleurs le mot rock'n'roll un peu à tort puisque les critiques et le public de l'heure l'ont nommé le punk. Ce mot d'argot anglais signifie littéralement « dégueulasse » ou « pourri », ni plus ni moins ! Ce courant de musique alternatif, qui a émergé en réponse aux grandes désillusions de l'après-choc pétrolier de 1973 au sein d'un Royaume-Uni ravagé par le chômage et la précarité, a trouvé son emblème grâce à l'un des groupes les plus provocateurs de l'histoire de la musique, les Sex Pistols. Mené par un jeune chanteur aussi irrévérencieux qu'impoli et cynique, Johnny Rotten, et un bassiste affublé du surnom de Sid Vicious, qui allait mourir d'une overdose quelques années plus tard, le groupe a cristallisé l'image de la révolte et de la désobéissance poussées à leur paroxysme. Le mouvement punk allait même très vite devenir un véritable mode de vie, bien au-delà du simple style musical. Cette mode émergeante a en effet représenté un véritable affront à toute la société bien pensante de l'époque,

·laquelle n'y voyait, à tort ou à raison, que la défaite de toute une génération désillusionnée par le système.

Ce que cependant peu d'admirateurs des Sex Pistols savaient et savent encore, c'est que leur attitude et leur image outrancière avaient en partie été l'œuvre d'une personne qui travaillait dans l'ombre, Malcom Mac Laren, le propriétaire d'un magasin de vêtements londonien très en vogue à l'époque. En fait, c'est lui qui avait décidé de faire de ces quatre voyous l'un des plus grands groupes de rock du monde. Pour cela, il avait insisté sans relâche pour que les Pistols optent pour l'image la plus révolutionnaire et l'attitude la plus provocatrice qui soient! Il n'en fallait pas plus pour que sa volonté s'accomplisse. Crêtes de cheveux verts hérissées sur la tête, concerts enragés et appelant à la destruction du pouvoir politique, interviews improbables durant lesquelles il n'était pas rare que Johnny Rotten insulte les journalistes qui l'interrogeaient, le style Pistols allait laisser une marque indélébile sur le monde de la musique. La rébellion revendiquée par certains artistes peut donc se révéler un beau montage à des fins mercantiles. Et s'il est certain que les Sex Pistols étaient déjà des « punks » dans l'âme avant de rencontrer Mac Laren, il faut reconnaître que ce dernier a façonné leur image de manière à ce que les médias et le public s'intéressent encore plus à eux. Près de 30 ans plus tard, et avec un seul album éponyme à leur actif, le nom des Sex Pistols continue à véhiculer la même idée de révolte et de violence, alors que même les membres de son groupe sont devenus des millionnaires vivant confortablement grâce aux rentes que leur assurent des ventes de disques que beaucoup d'artistes pourront longtemps leur envier, mais rarement égaler.

Donc, quel que soit le style ou les styles de musique dans lesquels vous évoluerez, prenez garde de ne jamais heurter votre public cible en vous affichant dans une tenue vestimentaire qui ne serait pas appropriée à ce qu'il attend de vous. Si vous choisissez de faire carrière dans le death metal ou le rock alternatif, vous pourrez évidemment porter une large gamme de vêtements décontractés, mais il serait inconscient pour vous de défiler en

smoking du dimanche. Je ne pense pas non plus qu'un jean et un tee-shirt troués et tachés soient du meilleur effet si vous vous présentez sur un plateau d'émission grand public, à moins que la mode ne s'y prête. En un mot, soyez vous-même et sentez-vous à l'aise dans votre style, mais respectez votre public et celui-ci vous respectera en retour.

Alors quelle image allez-vous adopter ? Les quelques exemples révélateurs et parfois extrêmes que je viens de citer avaient pour but de vous montrer que l'image que vous véhiculerez sur et en dehors de la scène pourrait avoir des conséquences importantes sur votre cheminement artistique. Par exemple, Johnny Rotten n'aurait jamais chanté *Love Me Tender* devant son public, et encore moins porté une cravate durant une entrevue… à moins de porter une cravate ostensiblement provocatrice. Si vous suivez par conséquent des tendances qui ne correspondent pas à votre caractère, le public ou les professionnels avisés du milieu évalueront très rapidement vos faiblesses et vous infligeront de sévères critiques qui affaibliront votre crédibilité.

Vous trouverez également, parmi les artistes que vous adulez, certains looks que vous souhaiteriez adopter. Ces derniers sont nombreux et variés, comme le sont les styles musicaux qui s'y rattachent et les artistes qui les véhiculent. Vos modèles peuvent par exemple se trouver en la personne du très provocateur Snoop Dog, icône du gangsta rap américain, ou de la sensuelle Mylène Farmer, la Madonna française dont les clips imbibés de sang et de connotations sexuelles font fureur. Si vous n'adoptez pas vous-même d'image, car vous trouvez cela superflu, peut-être déciderez-vous de vous fondre dans la peau du personnage, ce qui constituera une sorte de rempart entre vous et le monde extérieur. Cette option fait des émules depuis quelques années dans le monde du spectacle. C'est notamment le cas de Björk, une extraterrestre islandaise qui a déjoué tous les critiques grâce à son style totalement à part et à contre-courant, ou encore de Mathieu Chedid, plus connu sous le nom de M. L'image que cet artiste s'est montée de toutes pièces avait d'ailleurs pour objectif de le distancier de son père, le célèbre Louis Chédid, mais aussi d'adhérer à un jeu dont le principe était de se moquer de la société de consommation qui nous transforme en foule sentimentale, comme le chante si bien Souchon. Il s'agit alors d'une seconde peau, d'un masque que Mathieu Chedid revêt lorsqu'il monte sur scène, un masque qu'il délaisse pour redevenir lui-même une fois le spectacle terminé.

Enfin, peut-être refuserez-vous de vous déguiser et ferez-vous comme certains artistes qui se moquent totalement de leur image pour rester totalement eux-mêmes. On pourrait citer dans ce cas de figure Jean-Jacques Goldman ou Francis Cabrel, deux géants de la chanson française qui se sont toujours évertués à rester naturels, tout en ne laissant jamais rien transparaître de trop personnel dans leur vie publique.

Il ne faut cependant pas oublier que si votre aspect vestimentaire est important, votre comportement l'est encore plus. Le public saura excuser la maladresse, la timidité et l'audace. Il pourra même soutenir certains de vos écarts et tomber amoureux de votre petit côté rebelle. Mais en aucun cas il n'acceptera l'impolitesse, le manque de respect, la vantardise ou le laisser-aller. Car ce public a besoin de modèles, d'icônes posées sur un piédestal dont il suivra à la loupe tous les faits et gestes pour s'inspirer. Si vous vous conduisez avec lui d'une manière qu'il juge choquante, il y a fort à parier que votre cote de popularité chutera rapidement. Alors dites-vous que toute carrière commence par une opération de séduction. Une séduction visuelle et verbale dont vous devrez apprendre les moindres secrets pour gagner de l'attention et vous préserver de l'oubli.

Finalement, vous constaterez très vite qu'il est extrêmement difficile de se détacher de l'impression que l'on a donnée au public à nos débuts, et que le moindre changement de *look* ou de coupe de cheveux non calculé pourrait vous être fatal. Cet axiome du milieu se répétera à l'infini en vous jouant des tours, que vous soyez un rebelle dans l'âme ou un être sage… comme une image !

Farouches Rolling Stones

Après plus de 40 ans d'existence, le groupe de rock le plus irrévérencieux de la planète a réussi à gagner le respect de tous les amateurs et critiques. En dehors du talent irréfutable de ses membres, dont les très charismatiques Mick Jagger et Keith Richards, sa marque de fabrique réside évidemment dans des textes, un style musical et une attitude plus que subversifs. On pourrait même avancer que la couverture médiatique du groupe a autant été attribuée aux scandales dont ils étaient à l'origine qu'aux nombreuses chansons qu'ils ont popularisées un peu partout dans le monde. Ce qui nous pousse naturellement vers ce questionnement : l'image d'un artiste est-elle aussi importante que son répertoire ? Et détermine-t-elle, plus que tout autre facteur, le style dans lequel ce dernier évoluera ?

Si l'on se fie à l'exemple des Rolling Stones, la réponse serait immédiatement positive. Il faut cependant tenir compte de certains détails qui peuvent infléchir ce premier choix. En effet, si l'on regarde d'assez près l'évolution musicale du xxe siècle, on constate que la majorité des stars des années 1970 ont disparu lors de l'essor des mouvements punk, grunge, rap et new wave des années 1980. Un peu plus tard, dans les années 1990, ces derniers ont eux-mêmes cédé leur place à la disco-pop, à la techno et à l'émergence de multiples variations de néo-rock (alternatif, urbain, *boarder*) et de soul (R&B, ragga, etc.). Comment, en gardant la philosophie qui animait leurs premières années de carrière, les Rolling Stones auraient-ils réussi à survivre à autant de changements sans changer eux-mêmes ? Là se trouve toute la perspicacité d'un groupe qui a su, sans trahir son image ni son répertoire, s'adapter aux goûts du temps et rivaliser d'audace pour séduire un public qui compte toujours aujourd'hui des dizaines de millions de *fans* de par le monde.

Afin de mieux comprendre pourquoi l'image des Rolling Stones ne s'est pas ternie avec les années, revenons sur les grandes lignes de leur carrière.

Au printemps 1960, Mick Jagger, qui évoluait au sein d'une petite formation de blues, est parvenu à convaincre l'un de ses amis d'enfance qui jouait de la guitare dans son coin, Keith Richards, de monter un groupe amateur. Ils ont bientôt été rejoints par quelques musiciens supplémentaires, dont le regretté Brian Jones, et ont commencé à enchaîner les concerts dans des clubs londoniens. Ils obtenaient déjà une certaine popularité lorsque Andrew Loog Oldham, bien établi dans le milieu, les a approchés, est devenu leur gérant et leur a fait signer un contrat avec la maison de disques Decca. Il en a profité pour peaufiner leur image, une image à l'opposé de celle que véhiculait un autre groupe anglais qui allait lui aussi bientôt passer à l'histoire, les Beatles.

Les Rolling Stones, puisque tel était déjà le nom de cette formation originale, se sont très vite montrés surprenants grâce à un style musical totalement novateur, à savoir une forme de rock'n'roll qui mêlait le blues, la country et le folk, et que l'on associait auparavant davantage à des chanteurs de race noire. Plus surprenante encore était l'image du groupe à l'intérieur d'un pays encore prude, puisque face au *look* très soigné des Beatles, les Rolling Stones affichaient un flagrant laisser-aller, voire une apparence et une conduite des plus irrévérencieuses. La presse s'est donc abattue avec autant de rapidité que de hargne sur ce nouveau phénomène qui a eu le culot de sortir, en 1963, et ce, quelques mois seulement après *Love me do* des Beatles, une obscure reprise de Chuck Berry, *Come on*. La presse irait d'ailleurs jusqu'à comparer les Stones à des voyous mal canalisés ou à poser à ses lecteurs la question suivante : « Laisseriez-vous votre fille sortir avec l'un des membres pervers de ce groupe ? »

Malgré cette campagne de salissage virulente, ou peut-être grâce à elle, les Rolling Stones se sont attiré l'intérêt des jeunes et ont très rapidement obtenu du succès. En 1964, la reprise de *It's all over now* les a propulsés en tête des palmarès. En 1965, celle de *Satisfaction* allait demeurer dans toutes les mémoires. Forts de ces premiers succès, les Rolling Stones ont poursuivi leur opération de destruction des conventions. Ils ont notamment été les premiers à reléguer leurs costumes de scène à la poubelle et à se laisser pousser les cheveux, entraînant dans leur sillage une génération entière de jeunes qui souhaitaient se rebiffer contre l'ordre édicté par leurs parents et aïeux. Les tournées se sont enchaînées en Angleterre, en Europe, aux États-Unis, provoquant sur leur passage des émeutes, des blessés et des dégâts matériels, ce qui a attisé la hargne policière et entraîné les premières arrestations du groupe pour possession et prise de drogues, ainsi que des procès pour attentat à la pudeur et pour indécence ! Mais ces détails étaient loin d'endiguer la ferveur — voire l'hystérie collective — des admirateurs du groupe.

Entre deux accusations et, parfois, un peu de prison, les Rolling Stones ont en effet cumulé les succès. Après les deux albums psychédéliques *Afternath* (1967), qui comptait notamment *Paint it black*, un autre classique du genre, et *Between the Buttons* (1967), ainsi que l'historique et *blues* simple *Jumpin Jack Flash* (1968), le groupe a sorti en 1971, sous sa propre étiquette *Sticky Fingers,* un opus très controversé. Entre-temps, les frasques du groupe ne se sont pas arrêtées, puisque à la sortie de leur album *Beggars Banquet*, en 1968, les Stones avaient clos leur lancement en lançant des tartes à la crème à la tête des directeurs de la maison

Fabrication d'une star

Decca. Puis, avec *Sticky Fingers,* et enfin déliés de leur contrat avec leur ancienne maison de disques, les Stones n'y sont pas allés de main morte! En effet, des textes cinglants et sexués, à la pochette-braguette cachant une langue tirée plus que suggestive signée par le non moins décrié roi du pop-art Andy Warhol, rien ne manquait au cocktail explosif qui allait attirer au groupe autant de critiques que de marques d'adulation.

Il faut également dire que le train de vie des Stones n'était pas de tout repos. Mick Jagger menait une vie de débauche avec Marianne Faithfull, tandis que Keith Richards et Brian Jones s'adonnaient plus que de raison aux drogues dures. Ce dernier allait d'ailleurs être contraint, faute d'efficacité, à quitter le groupe en juin 1969. Retiré dans sa maison du Sussex en Angleterre, il sera retrouvé mort un mois plus tard dans sa piscine. Ce scandale s'est greffé à ceux qui éclaboussaient ponctuellement les tournées du groupe, comme l'assassinat en 1969 d'un fan lors d'un concert du groupe en Californie, alors que même la sécurité de l'événement était assurée par le groupe criminalisé des Hell's Angels. L'image rebelle, mais pas encore qualifiée de violente, du groupe a pâti de cette suite d'incidents, si bien qu'au cours des années suivantes, les Stones allaient travailler à mettre davantage en avant leur production que leurs excès — une production d'ailleurs fort significative avec des albums très vendus comme *Exile on Main Street* (1972), *Goats Head Soup* (1973), *Some Girls* (1978), *Emotional Rescue* (1980), *Tatoo You* (1981), ou encore *Voodoo Lounge* (1994) —, ainsi que de multiples innovations. Ils allaient notamment de nouveau être les précurseurs de nombreux procédés qui ont depuis été repris par toutes les autres stars. Comme les mégaconcerts, un concept qu'ils ont lancé pour la première fois en 1967 à Hyde Park devant plus de 250 000 personnes, puis lors d'une tournée à grand déploiement en 1972. Ils ont également été les premiers à avoir diffusé, en 1994, un spectacle en direct sur Internet.

Ces pionniers ont ainsi réussi, envers et contre tous, à imposer un style et une image dont beaucoup se réclament encore aujourd'hui. Même si leurs divorces, leurs problèmes de drogue, leur luxure, et jusqu'aux troubles comportementaux de leurs enfants ont été longuement traités dans tous les magazines et émissions à scandales, les Stones représentent bien plus qu'une série de succès. Ils symbolisent en effet ce que les générations des 40 dernières années ont compris comme l'affirmation de leur différence. Image soigneusement travaillée, certes, mais qui a largement transcendé la simple apparence et permis à de nombreux jeunes de s'y identifier. C'est sans doute pour cela, encore plus que pour leurs succès, que les Rolling Stones ont été intronisés au Temple de la renommée du rock'n'roll en 1989, en plus de se voir couronner, en 1994, du prix MTV Lifetime Achievement et du prix Billboard pour l'excellence artistique.

Une équipe efficace

Une fois que l'on a compris et accepté tous les sacrifices personnels nécessaires à la réussite d'une carrière artistique, il faut savoir s'entourer d'une bonne équipe. On a trop tendance à oublier que l'artiste n'est pas le seul responsable de son succès ou de ses échecs et que, dans les faits, toute une équipe d'hommes et de femmes travaille dans l'ombre des stars pour faire d'elles ce qu'elles sont. Quant au capitaine de cette équipe essentielle à la réussite d'une belle carrière, ce n'est pas uniquement l'artiste lui-même, mais aussi et surtout son gérant. Ces deux acteurs, artiste et gérant, constituent en fait le noyau, le cœur de toute carrière artistique réussie.

Cette lacune informative est souvent voulue, il est vrai, par les maisons de disques elles-mêmes qui préfèrent mettre davantage l'accent sur l'interprète plutôt que sur son équipe. Cela n'aide pas beaucoup les jeunes qui désirent se lancer dans une carrière musicale. En effet, ceux qui sont parachutés du jour au lendemain aux sommets de la popularité grâce à certains concours ne jugent pas fondamental de connaître les fondements ni les rouages du métier d'artiste, ce qui leur fait défaut par la suite. Ils devraient pourtant s'efforcer d'en apprendre davantage, car, avant de foncer tête baissée dans ce milieu, il vaut mieux connaître les règles qui le régissent pour éviter les fausses manœuvres.

Le monde de la musique se présente en fait exactement comme un échiquier ; toutes les pièces ont un rôle et une façon précise de bouger. Si vous voulez commencer une nouvelle partie sans vous retrouver face à un rapide échec et mat, apprenez tout d'abord le déplacement de toutes les pièces maîtresses !

Revenons à l'exemple des apprentis étoiles qui disposent parfois d'un véritable talent naturel pouvant les mener à la réussite. C'est à ce moment très précis de leur carrière naissante qu'ils sont amenés à rencontrer par hasard des personnes susceptibles de devenir leur gérant. Ils sont cependant incapables de discerner les réelles capacités professionnelles de tous ces candidats. Je

Fabrication d'une star

dirais même que bien souvent et sans le vouloir, les artistes débutants ont la malchance de tomber sur un gérant qui n'a pas plus d'expérience qu'eux dans le domaine. Pire, certains de ces imposteurs n'ont même pas le moindre sens artistique ; quant à celui des affaires, n'en parlons pas ! J'ai moi-même rencontré des avocats, des comptables et des hommes d'affaires de toutes sortes qui se lançaient aveuglément et sans complexe dans ce genre d'aventures. Voilà qui est irresponsable et choquant. Ces personnes pensaient devenir du jour au lendemain un nouveau René Angélil ou un autre colonel Parker, mais comme elles n'en avaient ni la trempe ni l'expérience et encore moins le brio, elles faisaient subir à leurs protégés des échecs cuisants. Or, la préparation des débuts d'une carrière est de loin l'une des étapes les plus importantes dans la vie d'un artiste. Et si ce passage est mal négocié, le temps pourra être excessivement long avant d'entrevoir le moindre succès professionnel.

Pour poursuivre dans le même ordre d'idées, reprenons le parcours de nos apprentis artistes et gérants. Une fois une équipe bancale et incompétente constituée autour de son protégé, le supposé gérant doit trouver une maison de disques ou, du moins, un studio d'enregistrement pour produire une maquette. Et là encore, se lancer en studio trop hâtivement peut avoir des conséquences désastreuses, ne serait-ce que sur la réalisation d'une maquette, si l'on ne fait pas affaire avec des professionnels. Cet exercice demande en effet une expérience particulière tout aussi importante que celle que l'on se taille sur scène. En studio d'enregistrement, la moindre fausse note est notamment inacceptable, ce qui n'est pas le cas lorsqu'on joue pendant un spectacle. Un producteur avisé repère donc immédiatement le moindre impair dans ce domaine, si bien que de magnifiques artistes de scène passent toutes leurs sessions d'enregistrement à se faire constamment reprendre... et ce même si ces derniers sont intimement convaincus qu'ils chantent juste en toutes circonstances. En vérité, une simple écoute attentive de la pièce enregistrée leur prouvera aisément le contraire ! Pour avoir été moi-même confronté à cette situation à de nombreuses reprises, je faisais régulièrement, après l'enregistrement, écouter les bandes à l'artiste, pour qu'il puisse constater par lui-même qu'il chantait faux.

La recherche du mentor

La première personne à laquelle vous devriez faire appel avant de véritablement vous lancer dans le spectacle à titre de chanteur ou de musicien est le gérant. Il est vrai que trouver un gérant à la hauteur, c'est-à-dire une personne capable de vous représenter, de vous aider dans vos choix professionnels et de vous aiguiller quand il le faut, constitue un défi souvent aussi difficile à relever que celui de grimper « en haut en l'affiche ».

Les bons gérants sont effectivement de plus en plus rares. Je dirais même qu'il s'agit du professionnel du spectacle le plus difficile à trouver de nos jours. S'ajoute à cela le fait que la plupart des gérants aguerris n'ont plus ni le temps ni l'envie de se lancer dans la difficile aventure que constitue la mise en marché d'un nouvel artiste. Lorsque, à l'inverse, les gérants bénéficient de moyens, mais n'ont pas toutes les compétences requises pour cette fonction, ils peuvent, en acceptant de nouveaux artistes, malheureusement briser une carrière aussi vite qu'ils l'auront lancée.

Par chance, depuis quelques années, certains organismes de formation professionnelle proposent des cursus complets en gérance d'artistes. Il y a de plus en plus d'écoles dans le domaine et les candidats à ce genre d'études ne manquent pas. Le domaine artistique attire en effet de plus en plus de jeunes, voire de moins jeunes. Si vous désirez vous-même devenir gérant et avez la chance d'être accepté dans l'une de ces écoles, il vous faudra faire preuve d'une bonne dose de talents naturels pour vous imposer dans le milieu. Rappelons-nous, par exemple, que René Angélil a accumulé 23 années d'expérience et cinq gérances artistiques infructueuses avant de prendre Céline Dion sous son aile.

Cela dit, ces écoles ou centres de formation ont le mérite de contribuer à la professionnalisation d'un milieu qui, jadis, laissait énormément de place aux autodidactes et, par voie de consé-

quence, à l'amateurisme. Les jeunes y apprennent l'efficacité et les règles du monde du spectacle et des artistes. Des techniques particulières de vente à la négociation de contrats, en passant par le développement d'un réseau d'affaires, toutes ces matières sont autant de facettes que l'étudiant devra manipuler avec aisance s'il veut devenir un bon gérant. Enfin, réalité du marché oblige, ne comptez pas sur des revenus mirobolants au moment de vous lancer dans une carrière de gérant, car vous risquez d'être rapidement déçu !

Pour ma part, j'ai appris mon métier de gérant sur le tas, car dans les années 1960 aucune école n'enseignait la gérance artistique. J'ai bénéficié, et je ne m'en cache pas, d'une certaine dose de chance, ou plutôt d'un concours de circonstances favorables. À cette époque, au Québec, le marché du disque n'était en effet pas encore devenu l'industrie que nous connaissons aujourd'hui. Nous étions encore loin des ravages du téléchargement des pièces musicales sur Internet et le marché du disque québécois était florissant. Notre belle province était même l'un des lieux où l'on vendait le plus de disques au prorata du nombre d'habitants. Par ailleurs, je pense avoir assez tôt bénéficié d'un flair et d'un talent naturel qui m'ont probablement aidé à assurer la mise en marché des artistes que je représentais. Mais il m'est aussi quand même arrivé de perdre de l'argent, ce qui fait partie intégrante de l'apprentissage de ce métier.

Aujourd'hui, les chances de réussite d'un artiste ne sont pas nombreuses, mais cela ne doit pas changer le fait que vous devez être intimement convaincu de la pertinence d'avoir un gérant avant de vous lancer à sa recherche. Vous ne serez en fait un artiste accompli que si vous retenez les services d'un bon gérant et lui accordez toute la confiance voulue. Trouver la perle rare n'est pas chose facile, mais essayez de détecter certains de ces professionnels en vous renseignant auprès d'autres artistes ou de personnages clés du milieu, comme les responsables de salles de spectacles ou de centres culturels ; ces personnes pourront peut-être vous donner les coordonnées de certains de leurs contacts.

Il est bien sûr probable que si vous approchez un très bon gérant ayant pignon sur rue, celui-ci ne daignera peut-être pas s'occuper de vous ou vous noiera dans la masse des artistes qu'il représente déjà, le marché est ainsi fait. Par contre, si vous faites appel à un jeune gérant souhaitant faire ses preuves, tâchez de voir en lui ses forces et ses faiblesses, en particulier ses compétences en administration et en mise en marché. Testez aussi son caractère et son sang-froid. Le dynamisme, la créativité, la patience et la volonté sont des qualités respectées dans le milieu. En guise de dernière recommandation, vous pourriez également trouver un ancien artiste qui serait prêt à vous épauler sur cette longue route du spectacle, car certains artistes deviennent aussi de très bons gérants, et leur expérience du milieu pourrait vous éviter bien des écueils.

Les agences d'artistes

À défaut de trouver rapidement un gérant personnel qui vous prendra sous son aile, vous pouvez opter pour une autre solution, un peu moins efficace selon moi, et surtout moins humaine en ce qui a trait aux rapports interpersonnels. Cette solution se nomme l'agence d'artistes. Qu'est-ce qu'une agence d'artistes? Le plus souvent, il s'agit d'une société ou d'une association qui réunit des passionnés d'un domaine artistique particulier, que ce soit la musique, la danse, le cinéma ou le théâtre. Ces derniers se consacrent à ce que l'on appelle dans le jargon le *booking* d'artistes, autrement dit la vente de spectacles et de représentations artistiques à des structures pertinentes telles que des salles de spectacles, des festivals, des entreprises et, dans certains cas, des particuliers. Céline Dion a ainsi été engagée pour chanter pour le sultan du Brunei. Certaines familles aisées n'hésitent pas non plus à demander à des artistes d'assurer un spectacle pour la fête d'anniversaire de leurs enfants.

Mais nous reviendrons plus en détail sur les champs de compétence et le fonctionnement de ces agences. À cette étape, vous devez savoir que, pour un jeune débutant tel que vous, se

rapprocher d'une telle agence pourrait représenter un bon départ et vous permettrait de mettre le pied à l'étrier en vous donnant une bonne visibilité. L'expérience que vous aurez accumulée dans les bars, les auditions ou toute autre manifestation publique vous sera des plus utiles, car vous ne serez certainement pas les seuls à vous présenter dans ce genre d'endroits. Dans un autre cas de figure, certaines de ces agences vous auront, qui sait, peut-être déjà remarqué lors d'une de vos prestations et viendront vous trouver afin de vous proposer de faire un bout de chemin en leur compagnie. Ce genre de proposition ne se refuse pas, à moins d'une divergence notable de points de vue et d'objectifs. Ce que l'agence d'artistes vous offrira sans doute, c'est une visibilité étendue et une représentation auprès d'autres professionnels du milieu artistique, des interprètes aux directeurs de sociétés. L'essentiel de cette manœuvre étant pour vous de faire progressivement connaître votre nom, vos qualités, et de vous constituer une expérience sur le terrain ainsi qu'un carnet d'adresses bien rempli. Les agences disposent de moyens humains et matériels qui vous ouvriront certainement des portes dans le monde du spectacle. Par ailleurs, ces structures participent fréquemment à des rencontres et à des salons artistiques — des *showcases*, dans le jargon — afin de développer leur réseau de diffusion, réseau dont elles pourront vous faire profiter.

Le principe de la négociation de contrats avec les agences est similaire à celui que vous pourriez suivre avec un gérant. Chaque spectacle signé dans une salle correspond à une commission ponctionnée par l'agence sur votre cachet.

En lisant la première partie de ce livre, vous aurez compris que si le talent naturel apparaît bien souvent comme l'un des nombreux facteurs qui engendrent la réussite d'un artiste, le travail et un ensemble de moyens très précis, voire mathématiques, assurent pour leur part cette ascension vers les sommets.

À présent que vous avez saisi avec plus de justesse les enjeux qui accompagnent tout début de carrière, voyons comment les acteurs du milieu vont influer sur votre destinée.

Brian Epstein, le cinquième Beatles

Malgré la brièveté de leur carrière en tant que groupe, les Beatles ont représenté l'un des plus grands symboles musicaux du XXᵉ siècle. Ils ont effectivement bouleversé des styles auparavant cloisonnés comme le jazz, le blues, le folk et le rock, pour les mêler au sein d'un nouveau mouvement dont beaucoup s'inspirent encore, la pop music. Mais si nous connaissons souvent par cœur une bonne partie de leur répertoire et sommes conscients du rôle stratégique qu'ils ont joué dans l'évolution des mentalités des années 1960, nous ne devons pas pour autant oublier celui grâce auquel ils ont pu avoir les moyens de leurs ambitions, à savoir leur gérant, Brian Epstein. Ce visionnaire a en effet réussi à cerner leur potentiel bien avant que des maisons de disques ne se soient véritablement intéressées à ces charmants jeunes hommes… L'adjectif « charmants » est d'ailleurs un peu présomptueux, puisque l'image soignée de fils de bonne famille qu'ils ont véhiculée jusqu'au début des années 1970 a été montée de toutes pièces par Epstein. Il nous faut donc, pour saisir avec le plus de justesse possible ce qui a propulsé les Beatles vers le statut de mythe vivant, nous éloigner des messages et clichés médiatiques dont on nous a largement abreuvés jusqu'à présent pour nous intéresser aux sources mêmes de leur succès.

Un succès qui n'aurait jamais, dans les faits, été possible sans le génie d'Epstein et sans quelques formules gagnantes comme la cohésion du groupe — ou du moins la structure très soudée Lennon-McCartney-Harrisson —, les rythmes et mélodies accrocheurs de leurs compositions, ainsi que l'évolution rapide des Beatles vers un répertoire dont les textes comme la musique repoussaient sans cesse les frontières de l'innovation. Cette dernière a d'ailleurs été essentielle à leurs débuts, puisque c'est principalement grâce à elle qu'ils ont réussi à attirer l'attention d'Epstein, alors simple gérant d'un petit magasin de musique.

Nous nous trouvions alors à Liverpool, une ville anglaise qui n'avait jusqu'alors jamais engendré de grandes stars du rock, mais qui comptait dans ses rangs, dans les années 1950, un certain nombre de jeunes attirés par la musique et qui formaient de petits groupes se produisant dans les différents *pubs* de la commune. Parmi ces passionnés se trouvait un certain John Lennon,

Fabrication d'une star

un jeune guitariste rebelle qui nourrissait déjà des rêves de scène entre les murs de son école secondaire. Il avait fondé un petit groupe sans prétention, les Quarrymen, qui s'était enrichi, en 1957, d'éléments phares comme Paul McCartney et George Harrison, également guitaristes et compositeurs. La chimie qui unissait ces trois amis a constitué les bases de leur réussite future, le célèbre Ringo Starr — de son véritable nom Richard Starkey — ne s'étant joint à la formation qu'en 1962.

Les Quarrymen ont évolué sur de petites scènes locales pendant trois ans avant de décider de parfaire leurs performances à Hambourg (Allemagne) en 1960. Sous le nom de Silver Beatles, ils ont affronté les exigences d'une des villes les plus animées du monde et ont appris leur métier sur le terrain, alternant les prestations de plusieurs heures et la recherche musicale. Armés d'un répertoire plus large et d'une meilleure connaissance des attentes du public, les Beatles sont retournés à Liverpool où ils sont rapidement devenus très populaires. Mais ce n'est véritablement qu'en 1961, lors d'un second séjour à Hambourg, qu'ils ont défini leur style et leurs rôles respectifs. McCartney jouerait de la basse, Harrison deviendrait le guitariste principal et Lennon prendrait le contrôle de la guitare rythmique. Une constante demeurerait pourtant, et ce pour notre plus grand plaisir : tous les membres de la formation chanteraient ensemble. C'est à ce moment précis que leur carrière

a basculé. Si nous pouvons considérer comme secondaire l'intervention d'une de leurs amies, Astrid Kitcherr, qui a été la première à leur conseiller de se créer un *look* pour réussir, nous devons impérativement nous arrêter à la rencontre des Beatles et de Brian Epstein, car celle-ci a joué un rôle crucial dans leur carrière.

Il faut dire qu'à cette époque, les Beatles étaient loin de ressembler à l'image que nous avons conservée d'eux. Vêtus de cuir, les cheveux longs, ils faisaient plus figure de rebelles que d'enfants sages, et leurs prestations étaient souvent accompagnées de démonstrations cinglantes de leur anticonformisme. Ils avaient par contre développé des qualités musicales que prisaient des artistes plus avertis comme Tony Sheridan, un rockeur britannique qui leur avait demandé de l'accompagner lors de l'enregistrement d'un de ses disques à Hambourg. Le plus étonnant d'ailleurs dans cette histoire, c'est que cet enregistrement a davantage servi la cause des musiciens que celle de celui qui en était la vedette, puisque c'est par ce biais qu'Epstein — que l'élégance et le raffinement personnels n'auraient jamais poussé vers les salles de spectacles enfumées de Liverpool —, les a remarqués. Fils de commerçants, il avait certes développé très jeune un intérêt pour les arts, mais il se contentait professionnellement de tenir l'une des succursales de l'entreprise familiale. Il avait cependant été intrigué par la fougue que cette formation inconnue avait apportée à l'enregistrement de la chanson *My Bonnie* de Tony Sheridan. « Tu te souviens de ce groupe, celui des Beatles, dont nous avons vendu pas mal de disques ? Il se trouve qu'ils jouent en ce moment au pub de la Cavern et je serais bien curieux de savoir à quoi ils ressemblent », avait-il un jour lancé à son assistante Alistair Taylor. Joignant le geste à la parole, tous deux s'étaient rendus au bar en question et avaient assisté au spectacle de la formation. « Et c'était tout un spectacle ! » de poursuivre Mme Taylor avec un sourire. J'avais mal aux oreilles jusqu'à en être embarrassée, en fait, avoue-t-elle aujourd'hui. Mais je me suis très vite rendu compte que je ne pouvais m'empêcher de taper du pied pendant leurs chansons… alors que je détestais la musique pop ! »

Effectivement, malgré les maladresses et le côté encore brouillon de leurs orchestrations, les Beatles séduisaient tous ceux qui venaient les écouter. « Ils sont aussi affreux qu'incroyables », avait d'ailleurs remarqué Epstein, qui ne perdit plus une minute et proposa ses services au groupe. Et ce qui ne devait être qu'un petit passe-temps de deux jours par semaine s'est rapidement transformé en travail incessant. Incessant, car Epstein a non seulement poussé toutes les portes des maisons de disques pour faire accepter ses protégés, mais aussi totalement modifié l'apparence du groupe. Les Beatles ont ainsi troqué leurs vestes de cuir et leurs cheveux filasses contre des costumes-cravates et une coupe au bol bien soignée. Il n'était plus question lors de leurs prestations de fumer ou de jurer en public. Ce changement radical d'image a été bien accepté par les membres du groupe, à l'exception du batteur Pete Best, qui a rapidement été remplacé par Ringo Starr. Mais un cap était franchi. L'identité des Beatles était à présent trouvée et il ne manquait plus que l'industrie du disque pour les épauler dans leur course au succès. Après quelques refus, le réalisateur Georges Martin, directeur de Parlophone, une filiale d'EMI Records, leur a accordé cette fabuleuse chance. Et bien lui en a pris, car dès la signature de ce contrat, Epstein a préparé ses protégés à affronter le public comme les médias. Des semaines de travail, au cours desquelles les musiciens ont appris à s'exprimer et à se conduire de manière posée et dynamique, ont participé pour beaucoup au premier succès qu'ils ont enregistré en septembre 1962, *Love Me Do*.

La suite de leur aventure appartient à l'Histoire. On ne compte plus les réussites ni les démonstrations d'amour que les Beatles ont engendrées jusqu'en 1970, année de leur séparation. Cette ferveur était cependant tout autant liée à leur génie musical qu'à l'image que le groupe dégageait. Leur succès se serait sans doute restreint aux seules frontières européennes s'ils n'avaient opté pour un *look* qui ne choquait pas l'Amérique puritaine du début des années 1960. Grâce à eux, celle-ci a d'ailleurs plus largement ouvert ses

Fabrication d'une star

portes aux nouveaux talents anglais, parmi lesquels les Rolling Stones, The Animals et The Kinks.

Le *look* Beatles a également inspiré quantité de jeunes qui se sont coiffés, vêtus et comportés exactement comme eux sur scène et dans la vie. En France comme au Québec, par exemple, de nombreux groupes de musique ont porté le costume-cravate et interprété les succès des Beatles en français. À ce sujet, l'image la plus symbolique du groupe demeure sans doute celle que nous avons tant admirée dans le film musical *A Hard Days Night*, en 1964. Les Beatles y ont en effet cimenté l'aura de *Fab Four* qui a largement contribué à leur mythe, celle de jeunes gens sains, joyeux, indépendants, amusants et débordant d'énergie.

Bien sûr, il n'y a pas de carrière sans quelques erreurs parsemées çà et là. Aussi la presse à scandales n'a-t-elle pas hésité à noircir de temps à autre, de 1965 à 1967, le portrait d'un groupe jugé trop parfait. Il est vrai que les Beatles ont parfois failli pendant cette période, notamment en s'adonnant aux drogues pour trouver de l'inspiration ou en décidant, en 1966, de privilégier l'enregistrement studio à la scène. Mais il faut également dire que leur grand gourou, Brian Epstein, était de moins en moins présent à leurs côtés, ne pouvant plus les conseiller aussi judicieusement qu'il l'avait fait à leurs débuts.

C'est d'ailleurs après son suicide, survenu en 1967 à la suite d'une surdose de drogue, que la cohésion apparemment sans faille du groupe s'est effritée. Les compositions, signées auparavant du tandem Lennon-McCartney, sont devenues plus personnelles, les deux artistes souhaitant davantage miser sur leur propre potentiel créatif. Le *White Album*, sorti en 1968, témoigne parfaitement de ce changement d'orientation artistique. De plus, Georges Harrison, qui avait jusqu'à présent joué un rôle de second plan, s'est subitement révélé comme un auteur et un compositeur de talent, ce qui a un peu miné l'atmosphère du groupe. Enfin, la dévotion romantique et artistique de Lennon pour sa nouvelle compagne, Yoko Ono, a constitué la petite étincelle qui a définitivement brisé la chimie d'une formation dans laquelle personne, en dehors d'Epstein, ne s'était jamais ingéré.

Une dernière querelle au sujet d'un nouveau gérant en 1969, juste après la sortie de deux grands classiques, *Get Back* et *Don't Let Me Down*, a officialisé une séparation qui semblait déjà inévitable aux yeux des musiciens. Le nouveau beau-père de McCartney, Lee Eastman, n'aura donc jamais eu l'occasion de reprendre le flambeau d'Epstein, confié timidement un peu plus tôt à l'homme d'affaires américain Allen Klein. Et l'album *Let It Be*, le tout dernier opus de la formation, est même entré en compétition avec le premier album solo de Paul McCartney. Ce dernier a d'ailleurs récemment réenregistré seul cet album parce qu'il n'était pas du tout d'accord, à l'époque, avec les arrangements qu'en avait faits le réalisateur Phil Spector.

La suite, nous la connaissons tous et nous la jugeons chacun à notre manière. Il est tout de même commun de dire que, pris individuellement, Lennon et McCartney mis à part peut-être, les quatre Beatles n'ont jamais eu le génie qu'on leur connaissait au sein du groupe.

De plus, liberté oblige, chacun avait laissé s'exprimer ce qu'il avait de plus sombre dans sa personnalité. Lennon s'était installé dans son rôle d'agitateur, Harrison dans le mysticisme, McCartney dans une musique pop un peu trop propre, et Star dans le rock radiophonique. « Finalement, a confié récemment Queenie Epstein, la mère de Brian, à des journalistes qui souhaitaient avoir son avis à ce sujet, je crois que c'est avant tout Brian qui a fait en sorte que l'on se souvienne des Beatles. Grâce à lui,

ils ont en effet eu la plus belle carrière qu'un groupe pouvait imaginer et n'ont jamais eu de revers pendant plus de cinq ans parce qu'il était à leurs côtés. Mais dès qu'il a disparu, les conflits de tout ordre, les querelles monétaires et les jalousies personnelles ont sapé la chimie qu'il avait réussi à former. La meilleure preuve en est que moins de trois ans plus tard, ils se sont séparés. Ils avaient en fait perdu le seul homme capable de résoudre leurs problèmes et de rallier leurs différences. » Mme Epstein, toute mère soit-elle, est sans doute dans le vrai. Brian Epstein représentait pour les Beatles bien plus qu'un simple gérant. Il leur a donné la vie et leur a assuré une carrière qu'aucun groupe n'a depuis jamais réussi à égaler. Voilà pourquoi il est juste de l'asseoir, non derrière, mais aux côtés des membres de ce groupe légendaire. Et de le considérer comme un modèle à suivre.

Cahier souvenir de Jean Beaulne I

Ma rencontre avec le regretté gérant des Beatles, Brian Epstein, à Toronto. (Photo Jean Beaulne)

  Fabrication d'une star

René Angélil, Pierre Labelle, Céline Dion, Jean Beaulne
(amis réunis pour l'anniversaire de Jean Beaulne le 19 juin).
(Photo Pierre-Yvon Pelletier)

Daniel Lavoie en entrevue lors
du tournage de *Félix Leclerc*.
(Photo Pierre-Yvon Pelletier)

Pierre Delanoë lors du tournage de *Et maintenant… Pierre Delanoë*.
(Photo Julien Druinaud)

Jean-Jacques Aillagon remet la médaille de commandeur
des Arts et des Lettres à Pierre Delanoë le 31 mars 2004.
(Photo Julien Druinaud)

  Fabrication d'une star

Yves Duteil et Pierre Delanoë chantant aux colonnes de Buren à Paris.
(Photo Julien Druinaud)

Pierre Delanoë et Jean Beaulne dans les jardins
du studio d'enregistrement à Paris.
(Photo Julien Druinaud)

Pierre Delanoë, fier de sa décoration
de commandeur des Arts et des Lettres.
(Photo Julien Druinaud)

Pierre Delanoë et Alice Dona lors de l'entrevue
pour la série *Paris-Montréal*.
(Photo Julien Druinaud)

LES RÈGLES D'OR

J'ai côtoyé beaucoup d'artistes durant ma carrière et, grâce à cela, j'ai réussi à cerner de manière assez sûre quelques caractéristiques de leurs personnalités. Par manque d'information ou de jugement dans certains cas, ou tout bonnement par égoïsme dans d'autres, les artistes croient souvent qu'ils se montrent magnanimes en travaillant avec tous les professionnels qui les entourent, estimant que le succès ne dépend que de leur personne... Alors que ce dernier est avant tout le fruit de facteurs déterminants et extérieurs à eux-mêmes ! De plus, ils ont tendance à ne pas respecter ceux qui travaillent dans leur ombre. L'ego démesuré ou l'anxiété chronique de certains peut même leur jouer de très mauvais tours et les amener à perdre le soutien de précieux collaborateurs, quand il ne s'agit pas tout simplement du public, qui n'apprécie pas vraiment les fortes têtes et les adeptes du nombrilisme.

Si vous savez à présent que le talent de l'artiste n'est pas dû au hasard et que son travail personnel contribue pour beaucoup

à sa réussite artistique, il vous faut à présent retenir la deuxième équation essentielle du succès : tisser des relations solides avec ceux qui gravitent dans votre sphère professionnelle au quotidien. En effet, même si une multitude d'artistes disposent de talent, de personnalité, de charme et de gentillesse, ils ne réussiront qu'en s'entourant et surtout en gagnant la confiance de personnes clés qui œuvreront à leur réussite. Celles-ci sont nombreuses et occupent des fonctions précises que toute personne désireuse de faire carrière dans le secteur artistique se doit de connaître avant de se lancer dans ce métier. Si vous en prenez conscience dès aujourd'hui, vous mettrez toutes les chances de votre côté et, plus que tout, le milieu vous respectera comme un artiste pleinement conscient de ses limites.

Mais, quelles sont exactement ces personnes ? De qui doit-on s'entourer, qui doit-on connaître pour réussir dans le domaine musical ? Eh bien, pour débuter avec un exemple, quand vous assistez à un spectacle, vous ne retenez généralement que la partie la plus noble de l'art, c'est-à-dire l'aura de l'artiste, son talent, son succès et la magie de son interprétation. Dans certains cas, vous reconnaîtrez tout de même la qualité des musiciens qui l'entourent, mais ce que vous ne savez peut-être pas, c'est que la mise sur pied de ce spectacle a demandé des heures de mise en scène et de négociation de contrat entre les responsables de la salle et les investisseurs, les partenaires financiers et les publicitaires. Même la réputation d'un artiste, que vous considérez peut-être comme un phénomène incontrôlable, peut reposer sur le talent de personnes clés, à savoir les relationnistes de presse, les chargés de communication ou les promoteurs. Car, si la personnalité de l'artiste est une notion qui relève de l'ordre du domaine privé, sa réputation, quant à elle, appartient bel et bien au domaine public.

Le but de l'ensemble de ces professionnels que je viens de citer consiste essentiellement en la sauvegarde de la réputation et de l'image des artistes dont ils s'occupent. Ainsi, lorsqu'un scandale pouvant nuire à la réputation d'une star éclate dans les médias — nous pouvons, par exemple, penser aux affaires de mœurs qui ont défrayé la chronique comme les problèmes de drogue de Keith Richards —, les chargés de presse de cet artiste devront tout mettre en œuvre pour contrer les informations véhiculées sur le compte de leur client. En les faisant, s'il le faut, passer pour des manœuvres diffamatoires et autres demi-vérités. En fait, ces professionnels gèrent aussi bien la promotion que l'urgence, ce qui les rend essentiels à tout artiste dans sa vie publique.

Attention, je ne résume pas ici le monde artistique aux relationnistes de presse ! Ils sont, comme tant d'autres, les maillons d'un milieu artistique sectorisé à l'extrême. Toute l'industrie du disque et de la production de spectacles repose en vérité sur une mécanique interne parfaitement huilée, un monde régi par des règles et des habitudes qu'il faut absolument connaître. À commencer par l'acteur le plus crucial dans la conduite d'une carrière artistique : le gérant d'artistes.

Les gérants

Crédibilité et rôles du gérant

Lorsqu'on me demande quelle est, à mes yeux, la première qualité d'un gérant, je réponds immédiatement que celui-ci doit avoir une âme d'artiste. Je dirais même plus, avant d'être gérant, il faudrait idéalement être artiste. On ne s'étonnera donc pas que de grands gérants tels que René Angélil aient d'abord été des artistes avant de mener la carrière que nous leur connaissons aujourd'hui. Ces monstres, comme nous nous plaisons à les surnommer, ont en fait tout appris de la scène et de ses coulisses avant de se retrouver derrière les projecteurs. À cette seule et véritable école, ils ont appris à connaître le public, le stress, l'anxiété et l'insécurité constante, ce qui leur aura été salutaire.

Lors d'une rare entrevue télévisée, le parolier Pierre Delanoë déclarait d'ailleurs que tous les chanteurs étaient anxieux, et chez

certains d'entre eux — Joe Dassin en est le meilleur exemple — cette anxiété pouvait tourner à la névrose. Seul un gérant ayant lui-même ressenti ces émotions pourra donc non seulement avoir le flair nécessaire pour dénicher de véritables talents, mais aussi les protéger du chaos personnel qu'engendre toujours le succès chez des artistes dont la sensibilité est souvent à fleur de peau.

Le flair est véritablement une qualité maîtresse chez un gérant. Si je reviens d'ailleurs sur ma propre carrière, mon intuition m'avait guidé vers les Bel Canto, car ils avaient une qualité rare pour l'époque, celle d'être à la fois auteurs et compositeurs, comme les Beatles. Or, aucun groupe québécois ne fonctionnait alors de cette manière, la plupart d'entre eux reprenaient tout simplement des chansons écrites par d'autres. Je dois avouer que même mon groupe, les Baronets, avait connu du succès essentiellement grâce aux reprises de pièces très connues. Faute d'auteurs-compositeurs québécois, nous devions traduire des versions américaines. Nous avions cependant misé sur l'originalité d'un spectacle qui mêlait humour et chansons, ce qui nous distinguait des autres formations de l'heure.

Les Bel Canto avaient donc un petit quelque chose en plus. C'était du moins ce que mon intuition m'avait soufflé. Or, ce premier choix stratégique de gérant — mais aussi de réalisateur-producteur — s'est révélé une très bonne décision. Ce groupe a en effet obtenu à 10 reprises la place de numéro 1 au classement des ventes de disques au Québec, en plus de se gagner une très belle notoriété auprès du public et des professionnels du milieu. Il va sans dire que tout cela ne s'est pas fait par hasard, mais a été construit au prix de nombreux efforts.

Avec le recul, j'ai fini par comprendre que la gestion quotidienne d'un groupe de cinq individus relève du défi constant, voire de la complexité extrême. Effectivement, même si un groupe d'individus décide de faire corps autour d'une même passion, comme c'était le cas avec les Bel Canto, l'homogénéité et la constance sereine de l'ensemble ne sont pas toujours assurées.

Bien au contraire. Au sein d'une formation artistique, on trouve toujours un ou deux éléments qui dégagent moins d'énergie ou ont moins d'aura que les autres, quand il ne s'agit pas, tout bonnement, d'éléments négatifs et perturbateurs pour le reste du groupe. Dans de telles situations, il faut évidemment un arbitre pour mettre fin aux différends. C'était donc à moi que revenait souvent la tâche ingrate de jouer au négociateur afin de régler les querelles ou les indécisions passagères qui pouvaient scléroser la créativité de l'ensemble. De la même manière, plus le groupe ou l'orchestre compte de membres dans ses rangs, plus le gérant se doit d'être habile et pédagogue pour canaliser les rivalités inhérentes.

Les qualités requises pour la gestion d'un groupe ne se restreignent pas à la seule gestion des rapports interpersonnels, elles se révèlent également dans la gestion concrète du quotidien. Les besoins matériels ou financiers peuvent, par exemple, saper l'harmonie d'une formation. Un groupe de cinq personnes coûte en effet cher et génère très vite des réticences de la part des chaînes de télévision ou des salles de spectacles qui n'apprécient pas de devoir payer des cachets trop élevés. J'ai été confronté à cette situation à maintes reprises et sais qu'il faut alors user de diplomatie et savoir négocier habilement pour se tirer de ce genre de guêpier. Il va aussi de soi qu'en tournée, un groupe de cinq personnes coûtera bien plus cher qu'un chanteur solo. À chaque étape, ce ne sera pas une mais cinq chambres d'hôtel qu'il faudra réserver, 15 repas quotidiens à assurer, sans compter les frais de transport et les cachets artistiques à multiplier par cinq eux aussi.

Il est donc souvent plus commode de ne s'occuper que d'un seul artiste pour débuter. Autrement dit, autant faire bien avec peu que du médiocre avec beaucoup ! Il existe évidemment d'autres philosophies en la matière dans le métier, mais vous constaterez régulièrement que les plus grands gérants ne s'occupent souvent que d'un seul artiste à la fois. C'est le cas de René Angélil avec Céline Dion, et cela le fut pour le colonel Parker avec Elvis Presley, ou encore pour Johnny Stark avec Mireille Mathieu. Il ne faut cependant pas croire que la tâche de l'imprésario est automatiquement plus simple avec un seul artiste. Cette option constitue en fait un investissement profond, et a un revers de taille, car elle impose au gérant un énorme risque personnel et financier. Un risque d'autant plus difficile à assumer que l'artiste qu'il a choisi de représenter peut à tout moment faillir physiquement comme moralement. Avec une seule source de revenus qui repose sur la détermination et la confiance dans le talent de son poulain, la situation du gérant n'est guère enviable. Il peut très bien foncer vers la banqueroute et être contraint de repartir à zéro s'il rencontre une difficulté de taille avec l'artiste pour lequel il investit son temps et son argent. Rappelons-nous, par exemple, que pour faire de Céline Dion une star internationale, René Angélil a d'abord dû repartir à zéro du jour au lendemain, lorsque Ginette Reno n'a plus voulu faire affaire avec lui, puis hypothéquer tous ses biens pour investir sur sa nouvelle protégée.

L'une des qualités essentielles et primordiales d'un gérant est par conséquent — de façon étonnante peut-être — d'avoir une mentalité de joueur, car il sera souvent amené à miser gros et sous l'effet de l'adrénaline pour arriver à ses fins et défendre les intérêts de son (ou de ses) artiste.

Par la force des choses, cette carrière mène en effet parfois à investir toutes ses économies, son temps et ses efforts sur un artiste en qui l'on croit et, plus que tout, que l'on souhaite voir réussir. C'est ainsi que René Angélil a soutenu Céline Dion sans relâche. Et leur succès n'est pas venu tout seul, il a été arraché à la force du poignet, après avoir traversé des périodes de doute et de désespoir quand la chance ne souriait plus au joueur.

Un gérant doit par conséquent toujours s'attendre, au début de sa carrière, à des années de vache maigre. Leurs poulains ne disposant généralement d'aucun capital financier, le financement de leurs spectacles est très difficile. Ces derniers sont d'ailleurs souvent obligés de travailler à temps partiel, tandis que leur gérant investit temps et argent dans leur avenir. Dans bien des cas, cette mise à l'étrier d'une jeune carrière peut s'étaler sur plusieurs années, alors que l'imprésario ne dispose d'aucune garantie de succès. Il est donc très risqué de se lancer dans la gérance de nouveaux artistes, car en plus des pertes financières potentielles, la crédibilité et la réputation du gérant dans le milieu du spectacle sont toujours en équilibre instable. Voilà pourquoi il est préférable d'avoir une âme de joueur dans ce domaine avant de s'y lancer. Et c'est pour cette raison que certains bureaux de gérants choisissent de suivre la carrière de plusieurs artistes en même temps, afin de multiplier leurs chances de réussite.

En dehors de ces considérations financières, la tâche d'un gérant est absolument monumentale. De la planification de carrière, en passant par l'image et la façon de s'exprimer en public de son artiste, tout doit passer entre ses mains et par ses conseils avisés. Il doit donc être extrêmement déterminé et disposer de fortes qualités de persuasion pour convaincre, d'une part les artistes qu'il représente, mais aussi les professionnels du milieu. Il s'agit d'une tâche particulièrement ingrate, et pour laquelle il devra faire preuve de beaucoup de ténacité s'il veut réussir, la patience demeurant la meilleure arme pour parvenir à ses fins.

Le gérant devra également se révéler un excellent guide artistique. J'entends par là qu'il devra effectuer le choix de bonnes chansons pour monter un répertoire, décider avec justesse de l'orientation à prendre pour la sortie d'un nouveau disque, ou encore participer à la scénographie des spectacles. Tout cela nécessite, en plus d'une sensibilité artistique aiguisée, la connaissance de nombreux spécialistes de la filière artistique…

Mais il faut aussi être capable de contracter de bonnes ententes. Négocier un bon contrat où le moindre mot peut faire toute la différence est en effet essentiel lorsqu'on veut entreprendre une carrière en gestion artistique. Essentiel, car les risques sont grands, déterminants pour la carrière des artistes, notamment lorsque ces derniers débutent. Dans ce contexte, confier sa carrière à de grosses agences peut se révéler dangereux, car elles ont souvent beaucoup trop d'artistes à gérer en même temps et ne peuvent pas toujours les encadrer avec le soin et l'attention qu'ils méritent. Certaines poussent le vice jusqu'à signer avec plusieurs artistes qui ont le même style musical afin de protéger un chanteur concurrent avec lesquelles elles auraient signé auparavant. Le but de la manœuvre étant, bien sûr, de faire en sorte que les nouveaux venus sur le marché ne nuisent pas aux anciens. Les produits des jeunes sont alors très rapidement placés dans les bacs des disquaires, mais cette empathie soudaine n'a rien de très exaltant, car souvent il ne s'agit ni plus ni moins que de faire taire ces jeunes artistes à plus long terme ! Il est donc dangereux pour un gérant qui n'aurait pas vu venir l'astuce de se laisser tromper par ce genre de pièges éhontés.

Mentionnons également, à ce chapitre, les compétences inhérentes à toute gérance, c'est-à-dire celles qui s'attachent aux domaines de l'édition, de la production et de la réalisation pour la télévision ou le cinéma. Ces secteurs, connexes à la carrière artistique, se fondent souvent les uns dans les autres et se renvoient une sorte d'écho qu'il faut s'approprier et maîtriser. Ainsi, plus l'imprésario diversifiera ses champs de compétences, plus son flair saura faire le tri entre les bons et les mauvais contrats, tournages, tournées et campagnes publicitaires. Un bon gérant saura également quelles chansons interpréter. Sur le plan de la sélection des chansons, d'ailleurs, même les vedettes internationales font souvent appel à deux ou trois personnes pour les seconder dans cette tâche. La décision finale reviendra cependant toujours au gérant, si toutefois ce dernier est réellement compétent dans le domaine.

Il est donc primordial de prendre conscience que si le fait d'obtenir de la notoriété représente en soi une gageure qui nécessite des efforts conjointement menés par l'artiste et son gérant, cette même notoriété, une fois acquise, ne facilite pas leur travail ni leurs rapports interpersonnels. Évidemment, réussir apporte son lot de joie, de fierté et d'argent, mais cette euphorie a un double tranchant... En effet, dès que le succès arrive, une véritable avalanche de propositions émanant souvent du monde entier assaille soudain l'artiste et son gérant. Il peut s'agir de propositions de participation à des longs métrages, à des campagnes publicitaires ou à des tournées sur les cinq continents. Chacune d'entre elles doit être scrupuleusement étudiée pour se garder des escrocs. C'est précisément dans ce genre de situations que les compétences multiformes de l'imprésario ont une importance capitale, car il n'y a souvent que lui qui soit capable de voir clair dans ces propositions qui semblent toutes plus alléchantes les unes que les autres. Le cas échéant, si certains documents sont trop complexes, le gérant pourra s'adjoindre les services d'un avocat spécialisé dans le domaine du spectacle. Ce sera souvent la personne la plus apte à le conseiller sur la valeur d'un contrat, et à le détourner de certaines mauvaises options. Le recours à ces spécialistes du droit devient automatique — et vivement conseillé — lorsque l'artiste commence à devenir très populaire.

Ce type de soutien juridique a acquis ses lettres de noblesse progressivement, puisque de tels services n'existaient pas véritablement lorsque j'ai débuté dans ce métier. À cette époque, il me fallait en fait passer du rôle de gérant à celui d'ingénieur du son ou de producteur d'un projet à l'autre. J'ai ainsi conduit les Bel Canto à se produire en première partie d'artistes internationaux comme Adamo, lors de tournées québécoises. J'ai également préparé le dossier qui leur a permis de participer à l'Exposition universelle de 1970, organisée au Japon.

Une autre qualité incontournable chez un gérant se trouve dans sa capacité à planifier la carrière de son artiste pour avoir toujours une longueur d'avance sur le marché. Il lui faut aussi savoir comment développer la visibilité de son protégé, de manière à renforcer sa crédibilité auprès du grand public. René Angélil, par exemple, est passé maître dans l'art de promouvoir la visibilité et le charisme de Céline Dion en lui faisant rencontrer le pape Jean-Paul II, participer à l'Eurovision ou à l'ouverture des Jeux olympiques d'Atlanta en 1996. L'une de ses plus belles réussites dans le domaine aura été la participation de Céline à la bande originale du film *Titanic*, un énorme succès au *box-office* mondial qui a scellé la notoriété de sa protégée sur le plan international. Cette seule expérience lui permet aujourd'hui encore de remplir régulièrement les plus grosses salles de spectacles.

Il est cependant certain, dans ce cas de figure comme dans bien d'autres, que si le gérant joue un rôle de taille à titre de communicateur privilégié, l'artiste qu'il représente doit aussi faire preuve de courage pour le suivre dans ses projets et ne pas craquer en chemin. Chanter en direct à la télévision devant plus d'un milliard de téléspectateurs demande effectivement d'être à la hauteur de la situation. Ce pari a été brillamment relevé par Céline, mais qu'en est-il pour d'autres artistes qui, dans des circonstances similaires, paniqueraient et ne pourraient pas donner le meilleur d'eux-mêmes ?

Un gérant doit également tenir compte de l'entourage artistique de l'artiste, un entourage sans lequel ce dernier n'oserait probablement pas se présenter sereinement dans de grandes salles de spectacles. Prenons l'exemple d'un grand de la chanson française, Gilbert Bécaud. Nous savons qu'il a été très entouré par Pierre Delanoë, Louis Amade et Maurice Vidalin, des paroliers qui lui fournissaient des textes de chansons sur mesure et des conseils artistiques toujours pertinents. Tout artiste, s'il en a la possibilité, doit donc s'évertuer à travailler avec les meilleurs, même si ces derniers sont difficiles à convaincre, puisque eux-mêmes souhaitent collaborer avec des personnalités talentueuses, et non se risquer avec de nouvelles figures du spectacle. Si l'on prend le cas du metteur en scène Franco Dragone, on sait qu'il se risquera très rarement à travailler avec des inconnus et préfèrera plutôt s'associer avec des artistes confirmés tels que Céline Dion ou le Cirque du Soleil.

Si cet entourage est formé, l'imprésario intervient alors pour conseiller son artiste sur les éléments qui ne relèvent pas directement de l'aspect artistique, comme l'image projetée et la manière dont il peut fidéliser son public à long terme. Même s'il n'en a pas envie, l'artiste doit en effet se plier si son gérant le croit utile au

rituel des signatures d'autographes ou à des spectacles de charité. Le principe en est simple et le résultat souvent probant, puisque ce sont après tout les *fans* qui nourrissent l'artiste et lui permettent d'être ce qu'il est. Ceux-ci doivent se sentir aimés de leur idole et ne pas subir les affres de son caractère. Il faut donc leur offrir ce qu'ils espèrent. Il est vrai, nous connaissons tous de nombreux artistes qui se sont révoltés du jour au lendemain contre leurs auteurs, compositeurs ou gérants, quand ils n'ont pas décidé de se mettre à composer eux-mêmes leurs chansons ou de gérer personnellement leur image. Malheureusement pour eux, ces expériences se sont soldées la plupart du temps par des échecs parce qu'ils n'avaient pas le talent requis pour séduire le public sans aide et, surtout, parce qu'on ne s'improvise pas auteur-compositeur du jour au lendemain. Ils n'avaient pas « la touche », comme on dit dans le jargon.

Je terminerai ce chapitre en confiant finalement à tous ceux qui souhaitent se lancer dans la gérance artistique, et en empruntant la formule de Pierre Delanoë : « Réfléchissez, décidez, puis réfléchissez encore » avant de vous lancer dans le métier en tant qu'artiste comme en tant que gérant, car ce travail est loin d'être évident. Le travail de gérance demande beaucoup de discipline et de courage. Alors, avant toute chose, appréhendez les différentes facettes que nous venons d'aborder et, si vous êtes encore déterminé à vous battre, choisissez un artiste. Vous devrez cependant sélectionner cet artiste non seulement pour son talent, mais aussi pour l'attitude qu'il développera à votre égard. Ne négligez jamais ce point particulier qui se révèle essentiel à la longue. Pour dresser un tableau réaliste de ce métier, en utilisant un pourcentage par ordre d'importance, et au risque d'en surprendre beaucoup, je dirais que le talent d'un artiste doit influer sur le choix de l'imprésario à 50 %, son attitude et son comportement occupant les 50 % restants ! S'ajoute à cette difficile relation entre deux caractères singuliers le fait qu'il faut énormément travailler et surtout être mené par la passion pour réussir. Il sera notamment hors de question de se mettre à compter son temps et ses heures de travail, oubliez dès le départ les 35 h des salariés ! Chaque jour, vous devrez vous occuper de négocier et de signer des contrats, de repérer des espaces publicitaires, de vous investir dans la promotion et la production de spectacles ; et le soir venu, vous devrez être présent auprès de votre artiste pour le soutenir avant et pendant ses représentations, ainsi que pour rencontrer les personnes intéressées par ses prestations. Vous devrez également vous montrer très disponible, car vous serez amené à voyager, parfois pendant de longues périodes, si vous avez la chance de travailler avec des artistes talentueux. Ceux-ci sont généralement sollicités de toutes parts et se retrouvent constamment en tournée, notamment au début de leur carrière, ou du moins dès que celle-ci commence à décoller. Bien sûr, si vous avez la chance d'atteindre la gloire et de gagner beaucoup d'argent avec votre protégé, vous aurez le droit de prendre quelques vacances amplement méritées. Mais cette période de *farniente* ne devra pas vous faire oublier que pour vous inscrire dans une réelle longévité, vous devrez redoubler d'efforts.

Le producteur de spectacles et le gérant : des entités qui se conjuguent sans se mêler

Le producteur de spectacles a pour fonction de s'occuper de la réservation des salles de spectacles, d'acheter et de choisir des espaces publicitaires, de mettre des annonces dans les journaux et de représenter l'artiste durant ses spectacles ou lors d'une tournée. Le grand public est très souvent porté à confondre le rôle du producteur avec celui du gérant par manque d'informations à leur sujet. L'imprésario est en fait beaucoup plus porté à se déplacer que le producteur, dont la fonction première est finalement d'attendre qu'on le contacte pour lui faire des propositions commerciales, ou bien d'en solliciter. Souvent, ces contacts sont constitués par des personnes qui organisent des événements spéciaux ou des festivals et, parfois, il peut s'agir d'entreprises qui organisent une convention et veulent offrir un spectacle à leurs employés. Ce sont fréquemment des événements qui sortent de l'ordinaire.

Pour mieux cerner l'importance et les différentes fonctions de ce personnage, il est nécessaire de comprendre quels types de dépenses ce dernier doit envisager avant de se lancer dans une tournée ou la représentation d'un artiste. Par obligation, autant que par commodité, le producteur dispose souvent d'un bureau dont il se sert en permanence avec une équipe pouvant compter de 3 à 10 employés, si la situation l'impose. Cette équipe doit toujours s'orienter vers les choix les plus judicieux inspirés par le dirigeant de l'entreprise, en l'occurrence le producteur. Ce dernier ne doit jamais se tromper, raison pour laquelle il s'arroge généralement 40 % des revenus d'une tournée ou des contrats négociés. C'est même la principale raison du montant de sa commission, car en premier lieu c'est le producteur qui assume les pertes financières de ses protégés, tout comme les conséquences d'une salle de spectacles non remplie, ou les éventuelles annulations dont il est parfois lui-même l'instigateur pour éviter les désastres financiers. Certains frais inhérents à ses activités, tels que la location ou la réservation de salles de spectacles, ainsi que les dépenses engagées à titre promotionnel, etc., peuvent le ruiner très rapidement si les retombées attendues ne se concrétisent pas. Vous aurez donc saisi que cette commission ne constitue pas un profit net pour le producteur.

La même règle peut s'appliquer au gérant, à quelques différences près, cependant, puisque le montant de sa commission est généralement moins important que celui du producteur, exception faite de rares cas, comme le colonel Parker (par abus de pouvoir), ou comme René et Céline (puisqu'ils sont mariés).

La raison pour laquelle un gérant prend 25 % de commission sur les revenus générés par son artiste est la suivante. Au début de leur collaboration, le gérant investit beaucoup dans son artiste. Ses efforts peuvent s'étaler de un à cinq ans avant d'être rentables. Pendant cette genèse artistique, l'imprésario dépense beaucoup d'argent pour faire connaître son artiste au grand public. Il met aussi en place les moyens matériels qui l'aideront dans sa tâche en louant un bureau, en misant sur de nouveaux moyens de communication, en invitant des personnes ressources au restaurant, une technique efficace, mais qui peut finir par coûter très cher à la longue ! Et dans la série des dépenses somptuaires, n'oublions pas les énormes frais que le gérant cumule en notes de voyages, car il doit beaucoup se déplacer pour convaincre certains acteurs clés du milieu, comme les maisons de disques ou des producteurs. Toutes ces dépenses constituent un investissement de taille qui ne rapporte que lorsque l'artiste représenté commence à tirer son épingle du jeu et à se faire connaître du grand public.

Quand on mesure l'énorme engagement de l'imprésario en amont du processus de mise en marché de son artiste, on comprend finalement mieux pourquoi le gérant empoche 25 % de commission sur tous les revenus de son artiste, que ce soit ceux générés par les films commerciaux, les recettes de spectacles ou les revenus dérivés. Pourtant, cette question de la commission est très souvent — comme elle l'est avec les producteurs — à l'origine de nombreux conflits entre artistes et gérants, car les artistes ne comprennent pas l'étendue des efforts et des risques encourus par leurs collaborateurs. Or, même les très grands artistes, qu'il s'agisse de Madonna, des Rolling Stones, de Barbra Streisand ou de U2, ont dû souffrir et partager leurs gains avant d'obtenir la popularité espérée.

Le producteur de spectacles a également pour fonction de mettre en place des tournées, ce qui peut lui demander énormément d'investissement personnel et surtout une prise de risque substantielle. Les tournées peuvent en effet se révéler de très belles réussites, mais aussi se transformer en de véritables gouffres financiers, car elles dépendent de facteurs très changeants comme les conditions climatiques, les grèves, ou tout simplement l'annulation de dates par les artistes eux-mêmes. Dans ce dernier cas, les raisons de ces annulations peuvent être multiples et, en fonction de leur nature, donner de véritables maux de tête au producteur de spectacles. Celui-ci doit donc faire preuve de beaucoup de jugement s'il décide de mettre en place une tournée.

Généralement, il se renseignera préalablement sur l'état des ventes d'albums de l'artiste en question avant de le propulser sur scène. Si ce dernier affiche des chiffres de ventes dépassant un certain quota, comme la dizaine de milliers d'exemplaires, le producteur s'arrangera pour le faire passer dans de plus grosses salles afin de correspondre à cette cote.

Dans ce cadre, les champions inégalés du remplissage lors de tournées mondiales demeurent, depuis plus de 20 ans, les impressionnants Rolling Stones. Si bien que lorsque le producteur des Stones s'attaque à l'organisation de leur tournée mondiale, il part d'un simple constat : la bande à Jagger et Richards peut facilement remplir des stades de plus de 50 000 personnes ! Il n'aura donc qu'à contacter des villes disposant de cette capacité partout sur la planète, à moins que leur cote ait sensiblement baissé, auquel cas il les enverra davantage dans des espaces pouvant accueillir 20 000 personnes ou moins.

L'ensemble des calculs se réalise par conséquent en fonction de la popularité de l'artiste pour lequel le producteur organise la tournée. Pour certains, cette manœuvre sera assez facile, car un Carnegie Hall ou un Olympia, aussi prestigieux soient-ils, ne peuvent accueillir que 3 000 personnes. Le processus se complique, par contre, lorsqu'il est question de grands stades extérieurs.

Une fois que le producteur a déterminé, en fonction de ces différents facteurs, les endroits où le groupe ou l'artiste va jouer, il peut mettre en branle l'écrasante machine de la tournée dans le ou les pays concernés. En règle générale, le producteur s'accorde près de 40 % des revenus de la tournée, les 60 % restants revenant à l'artiste et à son gérant. Bien souvent, cette redistribution est une source de conflits entre les jeunes artistes et leurs imprésarios, parce que les artistes débutants ne comprennent pas la mécanique de la production. Effectivement, de manière strictement mercantile, les artistes sont malheureusement des produits à vendre et à distribuer comme tous les autres produits offerts sur le marché, du paquet de cigarettes en passant par le soda ou l'automobile ! Dans ce contexte, le producteur représente donc moins un soutien qu'une vitrine avec une réputation et un carnet d'adresses qui se révéleront précieux lors de la vente des spectacles, ce qui justifie déjà les 40 % de commission que nous mentionnions plus haut. Mais lorsqu'on sait qu'en fin de compte, l'artiste devra également verser à son gérant 25 % du cachet restant, on pourrait crier à l'injustice. Je vous rétorquerais que tout cela répond concrètement à la réalité du milieu artistique et que ces pourcentages sont totalement justifiés.

Mais revenons aux tâches inhérentes au producteur. Une fois que ce dernier a décidé, sur des critères essentiellement financiers, la durée et l'itinéraire d'une tournée, les pourparlers débutent avec une liste d'intervenants du spectacle. Dans un premier temps, le producteur entame la phase de planification de la tournée, qui comprend le repérage et le choix des villes possibles où l'on pourra présenter le spectacle en question, et ce, suivant un trajet déterminé. Ensuite, il passe à la partie financière du projet en commençant par en rémunérer tous les acteurs, dont les responsables de salles et ses divers employés. Vient alors le temps de la préparation concrète des moyens de communication et de la logistique de la tournée. La marge de manœuvre dans ce genre d'opérations est très mince et l'on ne peut pas se permettre la moindre erreur, cette dernière pouvant engendrer une faillite insurmontable. La marge de profit du producteur n'est alors pas énorme, car ce professionnel doit assumer les frais de location de salles, de publicité ou de transports qui finissent par atteindre de très fortes sommes. C'est essentiellement à cause de ces contingences financières qu'une tournée n'excède qu'à de très rares occasions les trois mois, la durée normale d'une aventure de ce type s'étalant en général de 30 à 35 jours. Mais si cette dernière est finalement réussie, l'artiste pourra certainement recevoir des offres émanant d'autres agences de spectacles, qui lui proposeront de repartir sur les routes quelques mois seulement après le tour qu'il vient d'achever.

Nous avons jusqu'à maintenant évoqué les répartitions financières liées aux principaux acteurs qui entourent un artiste, mais

il faut également nous intéresser aux autres membres de la chaîne de distribution artistique. Et ces maillons doivent être insérés dans tout budget digne de ce nom. Dans certains cas, par exemple, un attaché de presse s'occupe de la promotion d'un artiste. Comme celui-ci fonctionne souvent au pourcentage, il y aura donc une somme d'argent plus ou moins importante à lui verser à partir des revenus nets issus de la vente d'albums ou d'objets promotionnels, tels que les casquettes ou les t-shirts. Dans une autre situation, s'il s'agit d'une comédie que l'on reprend sur les planches d'un théâtre, il ne faudra surtout pas oublier de rétribuer les auteurs de l'œuvre qui ont, tout comme leurs ayants droit, un droit inaliénable de propriété intellectuelle quant à l'utilisation que l'on veut faire de leur création. Cependant, plus la notoriété de l'artiste sera importante, plus ce dernier disposera de possibilités de revenus et d'ententes particulières. Les revenus issus du *merchandising* de grands artistes peuvent en effet très vite représenter d'énormes profits. Si nous reprenons l'exemple d'un t-shirt acheté de deux à trois dollars (un à deux euros) chez un grossiste, le spectateur paiera, pour ce même produit, le soir de la représentation, entre 15 et 20 dollars (10 à 12 euros), ce qui constitue une marge considérable. Par ailleurs, plus l'artiste sera populaire, plus les articles promotionnels qui le représentent se déclineront à l'infini, passant du pyjama au parfum, et du simple calendrier à la poupée en plastique, ce qui génèrera des milliers, voire des millions de dollars de profits. À Las Vegas, le Ceasar's Palace a parfaitement compris cette dynamique et a fait construire une boutique exclusivement dédiée aux articles promotionnels de Céline Dion. Lorsqu'on sait que certaines des pièces en vente sur place peuvent atteindre la coquette somme de 500 dollars (350 euros) on peut s'imaginer la rentabilité d'une telle installation ! Située à deux pas de la salle de spectacles, cette boutique assure évidemment des revenus très importants.

Des accords particuliers liaient également le colonel Parker à Elvis. Il était convenu que Parker s'octroierait 50 % des revenus récoltés et qu'Elvis disposerait de l'autre partie. Entre René Angélil et Céline Dion, la même règle s'applique, à ceci près que cette dernière a suivi l'évolution naturelle de leur relation. En effet, lorsque René a rencontré Céline, leur contrat stipulait qu'une commission de 25 % sur les revenus bruts devait être versée à René. Leur relation de confiance puis d'amour se nouant avec le temps, cette commission a fini par atteindre 50 % des revenus que le couple se divise à présent au même titre que leurs dépenses. Dans un autre ordre d'idées, puisqu'il s'agit d'une entreprise de loisirs sans vedette principale, mais formant un tout, la majorité des articles du Cirque du Soleil se déclinent entre 15 dollars (10 euros) pour un porte-clés, et plus de 100 dollars (75 euros) pour un simple t-shirt. Le commerce des objets promotionnels peut donc se révéler très, voire aussi lucratif que la recette des salles elle-même.

En finissant, je souhaiterais mettre en garde les jeunes artistes contre l'autogérance. Certains artistes croient en effet pouvoir mener leur carrière en engageant une secrétaire pour s'occuper d'eux, pensant ainsi épargner des frais à leurs yeux inutiles. En général, ce genre de choix n'engendre que des carrières mal structurées et qui ne durent pas très longtemps. Et si, par bonheur, ces artistes arrivent néanmoins à se démarquer, ils connaîtront souvent des carrières bancales. Voilà pourquoi il est essentiel de s'entourer de bons professionnels si l'on veut sortir du lot de tous les candidats au succès.

Deux grands découvreurs : Johnny Stark et Eddie Barclay

Chaque génération a ses idoles. Lorsque nous pensons à celles que nos grands-parents chérissaient, comme Luis Mariano, Tino Rossi ou Maurice Chevalier, ou imaginons nos parents, des colliers de fleurs autour du cou et les cheveux longs, en train de hurler lors des concerts des stars du yé-yé, nous pouvons constater à quel point les modes ont rapidement évolué au cours du XXᵉ siècle. Il nous faut cependant retenir que la majorité de ces artistes d'un autre temps étaient, à leur époque respective, aussi considérés comme des innovateurs, des pionniers d'une certaine forme musicale. Et que derrière chaque nouveauté, chaque naissance d'un album défrayant la chronique et chaque ascension d'une nouvelle star, se cachait et se cache toujours une seule et même personne : le gérant, ou plus rarement le producteur. Plus que tout autre acteur du monde musical, ces découvreurs et faiseurs de talents sont ceux qui nous ont dotés de l'éventail de choix musicaux dont nous disposons aujourd'hui.

Lorsque nous évoquons le nom de personnes qui ont, selon nous, marqué l'histoire de la production musicale francophone, deux noms nous viennent immédiatement à l'esprit : le très tumultueux Eddie Barclay et le talentueux Johnny Stark. Non que ces deux professionnels s'illustrent aujourd'hui encore — messieurs Stark et Barclay sont décédés —, mais ils ont véritablement marqué plusieurs décennies de mélomanes. Évidemment, Eddie Barclay a plus souvent fait la une des journaux à scandales en raison de ses multiples mariages que pour les succès musicaux qu'il avait produits, tandis que Johnny Stark subissait, derrière les caméras, les frasques du mariage entre Sylvie Vartan et Johnny Hallyday. Mais ce volet nous semble moins pertinent que celui qui a concrètement occupé toute la carrière, si ce n'est la vie de ces deux monstres du *show-business*, à savoir la découverte et l'éclosion de nouveaux artistes.

Les deux hommes ont débuté leur parcours à la même époque,

c'est-à-dire à la fin des années 1950. Alors que Johnny Stark découvrait Mireille Mathieu, une demoiselle originaire d'Avignon, Eddie Barclay allait tomber sous le charme sulfureux d'une jeune Italo-Égyptienne, Dalida. Leurs méthodes de sélection — le sérieux pour l'un, le hasard pour l'autre — et leur manière d'aborder des artistes prometteurs étaient fondamentalement différentes, mais ils possédaient l'un comme l'autre une qualité rare, celle de percevoir le talent là où d'autres n'auraient absolument rien remarqué. Ainsi, de la jeune Mireille encore gauche, Johnny Stark a fait la grande star que nous connaissons aujourd'hui. Voici d'ailleurs ce qu'il lui avait expliqué avant qu'elle ne se décide à travailler avec lui : « N'oublie pas que tu es une débutante. Mets-toi dans la tête, une fois pour toutes, que je vais te faire travailler comme un forçat, que je ne te passerai rien, que je serai sans pitié. Réfléchis, il est encore temps de dire non. Si tu veux m'écouter, travailler et surtout ne pas aller trop vite dans la voie du succès, je ferai de toi quelqu'un de très bien, de très grand, une véritable vedette. » Il lui a donc appris à chanter sans crier, à lire la musique, à danser, mais aussi à se conduire grâce à des leçons de maintien.

Cette approche n'était alors pas exactement celle d'Eddie Barclay, même si celui-ci a donné à Dalida, en 1956, la plus grande des chances, celle de signer un contrat de quatre ans avec sa maison de disques, qui tenait alors le haut du pavé français.

Ces deux découvreurs avaient bien sûr leurs astuces pour trouver de nouvelles recrues. Johnny Stark était de nature voyageuse. Familier des médias, il n'hésitait pas à se déplacer en France comme à l'étranger pour tomber sur la perle rare qu'il prendrait par la suite sous son aile. Quant à Eddie Barclay, il se trouve qu'il était un ami intime de Bruno Coquatrix, le propriétaire de l'Olympia, et de Lucien Morisse, le directeur d'Europe 1, si bien qu'il a non seulement pu profiter d'émissions cultes comme *Les numéros 1 de demain* et *Salut les copains*, enregistrées dans cette prestigieuse salle de spectacles, pour vendre beaucoup de disques, mais aussi découvrir de nombreux jeunes qui se pressaient aux auditions de ces deux programmes.

Chacun à leur manière, ils ont ainsi réussi des tours de force qu'à notre connaissance personne n'a réitéré depuis dans le domaine de la chanson française. Johnny Stark a par exemple signé quelques personnages de légende, dont Johnny Hallyday, Sylvie Vartan et Michel Delpech. Et Eddie Barclay, plus ambitieux encore, a travaillé avec les plus grands, d'Aznavour en passant par Trénet, Brel, Salvador et Ferré. Il est vrai que sa position était un peu différente de celle de Stark, puisqu'il n'était pas un gérant à proprement parler, mais le directeur d'une maison de disques réputée, ce qui lui permettait de pouvoir lancer bien plus d'artistes sur le marché. Avec plus ou moins de succès, d'ailleurs, ce que n'aurait certainement pas pu se permettre Johnny Stark dont la réputation dépendait avant tout des quelques protégés qu'il lui fallait promouvoir auprès des maisons de disques, des médias et du grand public.

Mais, aussi lourde la responsabilité d'un gérant comme Stark pouvait-elle être, cela n'enlève rien à la prise de risques incessante dont Eddie Barclay a fait preuve tout au long de sa carrière afin de lancer de nouveaux talents. Et ces derniers sont de taille, puisque si dans les années 1960 il a réussi à produire des personnalités comme Hugues Aufray, Jean Ferrat, Nicoletta, Sophia Loren et Brigitte Bardot, il produisait encore dans les années 1980 une panoplie toute aussi impressionnante de noms dont Daniel Balavoine, Noir Désir, Caroline Loeb, Elli Medeiros, Luna Parker, L'affaire Louis Trio, Mory Kante, Bernard Lavilliers, Carte de séjour, Gérard Blanchard, Alain Bashung, ou encore Gamine. Il a même monté de toutes pièces certains groupes mythiques de l'époque yé-yé tels que Eddy Mitchell et les Chaussettes noires. En un mot, Eddie Barclay s'est révélé bien plus un pionnier qu'un homme d'affaires, et le profond respect que lui témoignent encore aujourd'hui, même s'il n'est plus, la majorité des stars du *show-business* est tout à fait justifié.

Johnny Stark et Eddie Barclay figurent donc, au même titre que les artistes qu'ils ont propulsés sur scène, au panthéon de la renommée

Fabrication d'une star

musicale française. Ils constitueront encore longtemps des modèles à suivre pour des générations de gérants et de producteurs, mais aussi l'exemple même, au sein d'un monde du spectacle qui se veut de plus en plus guidé par les têtes d'affiche, de ce que devrait représenter toute carrière d'imprésario : celle de donner une chance au plus grand nombre possible de talents, en misant davantage sur le dynamisme de la jeunesse que sur les objectifs financiers que celle-ci doit satisfaire...

Une complicité sans failles

Un grand nombre d'artistes ne réussissent pas dans le métier car ils ont une mauvaise attitude envers les personnes qui les entourent et tout spécialement envers leur gérant, surtout lorsque ces artistes ont une propension naturelle à être influençables ou autoritaires. Je me souviens par exemple d'un artiste avec lequel j'avais signé une entente préliminaire et qui, de retour chez lui, en avait parlé à ses proches. Ces derniers, bien évidemment, ne connaissaient rien au domaine artistique et ils avaient réussi à lui faire changer d'avis, si bien qu'il a rompu le contrat qui nous liait. Ce genre d'attitude irréfléchie peut très vite sonner le glas de la relation artiste-gérant, car si une union sacrée de ce type se brise, cela rend, d'une part, beaucoup plus difficile le travail de l'imprésario et, d'autre part, la réputation de l'artiste est vite mise à mal. Et dans ce type de situation discordante, l'anxiété du gérant progresse de manière fulgurante, car il ne sait presque jamais à quoi s'en tenir, ni si les ententes signées avec son artiste vont vraiment être respectées. Il est alors souvent préférable pour lui de s'écarter rapidement de cette personne pour repartir très vite sur de meilleures bases !

Je me rappelle d'un autre artiste dont la carrure, potentiellement internationale, suscitait un très grand nombre de demandes de contrats. Les principaux intéressés appelaient son gérant pour lui demander les conditions techniques et financières de son embauche, mais celui-ci était obligé, par la force des choses, de répondre à ses interlocuteurs médusés : « Si vous pouvez le trouver

quelque part sur la planète, je pourrai vous confirmer sa présence et signer un contrat ! » Cet exemple a pour but de vous prouver, encore une fois, que si le gérant et son artiste ne mettent pas en place une relation respectueuse basée sur une confiance absolue, on ne doit pas s'étonner de constater que la carrière de l'artiste en question n'ait aucune continuité.

Bien sûr, il y a toujours place dans une carrière à quelques surprises, mais celle-ci doit tout de même demeurer la plus stable possible. La cyclothymie et les changements d'avis incessants sont donc très mal venus, surtout lorsqu'ils interviennent du jour au lendemain. Il ne faut pas non plus se laisser influencer par son entourage, car même s'il vous aime et veut vous soutenir dans vos choix, il ne connaît pas les spécificités de votre situation et encore moins celles de l'univers du spectacle. Pour des êtres sensibles, comme le sont en général les artistes, les conseils de parents, d'amis, de voisins ou même d'avocats qui ne sont pas spécialisés dans le monde de la musique peuvent se révéler plus désastreux que productifs. Les espoirs que j'ai rencontrés étaient d'ailleurs souvent peu déterminés, voire extrêmement instables. Lorsque j'officiais à titre de gérant, j'avais donc pris l'habitude de répéter à mes petits protégés : « Vous êtes devenus un produit comme les autres, et ce produit est vendu par une entreprise qui est gérée par deux personnes, vous, l'artiste, et moi, le gérant ! Si nous laissons une tierce personne interférer dans notre relation, cette gestion deviendra impossible. Alors si vous voulez réussir dans ce difficile métier, ne vous laissez pas influencer et ayez de la suite dans les idées ! »

Un autre sérieux obstacle à la réussite dans ce milieu réside dans l'attitude équivoque que peuvent entretenir les artistes et leurs gérants. Devant la complexité et l'étendue des tâches qui incombent aussi bien aux imprésarios qu'aux artistes, le respect mutuel devient très vite une règle d'or pour générer le succès. Certains imprésarios et certains artistes ayant parfois un comportement et un caractère difficiles à amadouer, leur relation battra de l'aile s'ils refusent de faire régulièrement des compromis.

Cette relation de confiance entre le gérant et son artiste est essentielle. Reprenons une nouvelle fois le cas de la phénoménale carrière de Céline Dion. On devine que René Angélil a réussi à modeler sa protégée, contrairement à d'autres artistes plus âgés, parce que Céline avait depuis longtemps une confiance aveugle en son mentor. Il est vrai qu'à 12 ans à peine, elle l'idolâtrait déjà. Quant à ses parents, ils n'ont pas hésité à déléguer à René l'entière responsabilité de leur fille, du moins en ce qui concernait la gestion de sa carrière artistique. Cette confiance aveugle s'est révélée fort judicieuse pour l'ascension vers les sommets de la jeune prodige québécoise, comme elle se plaisait à le dire lors des entrevues : « J'ai une confiance absolue en René. Moi je chante, lui il gère. » Toutefois, tous les parents ne réagissent pas de la même manière, et lorsqu'ils ne lâchent pas prise, les relations gérants-parents peuvent se compliquer inutilement et nuire aux intérêts du jeune artiste.

Pour revenir à la réussite du duo Angelil-Dion, il ne faut pas oublier que lorsque René a rencontré Céline, il était déjà un homme pleinement accompli avec 23 ans d'expérience à titre d'artiste et de gérant. Il connaissait toutes les facettes du métier et le rôle de chacun des intervenants auprès desquels il fallait intercéder. Ceci n'enlève rien aux talents artistiques qui ont fait la réussite de Céline partout dans le monde, mais cela révèle le point commun à tous les imprésarios qui ont réussi à propulser leurs protégés sur les plus hautes marches de la scène internationale : la passion du métier et la détermination qui les anime sont toujours les pierres angulaires de leur réussite.

Dion et Angélil ne sont pas les seuls exemples représentatifs de cette confiance absolue qui peut régner entre un gérant et son artiste. Nous pourrions citer, par exemple, celui de Johnny Stark, en France, qui a révélé Mireille Mathieu et Johnny Hallyday.

Dans le milieu, on a souvent coutume de dire que les artistes de grand talent sont les plus difficiles à diriger, car ce sont les plus anxieux. Il faut bien comprendre que même si un artiste a énormément de talent, son anxiété maladive pourra le rendre ingérable.

Dans d'autres cas, certains artistes aux talents plus modestes seront bien plus faciles à gérer, car ils régleront leur vie avec rigueur et discipline. Pour réussir, un artiste ne doit donc pas seulement être doué techniquement, une chimie particulière doit le lier à son gérant. Si celle-ci est absente, la réussite le sera également. Quand Brian Epstein a rencontré les Beatles, il a su les mettre en confiance tellement rapidement que les «quatre garçons dans le vent» n'ont même pas cherché à savoir s'il était bon ou mauvais; ils ont en fait considéré qu'il était la personne qu'il leur fallait! Or il s'est avéré très vite qu'Epstein était effectivement un très bon gérant. Tout ce qu'il leur demandait, en fait, se résumait à composer, enregistrer et faire les spectacles qu'il leur organisait en se tuant à la tâche. Cette vie stressante lui a d'ailleurs coûté si cher qu'il en est mort, tout comme Paul Vincent, le gérant de Roch Voisine. La vie d'un imprésario est en effet très stressante, son corps subit sans cesse une forte pression. Cette tension doit trouver un exutoire que certains chercheront dans la drogue, l'alcool, le jeu ou l'abus de nourriture. Epstein et Vincent se sont ainsi défoulés pour oublier le poids de leurs responsabilités et malheureusement accoutumés à ces échappatoires, si bien que le désespoir les a gagnés et poussés au suicide. Quant à René Angélil, la responsabilité de sa tâche et le stress découlant de ses activités lui ont causé plusieurs attaques cardiaques et un cancer de la gorge dont il a eu la chance de se tirer sans encombres.

J'espère que, par ces exemples, vous saisissez bien la difficulté de ce travail et que vous ferez tout pour ménager comme il se doit la confiance que vous accordera votre gérant. Certains en ont tiré d'immenses profits…

L'agence d'artistes, une mécanique bien huilée

Qu'est-ce exactement qu'une agence d'artistes? En règle générale, un gérant ne s'occupe que d'un nombre restreint d'artistes, ne dépassant pas trois ou quatre individus. Ce qui est déjà beaucoup pour un seul homme, il faut en convenir. L'imprésario est là pour conseiller, orienter et former son artiste au métier pour que

ce dernier progresse et donne toujours le meilleur de lui-même. À l'inverse, l'agent artistique peut être amené à représenter de 20 à 50 artistes, voire plus dans les très grosses agences. Celles-ci n'ont donc pas besoin de se limiter pour accomplir convenablement leur travail, contrairement aux gérants, qui sont parfois pieds et poings liés.

L'agent artistique signe régulièrement des contrats d'exclusivité avec un nombre indéterminé d'imprésarios et d'artistes, dont le total peut mener à la création d'un catalogue de 30 à 50 personnes. L'agent ne représente que des artistes qu'il considère valables, autrement dit des personnalités affirmées au talent et au potentiel avérés, qu'il va ainsi réussir à vendre. Dans de nombreux cas, selon sa compétence et son domaine d'activité, l'agence artistique représente des artistes très connus, des vedettes de l'heure ou d'anciennes stars en perte de vitesse, mais qui bénéficient toujours d'une bonne presse auprès du grand public. Dans d'autres cas encore, l'agence peut représenter des artistes beaucoup moins connus, mais dont les qualités de scène exceptionnelles ou le répertoire les distinguent nettement de leur concurrence directe et correspondent aux spécificités définies par l'agence, en fonction de sa nature et de sa politique interne.

Une fois ce catalogue constitué, l'agence artistique dresse des listes thématiques par discipline ou par type d'artistes. Elle place sur le marché les personnes avec qui elle aura signé, en accord avec leurs imprésarios et dans le respect de leurs intérêts, cela va de soi. Des compagnies, des particuliers, des villes, des communes, des festivals ou toute autre entité décidant d'organiser un événement artistique prennent alors contact avec l'agence pour engager tel artiste ou telle formation de son catalogue. Notez bien que cette liste est loin d'être exhaustive. On s'imagine souvent que les artistes ne jouent qu'à l'occasion de concerts ou de spectacles en salles, mais il y a en fait une multitude de structures qui peuvent les engager, comme des agences de croisières, des entrepreneurs de spectacles, des agences de publicité, des agences de communication ou des comités d'entreprises. Les lieux où les artistes vont se produire ne sont en effet pas toujours aussi prestigieux que l'Olympia ou le Carnegie Hall, et bon nombre de jeunes vont faire leurs premières armes dans des endroits plus ou moins incongrus, tels que des hôtels, des casinos, des salons professionnels, des fêtes foraines, des restaurants ou encore des châteaux.

Toujours est-il que l'agence répondra aux demandes de ses clients, lesquels ont, soit une idée très précise du type d'artistes qu'ils veulent engager soit, à l'inverse, besoin de se faire guider dans leur choix. L'agence artistique n'est donc qu'un intermédiaire entre les entités qui cherchent à engager des artistes, et les gérants qui représentent ces derniers. Si les imprésarios délèguent en partie cet aspect de leur travail, c'est tout simplement parce qu'ils n'ont pas toujours le temps de le faire eux-mêmes, et surtout parce que signer une entente avec une agence multiplie la visibilité sur le marché et le potentiel de leur artiste. Par la force des choses et parce que la réalité mercantile dépasse bien souvent l'altruisme, lorsqu'on travaille avec un agent, la commission ponctionnée par celui-ci varie entre 15 et 20 % des cachets négociés pour l'artiste. Dans ce cas de figure, l'agent d'artistes prend d'abord sa commission, puis vient le tour de l'imprésario et de son artiste. Ainsi sur 100 000 $ de revenus, 20 000 $ tomberont dans les poches de l'agent d'artistes et, sur les 80 000 $ restants, 25 % seront versés à l'imprésario — 20 000 $ —, le reste de la somme revenant à l'artiste.

En dehors de la réalité financière qui lie ces différents acteurs, l'agence artistique se distingue souvent par les multiples services qu'elle peut offrir aux artistes, ainsi qu'à ceux qui souhaitent les engager. On trouve généralement deux types d'agences. Celles qui sont spécialisées dans un domaine particulier, par exemple le cinéma ou l'humour; et celles qui offrent un large éventail d'artistes en fonction de leurs domaines individuels de compétences. Certaines agences se distinguent nettement des autres, car elles gèrent un catalogue prestigieux d'artistes. Les cachets demandés alors par leurs employés peuvent atteindre des sommes astronomiques à la hauteur de la réputation de l'artiste engagé, ainsi que de sa cote sur le marché. Ces agences fonctionnent en éditant chaque année, ou tous les six mois, un catalogue qui est envoyé à tous les gens du métier : des producteurs aux programmateurs de salles de spectacles, en passant par les municipalités ou les comités des fêtes.

Les agences spécialisées sont, pour leur part, généralement dirigées par des personnes qui ont une véritable passion pour leur art, quel qu'il soit, et qui finissent, à force de travail, par devenir des spécialistes à tous les points de vue. Par contre, et sans vouloir les condamner, les agences pluridisciplinaires ne me semblent pas toujours avoir la même expertise, car elles rassemblent sous la même étiquette des artistes fort différents les uns des autres. Dans ce genre d'agences, on pourra par exemple tout aussi bien engager un clown pour un anniversaire d'enfants, qu'une *strip-teaseuse* pour un enterrement de vie de garçon, ou un groupe spécialiste de chansons françaises pour un concert organisé dans une salle de spectacles. Cette pléthore de talents sur commande me permet de douter quelque peu du bien-fondé d'une collaboration avec ce type d'établissements, du moins sur le plan de la cohérence artistique. Malheureusement, les agences sérieuses se comptent souvent sur les doigts d'une seule main.

Ces structures ont cependant dû s'adapter à la réalité économique du marché. Ainsi, depuis des années déjà, leur prestation de base, c'est-à-dire l'obtention de contrats pour des artistes avec de multiples demandeurs — les *booker*, comme on dit dans le métier — ne suffisait plus à leur rentabilité, exception faite des agences spécialisées dans les vedettes du spectacle. Les agences ont donc multiplié leurs offres de service en empiétant s'il le fallait sur d'autres disciplines. Ce qui ne facilite pas toujours la compréhension du milieu aux personnes qui lui sont étrangères. On trouve ainsi des agences qui proclament haut et fort leurs capacités à gérer de nouveaux talents afin de les accompagner comme il se doit dans leur réussite professionnelle. Or, ce rôle devrait plutôt être confié à un gérant personnel, qu'elles ne pourront, en réalité, jamais remplacer. Je suis cependant forcé d'admettre que devant la difficulté croissante pour les artistes de trouver un gérant à la hauteur de la tâche qu'il doit accomplir, les agences peuvent parfois s'imposer comme une solution, ou du moins un succédané acceptable.

Ces nouvelles agences entament donc des collaborations d'un nouvel ordre avec les artistes, ne se contentant plus seulement de les représenter, mais bel et bien de leur apporter une expertise en gestion administrative et commerciale. Cela se traduit dans la pratique par un soutien dans l'établissement de leurs contrats, de leurs fiches de paie, voire de leurs outils promotionnels. D'autres agences s'immiscent également de plus en plus dans l'organisation d'événements en proposant des services clés en main, comprenant la prestation artistique, la gestion administrative, ainsi que la logistique des activités.

Une agence d'artistes florissante, la compagnie Larivée Cabot Champagne

Au sein d'un marché mondial du disque de plus en plus monopolisé par quelques grandes entreprises, nous nous demandons souvent, à raison, si nos goûts personnels en matière de musique et les modes qui régissent notre univers musical ne sont pas créés de toutes pièces à des fins purement mercantiles.

Il existe pourtant, un peu partout, de petites maisons qui parviennent encore, de manière étonnante parfois, à imposer aux médias, et par conséquent au grand public, des répertoires et des artistes que beaucoup auraient prédestinés à l'anonymat. C'est le cas par exemple d'un des plus beaux fleurons musicaux québécois des 10 dernières années, la compagnie Larivée Cabot Champagne, dont les protégés jouissent à la fois d'une excellente santé financière et d'une popularité non artificielle, ceci de part et d'autre de l'Atlantique. Mais quelles ont donc été les clés de cette réussite ? Comment une petite entreprise de taille familiale a-t-elle réussi à concurrencer les plus importantes *majors* ?

« Je crois qu'on était avant tout maniaques de musique », a répondu au micro du journaliste Sylvain Cormier (journal *Le Devoir*) le directeur de cette entreprise, Claude Larivée.

Il fallait en effet beaucoup de passion pour oser lancer des artistes de la relève que tous les grands labels avaient refusés. Mais de l'intuition et du savoir-faire, également. Une expertise que Claude Larivée avait développée en compagnie de ses deux collaborateurs de toujours, Marie-Christine Champagne et Luc Cabot, au sein d'un des temples mythiques montréalais de la musique underground, le Café Campus, il y a de cela 18 ans. Tout d'abord sous l'étiquette moins reluisante de portier et de serveuse, devenue rapidement celle de programmateur et de relationniste de presse, M. Larivée et Mme Champagne sont devenus des amis de M. Cabot, alors coordonnateur des activités de cet établissement, et se sont rapidement rendu compte du potentiel créatif dont étaient dotés les artistes québécois.

N'écoutant que leur cœur, ils ont donc décidé de produire des concerts. «La clé de tout ça, explique Claude Larivée, c'est le spectacle. Je suis un fou de production de *shows* ! J'ai toujours pensé que, pour réussir à développer des artistes plus marginaux, il fallait imiter les Américains des petites boîtes indépendantes qui font tourner leur monde non stop. Notre première mission a toujours été de faire jouer nos artistes souvent. Bref, nous avons toujours pensé que le succès passait beaucoup par le spectacle. On était une agence de spectacles avant d'être quoi que ce soit d'autre. Tout ça est interrelié. Sans compter que le spectacle est une aussi bonne façon d'être "vu" que la radio.»

Cette philosophie a porté ses fruits à de nombreuses reprises, puisque l'un des groupes québécois les plus adulés aujourd'hui, Les Cowboys Fringants, a réussi à percer à la suite d'une certaine quantité de prestations. Les médias, tout d'abord méprisants, se sont soudain intéressés à cette formation qui parvenait, sans eux, à bénéficier d'un solide noyau de *fans*, à remplir de grandes salles de spectacles et à vendre plus de 50 000 exemplaires de son album. «On fonctionne à la patience, à la persévérance, poursuit M. Larivée. Après, on passe à l'imagination. Quand on sait qu'un album ne se vend pas plus qu'à 1 000 copies, ça prend de l'énergie pour porter le projet. Il faut des artistes qui aiment travailler fort, des gens autonomes qui se prennent en mains. Puis du respect. La Compagnie est vraiment familiale. Ses valeurs se sont propagées au niveau de nos artistes, qui aiment collaborer les uns avec les autres. Et tout ça s'est fait naturellement, à partir des liens qui se sont créés.»

Voici sans doute la seconde clé du succès de cette petite société. Une réelle passion pour la musique, ainsi qu'un réel respect de l'identité et des objectifs de chaque artiste qu'elle représente. L'entreprise Larivée Cabot Champagne n'était pourtant pas destinée à remplir toutes les fonctions qu'on lui connaît aujourd'hui. «C'est un peu par nécessité qu'on a décidé de faire dans le disque, avoue Claude Larivée. À un moment donné, on s'est retrouvé avec trois artistes qui avaient des albums prêts et pas d'étiquette ou de gérant pour les prendre. On a donc commencé par nécessité. Et avec le temps, cette nécessité-là est devenue encore plus nécessaire.» Voici comment a débuté l'aventure de gérance, puis celle de production de disques de cette compagnie qui dispose à présent d'un label reconnu, La Tribu, ainsi que d'un catalogue d'une vingtaine d'artistes, très éloigné des stéréotypes que véhiculent souvent des maisons comme Sony ou Universal. En effet, avant que ne commence véritablement ce nouveau volet de leurs activités, les trois têtes pensantes de la société avaient établi une règle qu'ils n'ont depuis jamais transgressée : encourager les artistes francophones de la relève, quitte à emprunter des voies différentes de celles de la mode musicale de l'heure.

«Pour nous, il n'y avait pas de question à se poser : on y allait pour l'œuvre en soi. On s'est donc entendu sur une ligne éditoriale qui privilégiait les auteurs-compositeurs-interprètes avec des univers très particuliers. On avait envie de reproduire ce qui se passait dans le cinéma de la fin des années 1960, début des années 1970. On voulait représenter une identité, avec ses influences à la fois américaines et européennes. En même temps, on était prêts à ce que ce soit politique ou social.»

Cette manière d'aborder le marché aurait pu se révéler un échec monumental. Pourtant, la compagnie Larivée Cabot Champagne a progressivement réussi à se tailler une image de marque que tous les amateurs de chanson francophone indépendante saluent aujourd'hui. Une réputation acquise à force de travail, de conviction et d'optimisme, et qui leur a permis de gagner de nombreux prix au prestigieux gala de l'ADISQ — le pendant québécois des Victoires de la musique en France — aussi bien à titre corporatif qu'au nom de certains de leurs artistes. L'entreprise a ainsi remporté, en 2003, trois Félix (nom des prix remis lors de cette cérémonie annuelle), dont celui de Meilleur groupe et de Meilleure tournée pour les Cowboys Fringants. Elle a aussi mérité, en 2004, quatre Félix à titre de Meilleure agence de spectacle, de Meilleur éditeur, de Meilleure maison de gérance et de Meilleur producteur. Ce qui constitue en soi une reconnaissance complète. Aussi complète, d'ailleurs, que l'est son catalogue d'artistes, dont font partie, entre autres, Jérôme Minière, Michel Faubert, Robert Charlebois, Louise Forestier, Urbain Desbois, Martin Léon, Mara Tremblay, WD-40, Jorane et Dumas. De plus, cette liste ne comprend pas les artistes dont la maison assure ponctuellement la diffusion scénique comme Jean Leloup, Gabrielle Destroismaisons ou Rachid Taha.

Nous nous trouvons donc loin de la petite société balbutiante du début des années 1990. Pourtant, la synergie qui lie les responsables de la compagnie et les artistes qui lui ont accordé leur confiance ne semble pas s'être ternie avec les années, ni avec la mondialisation galopante. «Notre recette, c'est probablement de ne pas nous sentir plus gros qu'à l'époque, dit en souriant Claude Larivée. Oui, il y a une démarche de croissance, [...] mais le nerf de notre entreprise, c'est encore Marie-Christine et moi, et Suzie, et le reste de l'équipe. On s'y retrouve, et les artistes s'y retrouvent.»

En effet, les artistes semblent parfaitement à l'aise dans cette dynamique qui se veut très familiale. Ginette, une jeune chanteuse folk montante qui doit beaucoup à cette maison, a d'ailleurs confié, au mois d'octobre 2004, au micro de Kathleen Lavoie (journal *Le Soleil*): «Je pense que le rôle premier d'une compagnie de disques devrait être très, très sensible à l'univers de l'artiste, comprendre ce dont il a besoin pour arriver au bout d'une idée. Avec La Tribu, on est choyés de ce côté-là. Ils ont tout de suite compris où je me situais avec ma musique. Moi, j'avais une idée d'où j'allais, mais je n'avais aucune expérience du milieu. J'avais besoin d'encadrement, de contacts avec un réalisateur.»

Voici la clé d'une complicité sans faille comme en recherche tout artiste qui souhaite vivre de son art. De manière aussi compréhensive et humaine que professionnelle et audacieuse, la compagnie Larivée Cabot Champagne offre une structure d'encadrement complète, allant de la direction artistique à la construction d'une équipe, en passant par la préproduction, le financement, la distribution, la mise en marché, le marketing, la promotion et les relations de presse.

Et cette diversification s'étend bien au-delà des seules frontières, déjà très larges il est vrai, de la production de disques ou de spectacles. En effet, la société a eu l'excellente idée de faciliter son rôle de diffuseur en s'alliant les services de deux salles de spectacles montréalaises dont elle coordonne aujourd'hui l'entière programmation: Le Cabaret du Music-Hall et, depuis le mois de septembre 2004, le Théâtre La Tulipe. Ce volet de diffusion permanente a débuté en 1996 avec l'ambition de pouvoir présenter à Montréal, de manière honorable, des formations musicales de haut calibre comme des groupes francophones prometteurs. Se sont jointes à cette initiative quelques formules gagnantes comme les soirées mensuelles *C'est extra*, qui rendent hommage aux grands artistes de l'époque yé-yé, les soirées Pop 80 et les soirées Hasbeen & Wanabee, ces dernières réunissant les inconditionnels de groupes cultes et leurs pendants moins connus, mais dont nous nous plaisons encore à entendre les succès de passage.

La compagnie Larivée Cabot Champagne a donc parfaitement amorcé le virage commercial du millénaire, empruntant aux *majors* américaines certaines stratégies, comme la diversification des activités et le souci de visibilité, tout en travaillant un répertoire que ces dernières ne seraient jamais capables de réunir faute d'intérêt. Et ce n'est pas tout. Afin de satisfaire les exigences du marché actuel, cette société a mis au point un site Internet que lui jalousent bien des concurrentes, car elle a été l'une des premières à permettre le téléchargement gratuit de chansons afin de faire découvrir au grand public le talent de ses protégés. «Tu ne peux pas poursuivre un jeune parce qu'il télécharge et vider le compte en banque qu'il a amassé en travaillant chez McDonald's depuis qu'il a 12 ans, avance Claude Larivée. Il faut donner envie aux gens de soutenir leurs artistes. Et nos artistes ont peut-être moins de problèmes que d'autres qui vendent plus d'albums, car si une partie de leur public télécharge leurs chansons, ce public-là n'hésite pas, malgré tout, à payer pour les voir en spectacles.»

Ingénieuse, cette initiative, et très populaire aussi, puisque aujourd'hui des milliers d'internautes, issus de toute la francophonie, mais aussi d'Islande ou d'Australie, rendent régulièrement visite au site de la compagnie. Une compagnie qui ne s'arrêtera pourtant pas là, car elle vise à présent les médias de grande écoute, et en tout premier lieu la sacro-sainte télévision, afin de promouvoir des artistes que les grandes chaînes ont tendance à bouder. «C'est la prochaine étape, avoue M. Larivée. De la même façon que pour le disque, c'est par nécessité. Si l'on ne veut pas de nos artistes dans les émissions de variétés, il va falloir s'inventer d'autres sortes d'émissions», soutient-il, l'œil rieur et déterminé.

Avec une telle flamme, nul doute qu'il parvienne à ses fins et donne de l'espoir aux nombreux jeunes professionnels de la musique qui ne pourraient probablement jamais percer sans le soutien de telles maisons.

Les auteurs-compositeurs

Des alliés indispensables

Mon premier coup de foudre musical à titre de gérant s'est produit, comme je l'ai déjà dit, avec les Bel Canto, la seule formation artistique québécoise de la fin des années 1960 dont les membres pouvaient se targuer d'être à la fois auteurs et compositeurs. C'est d'ailleurs pour cette raison qu'ils avaient su attirer toute mon attention, d'autant plus que leurs talents, aussi bien individuels que collectifs, nous promettaient déjà de belles heures de bonheur. Prédictions qui ne se sont pas démenties, puisque la

carrière du groupe a pris un tournant décisif quelques mois après le début de notre collaboration.

Si le Québec souffrait encore à cette époque d'une carence créative certaine, la France comptait depuis longtemps, pour sa part, bon nombre d'artistes qui se distinguaient par leurs qualités exceptionnelles de composition, aussi bien en matière de musique que de paroles. Je ne citerai ici que quelques exemples parmi tant d'autres : les incomparables et regrettés Georges Brassens et Léo Ferré, ou les toujours aussi prolifiques Charles Aznavour et Georges Moustaki. Au Québec, il n'y avait par contre à cette époque que deux voies majeures que les artistes de la chanson avaient tracées eux-mêmes sous le coup de diverses influences artistiques. On y trouvait d'une part les chanteurs populaires qui reprenaient le plus souvent des succès composés par d'autres, et d'autre part des chansonniers aux orientations très littéraires qui n'écrivaient que pour eux, comme c'était le cas des Félix Leclerc, Raymond Lévesque et Jean-Pierre Ferland.

Les attentes du public français étaient déjà par contre très aiguisées et orientées vers une recherche de qualité supérieure et surtout d'un sens plus profond. Le culte de la langue et du bon mot est un sport national en France, et le public français a toujours été friand de nouveauté et de virtuosité dans ce domaine. Il était par conséquent friand de cette multitude de nouveaux talents adeptes de la recherche linguistique et passionnés par la musique. Grâce à cette polyvalence et au talent indiscutable des auteurs-compositeurs français, de meilleures chansons ont ainsi pu être produites en France et ont fini par atterrir dans les bacs des disquaires où elles se vendaient à des millions d'exemplaires.

Cet énorme succès avait trouvé son écho au Québec comme dans le reste de la francophonie, où ces disques étaient largement distribués. Certains auteurs-compositeurs français comme Brel, Aznavour, Fugain ou Hugues Aufray sont ainsi devenus très populaires et ont représenté, en quelque sorte, des exemples à suivre pour toute une génération d'artistes qui cherchaient à éclore.

Nous avons donc toutes les raisons du monde d'être très fiers de ces auteurs-compositeurs, car ils ont donné toutes leurs lettres de noblesse à la chanson française et, plus largement, à la chanson francophone. Il faut également comprendre qu'un auteur-compositeur, qu'il travaille seul ou avec un compositeur, forme très souvent le noyau dur de la création. Pour tout dire, cette personne ou cette équipe se dote d'alliés tout à fait indispensables à la pérennité de toutes les chansons. Ces hommes et ces femmes qui travaillent toujours dans l'ombre se cachent en fait derrière le succès de ceux qui interprètent leurs œuvres. Œuvres que le public attribue généralement à celles et ceux qui les interprètent, car il ne connaît pas les coulisses du spectacle. En fait, une très faible proportion de l'auditoire sait que la chanson de son artiste préféré n'a pas été écrite par lui, mais par un auteur dont c'est le métier ! Quant à la musique, elle est souvent reléguée aux oubliettes bien qu'elle contribue aussi pour une grande part au succès d'un morceau auprès du grand public.

Parmi tous ces anonymes qui ont contribué à la gloire des plus grands chanteurs, l'un des auteurs les plus doués de sa génération est sans doute Pierre Delanoë.

Il a en effet marqué les annales de la chanson française en étant l'un des rares paroliers, si ce n'est le seul, à avoir saisi les attentes de plus de quatre générations de mélomanes. Il a débuté sa prolifique carrière en écrivant des textes pour Édith Piaf, Tino Rossi, Yves Montand et Maurice Chevalier à une époque où la chanson populaire était plus confinée dans les cabarets, les salles de spectacles et les rues, que dans un poste de radio. Grâce à l'habile création de Louis Merlin et de Lucien Morisse, la première station de radio populaire en France, la très célèbre Europe 1, les paroles de Delanoë sont rapidement devenues des classiques des années 1950. Il suffit de penser à certaines chansons composées avec celui qui deviendra son frère de cœur, l'inénarrable Bécaud, pour se représenter l'excellence de la plume de ce parolier de génie. *Mes mains*, *Le jour où la pluie viendra*, *Et maintenant*, *Nathalie* et *Je t'appartiens* sont à jamais inscrites au panthéon de la chanson française, mais ont également été reprises par des vedettes anglophones, parmi lesquelles Sinatra, Sony and Cher et Bob Dylan. Pierre Delanoë est également l'auteur d'une bonne partie des succès de l'époque yé-yé, à commencer par le texte de *Salut les copains*, qui constituera l'emblème des jeunes des années 1960. Claude François (*C'est de l'eau, c'est du vent*), Dalida (*Salma Ya Samala ; Bambino*), Petula Clark (*Que fais-tu là, Petula ? ; C'est ma chanson*), Sylvie Vartan (*La Maritza*), Nicoletta (*Il est mort le soleil*) et Nana Mouskouri (*Le ciel est noir*) sont au nombre des artistes de cette période qu'il a hissés vers les plus hauts sommets. Même si ce parcours pourrait déjà nous laisser rêveur, ce n'était pourtant qu'un début aux yeux de Delanoë, qui a aussi étroitement collaboré avec Hugues Aufray pour adapter en français et populariser le répertoire de Bob Dylan (*Adieu Angelina ; La Fille du Nord*) en plus de signer conjointement des succès retentissants, comme la légendaire *Stewball*. Poursuivant sur sa lancée, Pierre Delanoë a participé, dans les années 1970, au succès de Nicole Croisille (*Je ne suis que de l'amour ; Une femme avec toi*), Gérard Lenorman (*La Ballade des gens heureux ; Si tu ne me laisses pas tomber ; Quelque chose et moi ; Si j'étais président*), Carlos (*Les Croisades*), Mireille Mathieu (*Écoute ce cri*), Enrico Macias (*Il est comme le soleil*), ou encore de Michel Polnareff (*Le Bal des Lazes ; Gloria ; Je suis un homme*), pour ne citer que ces derniers. Il a également accompli à cette époque un parcours sensationnel auprès de deux grands noms de la chanson française. Michel Fugain, tout d'abord, auquel il a donné le vibrant *Je n'aurai pas le temps*, avant de se lancer avec lui dans la grande aventure du Big Bazar dont les titres sont encore connus de tous : *La Belle Histoire ; Fais comme l'oiseau ; Bravo, M. le monde ;* et *Chante comme si tu devais mourir demain*. Il ne faudrait cependant pas oublier dans cette rétrospective celui qui est devenu l'un de ses plus grands amis en plus d'un précieux collaborateur, à savoir le mythique chef de la prestigieuse Bande à Jojo, Joe Dassin lui-même, pour lequel il a écrit plus de 150 chansons, dont certaines en duo avec un autre grand auteur français, Claude Lemesle. En effet, à peu près tous les succès que nous connaissons de cet interprète ont été créés par Delanoë, du *Petit pain au chocolat*, en passant par les *Champs-Élysées*, *L'Amérique*, *L'Été indien*, *Et si tu n'existais pas*, ou encore *À toi*. Dans les années 1970 encore, puis dans les années 1980, tout en continuant à écrire pour certaines vedettes comme Nana Mouskouri, à laquelle il a offert les magnifiques chansons *Je chante avec toi*, *Liberté*, traduite aujourd'hui en cinq langues, et *J'ai reçu l'amour en héritage*, Delanoë a notamment collaboré avec celui qui est devenu pour beaucoup l'égérie française de cette époque, Michel Sardou. Ensemble, ils ont donné naissance à plusieurs classiques comme *Les Vieux Mariés*, *J'accuse*, *Le France*, *Le Temps des colonies*, *En chantant*, *Afrique adieu*, *Être une femme* et les *Lacs du Connemara*.

Avec une telle feuille de route, il n'est pas étonnant que Pierre Delanoë représente encore, pour bien des paroliers, des interprètes et des gens du milieu artistique en général, un modèle à suivre. Un modèle d'autant plus éloquent qu'à plus de 85 ans, il écrit toujours chaque jour des textes aussi émouvants que lucides.

S'inspirant peut-être de Delanoë, mais puisant dans leur propre talent, une nouvelle génération d'artistes français, parmi lesquels on compte Jean-Jacques Goldman, a pris la relève. Ce dernier fait d'ailleurs exception à la règle qui veut que tous les grands chanteurs doivent leur succès à des auteurs autres qu'eux-mêmes, puisqu'il est l'auteur et le compositeur des chansons qu'il interprète. Son éclosion dans les années 1980 avec des tubes comme *Envole-moi* ou son triomphe avec ses deux comparses Michael Jones et la regrettée Carole Fredericks dans les années 1990 ont confirmé son talent irréfutable d'auteur-compositeur, ainsi que sa clairvoyance professionnelle. Goldman a en effet toujours su s'entourer de personnes très compétentes, des musiciens aux techniciens, que ce soit pour sa propre carrière ou celle d'autres artistes avec lesquels il a travaillé, comme Johnny Hallyday.

Goldman est donc un artiste accompli, doublé d'un auteur à part entière, ce qui est très rare dans un milieu où la spécialisation domine. Il est d'ailleurs l'un des seuls de sa génération à avoir

accumulé à lui seul autant de succès que 100 000 membres de la SACEM[11] réunis.

Si l'on étudie d'ailleurs les statistiques de cette dernière, de 10 à 15 artistes seulement arrivent à sortir du lot des membres, et la majorité de ces auteurs ne composent pas plus de 120 chansons durant toute leur carrière. Il est aussi exceptionnellement rare de trouver des artistes étant à la fois de très bons auteurs et d'excellents musiciens comme l'est Jean-Jacques Goldman. On peut en fait compter sur les doigts d'une seule main les compositeurs et les paroliers devenus célèbres aux quatre coins du monde. Même aux États-Unis, où les auteurs sont généralement assez productifs, seuls David Foster, Al Kasha, gagnant de deux oscars, Diane Warren, dont 80 chansons ont été classées au Billboard, et Andrew Lloyd Weber ont réussi à imposer leurs noms et, par-dessus tout, un style reconnaissable entre tous.

Il faut donc avoir un talent exceptionnel pour devenir un auteur-compositeur écouté, reconnu par ses pairs et surtout par le public lorsqu'on officie pour son propre compte.

Dans le cas de formations mythiques, comme les Beatles ou les Rolling Stones, la tâche était un peu plus aisée, car ces artistes travaillaient en groupe et leur force résidait souvent dans la créativité d'un duo central, que ce soit celui de Lennon-McCartney, ou celui de Jagger-Richards. Ces binômes étaient et sont toujours, dans le cas des Stones, constitués d'individus qui ont chacun leurs points forts, qu'il s'agisse de l'écriture de chansons ou de la composition musicale.

Il est cependant toujours difficile de maintenir son degré d'excellence en musique et en écriture pendant de nombreuses années. Les Stones se sont ainsi essoufflés à la fin des années 1970 et ne font plus vraiment autant vibrer leurs *fans* qu'avec leurs

---

11. SACEM : Société des auteurs, compositeurs et éditeurs de musique. Société française dont l'objectif est de gérer collectivement les droits d'auteur dans le domaine de la musique. Elle regroupe près de 100 000 créateurs et éditeurs de musique. <www.sacem.fr>

premiers succès, dont *Satisfaction*, *Jumpin' Jack Flash* et *Ruby Tuesday*. Quoi qu'il en soit, ils cristallisent encore de belle manière l'importance que revêt la collaboration liant les auteurs, les compositeurs et les interprètes d'une chanson.

C'est pour cette raison, sans doute, que des artistes comme Gilbert Bécaud avaient très tôt compris qu'ils ne pourraient pas baser la réussite de leur carrière et le succès de leurs chansons sur leur seule virtuosité musicale. Même si Bécaud était un pianiste génial qui se passionnait pour son instrument depuis l'âge de cinq ans, et avait de réelles compétences en terme de composition musicale, il n'avait jamais eu le temps de se spécialiser en poésie. Si bien qu'il s'était allié les services de Pierre Delanoë, Louis Amade et Maurice Vidalin, tous des auteurs talentueux.

Vous pourriez d'ailleurs choisir, au sein de toutes vos idoles, n'importe quel grand nom de la chanson et vous vous apercevriez qu'en fait, derrière ses succès, se cache souvent le talent d'un auteur ou d'un compositeur moins connu. Johnny Hallyday et Nana Mouskouri, pour ne citer qu'eux, sont de parfaits exemples de cette réalité, car ils n'ont jamais composé la moindre ligne des morceaux qui ont fait leur succès.

On a également vu des artistes qui ont décidé, après quelques années de carrière en tant qu'interprètes, de devenir auteurs-compositeurs du jour au lendemain. Dans la majorité des cas, ce choix s'est avéré une grave erreur, car ils étaient loin d'avoir le talent requis pour devenir ce qu'ils prétendaient être dans l'âme. Les résultats médiocres issus de cette transformation radicale ont sonné le glas de plusieurs carrières bien affirmées ! Et même si le public est souvent indulgent avec le premier album issu d'un tel appel créatif, il se rend compte, après le deuxième ou troisième disque de l'artiste soi-disant complet, que les talents d'auteur-compositeur espérés ne sont pas au rendez-vous. Les disques demeurent alors invendus et l'artiste finit par piquer du nez, brisant du même coup sa carrière.

Il est donc primordial de laisser œuvrer les spécialistes dans leur domaine respectif. Si vous êtes un jeune artiste et que vous

avez déjà la chance d'avoir trouvé un bon parolier, continuez à travailler avec lui et ne brisez pas cette combinaison gagnante. Si vous avez aussi trouvé un bon compositeur, cimentez cette belle équipe. On peut citer une multitude d'artistes reconnus qui adoptent avec succès cette ligne de conduite. Isabelle Boulay, Garou et Mylène Farmer, par exemple, ont toujours su s'entourer de bons auteurs-compositeurs, que ce soit en France ou aux États-Unis. Ces derniers ont d'ailleurs souvent des années d'expérience et des plumes qui savent toucher le public. Les plus expérimentés d'entre eux ne se trompent même que très rarement et ont l'habitude de produire des succès de taille pour leurs interprètes. Par exemple, Plamondon a travaillé son art pendant des années avant de connaître ses succès triomphaux avec Michel Berger, mais ces deux génies de la composition se comprenaient et se complétaient parfaitement.

La question que vous êtes donc désormais en droit de vous poser est la suivante : comment devenir un auteur-compositeur aussi prolifique qu'un Pierre Delanoë, un Paul McCartney ou un Luc Plamondon ? Certains organismes comme la SACEM, la SOCAN[12], l'ASCAP[13], la BMI[14] et la SODRAC[15] donnent régulièrement des cours aux auteurs et aux compositeurs afin de les faire progresser ou de les conseiller dans leur travail.

Mais le succès d'un bon auteur ou d'un bon compositeur repose avant tout sur un talent naturel. Delanoë a, par exemple, écrit près de 5 000 chansons dont 500 ont connu du succès. Un tel talent suppose que l'auteur sache parfaitement maîtriser les finesses d'une ligne mélodique ou ait un don particulier pour cela, ce qui ne s'apprend pas vraiment. En travaillant cependant

12. SOCAN : Société canadienne des auteurs, compositeurs et éditeurs de musique.
13. ASCAP : American Society of Composers, Authors and Publishers, l'équivalent américain de la SOCAN.
14. BMI : Broadcast Music Inc. : une autre organisation américaine œuvrant dans la protection des droits d'auteur.
15. SODRAC : Société du droit de reproduction des auteurs, compositeurs et éditeurs du Canada.

d'arrache-pied, on pourra toujours améliorer son style d'écriture ou sa composition musicale. Pour cela, on peut tenter d'analyser en profondeur de quelle façon certains auteurs ou compositeurs célèbres ont articulé la charpente de leurs créations pour essayer de suivre leurs pas. Pour les jeunes qui débutent, il va de soi que ce travail est loin d'être évident, car il demande beaucoup de détermination, de recherches et de faculté d'analyse du marché qu'ils voudront cibler. Mais il est possible de réussir, croyez-moi.

La relation que tissent l'auteur, le compositeur et l'interprète constitue véritablement l'un des points centraux de la réussite d'une carrière en chanson ou en musique. En admettant que vous ayez déjà franchi les difficiles étapes de la maîtrise de votre voix et de l'affirmation de votre style et de votre répertoire, vous n'aurez peut-être pas, malgré toute votre bonne volonté, le talent nécessaire pour écrire des chansons efficaces ou tout bonnement poétiques. Les auteurs seront alors là pour jouer ce rôle, si ce n'est pas fondamentalement le vôtre, et vous ne devrez absolument pas en être offensé, ni même développer le moindre complexe à leur égard. Il en sera exactement de même pour la musique. Si vous avez déjà de très belles qualités vocales et une superbe présence sur scène, on ne vous demandera pas d'être un as de la guitare ou du piano. Vous pourrez toujours vous appuyer sur des musiciens dont le métier est justement de composer des œuvres musicales de haut calibre.

Votre salut en tant qu'artiste ne viendra que si vous arrivez à concevoir votre carrière comme un travail d'équipe et non pas comme une aventure personnelle au service de votre ambition. Si vous comprenez ce principe, les rencontres et les collaborations que vous entamerez avec des auteurs et des compositeurs vous ouvriront peut-être toutes grandes les portes de la renommée.

Zazie, de l'or au bout des doigts

Elle est belle, dynamique, intelligente et, selon beaucoup, l'une des rares femmes incontournables de sa génération dans le milieu musical. À l'image de Pascal Obispo, auteur-compositeur de talent avec qui elle a commencé sa carrière d'interprète, Zazie, de son vrai nom Isabelle de Truchis de Varennes, s'est en effet imposée en quelques années comme l'une des artistes les plus prolifiques de la nouvelle vague musicale française.

N'eût été son premier gagne-pain de mannequin — ce qui lui a tout de même bien servi, comme Carla Bruni, à se faire des contacts dans le milieu du *show-business* —, Zazie était sans nul doute destinée à la musique. C'est du moins ce que nous pensons lorsque nous revenons sur son enfance, durant laquelle elle a pratiqué le violon (pendant 10 ans), tout en s'adonnant au piano et à la guitare. Zazie aurait certainement pu n'être que musicienne. Pourtant, à l'adolescence, elle a commencé à se passionner pour l'écriture, ce qui l'a poussée à réaliser ses premières compositions sur son synthétiseur, qu'elle surnommait tendrement Valentin. Après des études en kinésithérapie et en langues étrangères, elle a finalement eu le déclic tant attendu grâce à deux rencontres essentielles. Celle de Pascal Obispo, dans un premier temps, car ce dernier lui a facilité l'accès aux maisons de disques et l'a encadrée au cours de ses deux premiers albums — souvenons-nous notamment du mémorable titre *Zen*, qu'il lui a composé — et celle de Peter Gabriel, que Zazie admirait depuis longtemps et dans les studios duquel elle a pu enregistrer son tout premier album, *Je, tu, ils*, en 1992.

Sa carrière était lancée ! Ce premier opus a séduit les Français, qui ont couronné cette artiste prometteuse du prix de la Révélation de l'année 1993 lors des Victoires de la musique. Il n'en fallait pas plus pour que la jeune femme se découvre, non seulement comme une interprète sympathique, mais aussi comme une auteure-compositrice de talent. Très rapidement, l'album *Zen* (1995), dans lequel elle signait la majorité des titres, a en effet connu beaucoup de succès. Si bien que, poursuivant sur sa lancée, Zazie a depuis cette date continué à composer la majorité de ses titres, ne cherchant essentiellement du soutien que dans la réalisation et la promotion de son travail. Elle s'est ainsi progressivement révélée l'une des plumes les plus sûres du monde musical francophone. Attentive à l'actualité tout en demeurant accessible, Zazie a créé un style que nous reconnaissons souvent dès les premières mesures de ses chansons. À la fois sophistiquée et simple, acerbe et tendre, légère et lourde de sens, cette griffe touche de nombreuses personnes issues de toutes générations.

Les interprètes francophones ne pouvaient faire autrement que de s'intéresser à cette artiste complète. Zazie a donc commencé, dès 1998, à écrire pour d'autres, à commencer par l'un des piliers de la chanson française, Johnny Hallyday. Ce premier essai, au sein de l'album *Ce que je sais*, a été très concluant puisque la chanson *Allumer le feu* s'est transformée en un tube que le rocker chante encore souvent sur scène. Tout en poursuivant sa collaboration avec Johnny pour l'album *Un paradis, un enfer*, Zazie a écrit et écrit toujours pour de nombreux artistes. Parmi eux figurent notamment Jane Birkin, Isabelle Boulay, Patricia Kaas et Florent Pagny. Bref, de grands noms qui portent aux nues le talent monumental d'une femme qui ne se contente pas de la facilité et représente aujourd'hui, au sein du marché musical, l'exemple même d'une tête à la fois belle et pleine. Une tête qui n'hésite pas, album après album, à se lancer dans l'introspection comme à dénoncer des maux, parfois synonymes de tabou, de notre société, et à alterner les ballades les plus romantiques avec des titres empreints de techno expérimentale. Il n'est donc pas étonnant que son dernier opus, *Rodéo*, sorti au mois de novembre 2004, ait une nouvelle fois remporté les faveurs d'un public conquis par le charme et le naturel indéniables de cette artiste d'exception.

Une rencontre, un succès

Comme je l'ai déjà dit, un artiste, même confirmé, ne peut pas décemment disposer de toutes les qualités requises pour réussir seul dans ce métier. Une parfaite maîtrise de sa voix, des connaissances avérées en lecture et en écriture musicale, la gestion de son image et la constitution de son répertoire sont déjà des éléments suffisamment délicats à posséder. Y greffer l'encadrement nécessaire, aussi bien organisationnel que juridique, que le gérant peut lui apporter, ainsi que les qualités de composition nécessaires pour percer, relèverait du miracle.

Je sais pourtant que beaucoup d'entre vous sont de véritables boules d'énergie prêtes à tout pour prouver au monde entier qu'elles sont capables de percer dans le *show-business*. J'ai d'ailleurs eu récemment l'occasion de regarder une émission de télévision au cours de laquelle on pouvait assister aux auditions de la *Star Académie* québécoise, auditions durant lesquelles plusieurs participants armés de guitares folk présentaient leurs compositions au jury plutôt que de reprendre des chansons à succès. Le jury a

réagi de manière très mitigée devant ces compositions, à l'exception d'une ou deux personnes dont le potentiel et la présence semblaient intéressants. Dans la grande majorité des cas, le jury avait en effet tendance à retenir les candidats qui reprenaient des morceaux connus. Ce réflexe est très naturel, car les chansons populaires ont évidemment plus d'impact sur le public que les compositions d'illustres inconnus qui ne s'imposeront que par répétition. Là encore, je ne vous dit pas qu'il suffit de chantonner un tube pour être sûr d'être sélectionné, loin de là ! D'ailleurs, de nombreux candidats qui n'avaient pas la capacité d'assumer certains morceaux plus difficiles que d'autres étaient éliminés d'office par les juges.

Il est donc très important de savoir évaluer son potentiel personnel et ses qualités artistiques, peu importe la discipline dans laquelle nous évoluons et notre niveau. Si votre force réside dans le chant, que vous ayez une voix chaude et puissante qui fasse dresser les poils de votre entourage lorsque vous chantez, ou une voix sibylline toute en finesse, alors travaillez cette qualité et misez essentiellement sur elle. Si, par contre, votre force réside dans la composition musicale, mais que vous n'arrivez pas à vous exprimer en public sans perdre toutes vos facultés, ou que votre voix peine à sortir de votre corps, concentrez-vous plutôt sur votre instrument de prédilection et devenez musicien.

En réalité, si le jury retient les candidats qui reprennent des morceaux connus, ce n'est pas parce que telle ou telle pièce est un succès, mais tout simplement parce que c'est une belle œuvre artistique, écrite à la base par un ou plusieurs professionnels confirmés, et qu'elle a été interprétée avec brio par les candidats. Pour vous imposer lors de ce type d'auditions, misez donc plutôt sur des titres très connus, puis surprenez le public et le jury avec, par exemple, des compositions originales au moment le plus opportun. Pour cela, vous allez devoir, comme les plus grands, faire preuve de modestie en vous rapprochant s'il le faut d'auteurs et de compositeurs qui pourront travailler efficacement avec vous à la naissance de nouvelles chansons.

Mais où trouver ces personnes et quelles sont les qualités qui vous inciteront à les choisir?

Si vous êtes débutant dans le métier et que vous choisissez de devenir interprète et non pas auteur ou compositeur, vous allez devoir vous lancer dans la recherche de partenaires talentueux qui donneront un corps et une âme à votre talent d'interprète. Pour ce faire, commencez tout simplement par observer autour de vous, votre entourage, vos amis, vos camarades de classes ou vos collègues de travail. Certaines de ces personnes pourraient être susceptibles d'assumer ce rôle. On ignore en effet souvent tout des personnes qui nous entourent. Certaines d'entre elles passent pourtant, parfois, leurs dimanches à composer des morceaux de piano, seules dans leur coin, alors que d'autres empilent peut-être dans un tiroir des cahiers remplis de chansons qui n'ont jamais réussi à prendre vie. Bref, explorez tout d'abord les ressources qui se trouvent à deux pas de vous, vous serez peut-être très surpris de constater que ces personnes pourraient se révéler extrêmement utiles. Si cette première tentative est inefficace, la deuxième étape de notre plan consiste à aller chercher les auteurs-compositeurs qui vous correspondent là où ils s'expriment sûrement déjà. Alors, faites le tour des magasins de musique près de chez vous, passez des petites annonces, allez à la rencontre d'autres musiciens et de chanteurs, recherchez des associations, informez-vous auprès de structures telles que la SOCAN, la SACEM, les maisons de disques, les regroupements d'écrivains ou de poètes amateurs de votre ville. C'est probablement dans de tels endroits que vous trouverez la perle rare capable de se joindre à vous parce qu'elle aura la même aspiration à la réussite que vous.

Une fois que vous aurez trouvé la ou les personnes susceptibles de devenir vos auteurs et compositeurs attitrés, vous devrez apprendre à connaître vos caractères et vos personnalités respectives. Cet élément est très important si vous voulez réussir à produire des pièces de qualité. Il faut aussi énormément parler et échanger des arguments, des visions de la musique que l'on veut produire avant même d'entamer la moindre répétition. C'est seulement lorsque ces mises au point seront faites que vous pourrez commencer à collaborer avec votre nouvelle équipe.

Si vous possédez déjà un gérant, l'un de ses rôles sera d'être le plus franc possible avec vous. S'il vous fait part de ses doutes quant à vos capacités en termes d'écriture ou musicales, n'en prenez pas ombrage, car il travaille pour vous. Même si cela est loin d'être évident, il essaiera en effet d'aller vous chercher les meilleurs de chaque discipline. Il va de soi qu'il ne s'agira plus ici de passer des petites annonces dans les gazettes locales, mais bien de joindre des professionnels ayant pignon sur rue, ainsi qu'un bagage artistique plus ou moins affirmé.

Le gérant va donc faire en sorte de repérer les auteurs et les compositeurs qui correspondent le mieux aux qualités et aux traits de personnalité de son protégé. La relation personnelle entre interprète et auteurs étant aussi primordiale que le talent artistique de chacune des parties concernées, il sera nécessaire que chaque élément de cette chaîne dispose de bonnes facultés d'adaptation.

Les artistes, interprètes, musiciens ou auteurs de chansons, ont, il est vrai, souvent des idées bien arrêtées sur la manière dont ils conçoivent leur art. Il faut donc qu'une alchimie particulière naisse entre ces personnes pour que leur relation soit productive. Un bon imprésario et son interprète doivent ainsi être capables de sentir les auteurs qui vont correspondre à ce qu'ils visent et ce qu'ils sont. C'est de cette manière que Jean-Jacques Goldman et Céline Dion ont été amenés à travailler ensemble. Goldman avait repéré la voix de la chanteuse depuis longtemps et, à la suite d'une rencontre sur un plateau de télévision parisien, il lui a proposé de travailler avec elle. L'accord s'est vite concrétisé et les deux artistes ont entamé une collaboration fructueuse qui a abouti à plusieurs disques dont le fameux *D'eux*, qui a catapulté la carrière de la chanteuse en France. Il semble cependant que Goldman ait véritablement joué au caméléon pour intégrer la personnalité de la chanteuse québécoise et lui écrire des textes qui lui correspondaient. Il a donc commencé à se documenter sur elle, avant de lui composer des textes qu'elle pourrait s'approprier sans retenue. Goldman a d'ailleurs déclaré quelque temps après la sortie de l'album : « Je me demandais, que peut-elle dire, Céline Dion ? Que veut-elle dire ? J'essayais de me mettre à sa place. »

Quant à sa vision de sa collaboration avec elle, il ne tarissait pas d'éloges à ce sujet :

> « Je me sens dans la situation d'un auteur-compositeur qui donne à une voix exceptionnelle et que n'importe quel auteur-compositeur souhaite avoir. C'est un rêve ! »

Comme quoi il n'y a pas de hasard dans le succès qu'a engendré cette rencontre, d'autant plus que si l'on se penche sur les déclarations de Céline Dion elle-même, cette dernière partageait à peu de choses près le même enthousiasme : « Enregistrer *D'eux* avec Jean-Jacques Goldman a été une expérience enrichissante. En tant qu'auteur et producteur, il est vraiment un génie ! Il m'a fait un beau cadeau en m'écrivant cet album. Il a bien compris mes émotions et a su lire dans mes pensées, comme s'il avait été en liaison directe avec mon âme. C'est le défi d'un auteur et je crois qu'il a réussi ! »

Céline n'est cependant pas la seule à avoir bénéficié des qualités de Jean-Jacques Goldman, puisque celui-ci a écrit pour plusieurs artistes avec la même réussite, dont Robert Charlebois, Patricia Kaas, Khaled et Johnny Hallyday. Bien entendu, cet auteur-compositeur est très convoité, même s'il ne peut, évidemment, écrire pour tous ceux qui le sollicitent. Par conséquent, vous devrez partir à la recherche patiente d'un autre Goldman, peu ou pas connu, mais qui existe certainement quelque part, pour vous appuyer.

Un secteur très protégé

Lorsqu'un artiste écrit ou interprète des morceaux qui connaîtront un franc succès auprès du public, il génère des droits d'auteur.

Entre alors en scène un acteur particulier du monde artistique pour défendre ses intérêts : l'éditeur musical. En droit français, la question des droits d'auteur est régie par le Code de la Propriété intellectuelle (CPI). Or, du point de vue du CPI, l'éditeur est la personne morale ou physique qui fabrique ou fait fabriquer « en nombre des exemplaires d'une œuvre ». Aux yeux de l'éditeur musical, le concept d'œuvre doit être compris comme un morceau, une chanson ou une musique, et le terme « exemplaires » se matérialise concrètement par l'édition de partitions, que l'on appelle aussi des formats. Une confusion est d'ailleurs souvent faite entre l'éditeur musical et l'éditeur phonographique, qui produit pour sa part des phonogrammes, autrement dit des supports musicaux tels que les CD, les mini-CD et, plus rarement aujourd'hui, les cassettes.

L'éditeur est lié à l'auteur à la fin de sa phase de création, lorsque l'œuvre est constituée, mais pas encore produite pour le marché. L'auteur cèdera ses droits à l'éditeur, qui aura dès lors la possibilité de faire reproduire l'œuvre sur tous les supports pertinents et de la faire diffuser à la radio, à la télévision et même en public. C'est l'éditeur qui donnera aussi son accord pour toute nouvelle utilisation de l'œuvre par des tiers.

De nos jours, l'éditeur joue encore un rôle important, même si les ventes qu'il enregistrait dans les années 1950 avec ses partitions, ou formats, sont devenues plus que secondaires. Il doit en effet non seulement gérer les chansons qui ont été des succès comme *Yesterday* et *Et maintenant* — ce qui n'est pas évident, vu leur popularité au fil des générations —, mais il doit aussi savoir se placer stratégiquement pour augmenter son catalogue, et ce, de façon continue. Un éditeur avisé devra ainsi produire ou se procurer de nouveaux démos[16], afin de les soumettre à des interprètes.

Des artistes de premier plan comme Mariah Carey, Whitney Houston, ou encore Nana Mouskouri, qui a enregistré jusqu'à ce

---

16. Démo : démonstrateurs, échantillon représentatif.

jour plusieurs milliers de titres en sept langues, ont sans cesse besoin de nouvelles chansons et constituent d'excellents clients pour les éditeurs. Mais cette porte d'accès pour les auteurs est bien difficile à ouvrir, car la plupart des grands artistes ont tendance à toujours travailler avec les mêmes auteurs-compositeurs, ou à choisir ceux qui sont célèbres, comme cela c'est produit en France avec Aznavour, Obispo, Goldman ou Plamondon.

Isabelle Boulay, par exemple, recherche généralement des auteurs qui ont beaucoup de succès. De leur côté, les grosses maisons d'édition du monde comme Chapel, Universal Music ou Warner Music ne cessent de racheter de petits éditeurs dans le but de décupler la capacité de leurs catalogues, mais elles ferment en même temps la porte à de nombreux auteurs et compositeurs de talent qui n'ont plus aucune bannière pour représenter leur travail.

Fort heureusement, il demeure encore sur le marché quelques petits éditeurs très compétents qui pourront assurer le succès de leurs poulains pour peu qu'il soient suffisamment dynamiques et défendent leurs chansons avec énergie et conviction.

Avant de signer avec un tel éditeur, assurez-vous cependant qu'il maîtrise toutes ces qualités. Il vaut en effet bien mieux devenir un roi chez un petit éditeur, qu'un valet chez un gros, avec lequel vos morceaux seront noyés dans une masse informe les condamnant à l'oubli. Enfin, n'oubliez jamais que les bonnes chansons font les bons artistes, et que sans elles, les chanteurs ne sont rien !

À présent, voici la marche à suivre lorsqu'on veut se procurer un titre. L'artiste doit tout d'abord en obtenir l'autorisation auprès d'une société regroupant des auteurs et des éditeurs. Ces organismes défendent les intérêts exclusifs de leurs membres. Cela semble étonnant, vu qu'en théorie les auteurs seraient censés pouvoir défendre leurs intérêts seuls. Mais avec le temps, ces auteurs ont constaté que le fait de se regrouper en sociétés civiles leur donnait plus de poids et d'outils pour protéger leurs droits.

Et quels sont ces droits exactement? Eh bien, toute œuvre de l'esprit, qu'il s'agisse d'un texte, d'une chanson, d'une musique ou d'une peinture, appartient à son auteur qui en jouit totalement, à moins d'en céder les droits ou de consentir à des utilisations variées de cette dernière.

La mécanique devient alors complexe, puisque le droit d'auteur lui-même se divise en plusieurs droits distincts que l'on a coutume de séparer entre les droits de représentation — ou d'exécution — d'une œuvre, c'est-à-dire le fait de jouer une œuvre en public; le droit de reproduction, autorisant à reproduire une œuvre par le biais d'enregistrements; et enfin toute une autre série de droits subsidiaires que l'on appelle les droits voisins.

Pour vous familiariser avec cette logique de droits d'auteur, intéressons-nous à l'une des plus célèbres sociétés d'auteurs compositeurs et éditeurs de musique, la SACEM, qui officie depuis plus d'un siècle.

Quel est le rôle de cet organisme français? Regroupant aujourd'hui près de 109 000 sociétaires et couvrant un catalogue de près de huit millions d'œuvres émanant aussi bien d'artistes français qu'étrangers, la SACEM a pour fonction principale de «protéger et de représenter les créateurs de musique», tout en leur assurant la «perception et la redistribution de leurs droits d'auteur». S'ajoutent à ce rôle fondamental une fonction de soutien et d'action culturelle prenant diverses formes, des collaborations spéciales au versement de subventions, ainsi qu'une action sociale de soutien aux auteurs en difficulté.

La SACEM, dans les chiffres, représente, en 2003, 700 millions d'euros (près d'un milliard de dollars canadiens) de perception de droits, et comptait plus de 400 000 nouvelles œuvres déposées durant la même période. Autant dire que cette structure est une incontournable du droit d'auteur en France et au-delà même de ses frontières.

La SACEM gère principalement les droits d'exécution publique des œuvres, ainsi que certaines associations liées à son action, comme par exemple la SDRM[17]. Il faudrait dire que le système de protection des droits d'auteurs en France est donc très complexe et se divise en plusieurs champs d'action et d'intervention distincts.

Au Canada, la question du droit d'auteur relève tout simplement de la Loi sur le droit d'auteur, en grande partie inspirée du système français. L'équivalent de la SACEM se nomme la SOCAN (Société canadienne des auteurs, compositeurs et éditeurs de musique). Cette dernière représente près de 75 000 auteurs, compositeurs et éditeurs, ainsi que quelques centaines de milliers de membres affiliés dans le monde. Contrairement à son équivalent français, la SOCAN ne gère pas le dépôt de droit d'auteur, qui incombe plutôt à l'Office pour la propriété intellectuelle du Canada, l'OPIC.

La SOCAN ne gère donc que les droits d'exécution des œuvres. Les droits de reproduction incombent quant à eux à la SODRAC (Société du droit de reproduction des auteurs, compositeurs et éditeurs au Canada).

Quant aux droits voisins et aux droits d'auteur relevant d'autres disciplines artistiques telles que la sculpture ou la peinture, ils relèvent tous de sociétés de gestion de droits d'auteur dont vous pouvez vous procurer la liste complète auprès de la Commission du droit d'auteur du Canada. Retenez avant tout que tout enregistrement d'une pièce sur disque, DVD, pour un long métrage ou une publicité, ainsi que toute reprise d'un morceau ayant été déposé dans une société d'auteurs ou d'éditeurs, doit être soumis à une autorisation préalable.

En France, lorsque des artistes reprennent des morceaux lors de prestations en direct, ils doivent remplir un formulaire détaillé des chansons qu'ils ont jouées lors de la représentation, et ce dernier est ensuite envoyé à la SACEM, qui se charge du calcul et

---

17. SDRM : société pour l'administration du droit de reproduction mécanique des auteurs, compositeurs et éditeurs.

de la redistribution des droits aux artistes concernés. L'entité organisatrice de l'événement, qu'il s'agisse de propriétaires de salles ou de cabarets, devra alors payer une somme forfaitaire correspondant aux paiements des droits d'auteur relatifs aux œuvres que les artistes auront reprises sur scène. Lorsque ces musiciens sont à la fois auteurs et interprètes des morceaux joués en public, ils toucheront une rétribution relative à l'interprétation de leur propre œuvre par la SACEM en France, ou la SOCAN au Canada.

Dans le cas d'un morceau repris sur disque, celui-ci fera toujours l'objet d'une demande préalable d'autorisation auprès de l'éditeur par l'intermédiaire de la société représentative de ses intérêts. Si cette autorisation est accordée, il y aura une cession de droits préalable et le morceau générera par la suite des droits d'auteur, chaque fois qu'il sera vendu ou joué en dehors de la sphère privée, autrement dit à la radio, lors de diffusions musicales en public ou par le biais de reproductions phonographiques sur CD ou DVD.

Selon les pays, les agences de disques, de cinéma ou de publicité doivent ainsi reverser un pourcentage à l'éditeur de la pièce en question. Il faut cependant tenir compte du fait que l'auteur d'une musique ou d'une chanson n'est pas forcément qu'une seule et même personne, plusieurs intervenants pouvant se diviser des parts de droits d'auteur. Vous ne serez donc pas surpris de voir sur la pochette d'un disque que la musique d'une chanson a été composée par M. Star, et que le texte de la même chanson se divise entre deux ou trois autres personnes. Si cette chanson est traduite, il faudra aussi automatiquement que le traducteur de la chanson reçoive son pourcentage. De nombreux auteurs et compositeurs ne comprennent d'ailleurs pas la logique de cette dernière rétribution, qui est pourtant assez simple. Si votre chanson a été traduite en anglais pour le marché américain, vous venez de conquérir un nouveau territoire et, par conséquent, de générer de nouveaux profits que vous n'auriez jamais eu l'espoir d'obtenir si un traducteur n'était pas intervenu pour adapter votre

morceau pour un nouveau public. Le traducteur, en tant qu'adaptateur, est donc aussi un acteur à part entière du succès de votre morceau à l'étranger.

Les tarifs de rétribution des droits d'auteur varient de manière très complexe en fonction du moyen de reproduction de l'œuvre et de l'usage qu'il en est fait.

À titre d'exemple, la SOCAN applique une ponction de 1,4 % sur les revenus bruts des stations de radio commerciales où le répertoire de la SOCAN est en ondes moins de 20 % du temps de diffusion. Pour un concert de musique populaire, lorsqu'un droit d'entrée est perçu, 3 % des recettes brutes provenant de la vente des billets, excluant les taxes de vente et d'amusement, reviendront à la SOCAN. Et une multitude de rétributions peuvent bien sûr provenir d'autres organismes de protection des droits d'auteur en fonction de l'usage fait des œuvres.

Prenons, par exemple, la chanson de Gilbert Bécaud *Et maintenant,* écrite à l'origine par Pierre Delanoë et qui a été traduite, avec le temps, aux États-Unis sous le titre *What Now My Love.* Cette œuvre a été interprétée de multiples manières autour du globe et totalise aujourd'hui près de 1 400 versions différentes.

On pourrait tout aussi bien donner l'exemple de *Yesterday*, de Paul McCartney, qui a pour sa part été interprétée et enregistrée au-delà de 4 000 fois.

Il est évident que ces deux chansons ont rapporté à leurs auteurs, compositeurs et adaptateurs énormément d'argent. Pour qu'un éditeur joue donc parfaitement son rôle, dans le cas de ces deux chansons universelles comme pour celles, moins connues, qui pourraient attirer le désir de certains artistes, il va devoir être constamment aux aguets pour défendre et sauvegarder les droits d'auteur que cette chanson devrait théoriquement générer.

Il va de soi que l'éditeur n'est pas seul face à l'immensité du marché musical, bien trop vaste pour qu'il puisse réaliser son travail harmonieusement. Il est donc amené à nouer des contacts avec

des éditeurs étrangers et à représenter des artistes de l'extérieur pour le compte de confrères qui lui rendent la pareille sur leurs territoires respectifs. On nomme cette pratique la sous-édition ou encore la coédition. L'éditeur veille, par conséquent, au contrôle des droits des auteurs qu'il représente et plus précisément au règlement de ces droits.

En un mot, il veille à ce que ses auteurs ou les titulaires des droits soient payés pour l'utilisation de leurs œuvres, lesquelles demeurent leur propriété intellectuelle de leur vivant, voire bien longtemps après leur mort. Quand celle-ci survient, ce sont les ayants droit des auteurs, c'est-à-dire leurs enfants, leurs conjoints, leurs plus proches parents ou leurs héritiers désignés, qui jouissent des rétributions financières qui revenaient auparavant aux auteurs.

Ces droits d'auteur posthumes sont valables pour une période variant selon le pays où l'on se trouve. Au Canada, cette période s'étale généralement sur 50 ans après la mort de l'auteur, selon le type d'œuvres qu'il aura produites. Au-delà de cette période, l'œuvre tombe dans le domaine public et ne génère plus aucun droit.

Aux États-Unis, cette période s'étale sur 75 ans et est renouvelable une fois, ce qui permet par exemple à la chanson *White Christmas*, écrite dans les années 1950, de générer encore des droits d'auteur aujourd'hui. On constate cependant très fréquemment que ce règlement des droits d'auteur n'est pas toujours très facile à obtenir, et ce, même du vivant des créateurs.

Pour quelles raisons est-il donc si difficile de faire respecter cette règle élémentaire du droit?

Je n'irais pas jusqu'à dire que la malhonnêteté est monnaie courante dans le milieu artistique, mais parfois, la méconnaissance de certaines structures et de la législation d'un pays engendre quelques oublis volontaires ou non. Des morceaux joués sans l'autorisation préalable de leurs auteurs, aux concerts du dimanche, en passant par la diffusion de musique dans des espaces publics de manière illégale, telles sont les dérives qu'amène ce genre d'oublis. Ce ne sont d'ailleurs que quelques exemples représentatifs du peu de crédit que l'on accorde aujourd'hui encore à cette notion de droits d'auteur.

En France, la SACEM est pourtant particulièrement vigilante aux droits de ses auteurs et les défend avec tous les moyens dont elle dispose, du simple avertissement à la mise en demeure, jusqu'à la poursuite judiciaire. On trouve ainsi une délégation de la SACEM dans chaque région qui veille au respect quotidien des droits de ses membres. Des inspecteurs très discrets chassent même les malversations, que ce soit dans les commerces de proximité qui diffusent de la musique à leur clientèle, ou dans les salles des fêtes qui organisent des bals populaires.

Si l'évasion des droits d'auteur est un phénomène relativement circonscrit sur un territoire donné, la récupération et le faire-valoir de ces droits sur le plan international est encore plus difficile, surtout à l'heure de la mondialisation et de l'échange de fichiers par Internet, un cas particulier sur lequel nous reviendrons plus tard. Comment, en effet, peut-on contrôler une maison de disques peu scrupuleuse à l'autre bout du monde ? Cela ne devrait pas se produire, mais la réalité est tout autre. En théorie, n'importe quelle structure désireuse d'utiliser une chanson ou un thème musical devrait en demander l'autorisation à un organisme de gestion des droits d'auteur, laissant à l'éditeur le choix d'émettre ou non les licences appropriées donnant la permission à cette structure d'utiliser les œuvres demandées. Mais dans les faits, beaucoup de reprises sortent chaque année sans aucune autorisation, et donc sans aucun contrôle.

Pour résumer mon propos, il est donc primordial de protéger vos œuvres par le biais d'un éditeur ou, au moins, d'enregistrer vos textes et vos compositions auprès d'organismes reconnus de droits d'auteur. La SACEM, par exemple, est une organisation irréprochable, mais pour pouvoir y entrer, il faut que vous ayez déjà réalisé un petit parcours professionnel reconnu.

 Fabrication d'une star

Dans l'attente, vous pouvez à moindres frais vous inscrire, en France, dans des organismes comme le SNAC[18], qui peut protéger pendant quatre ans quatre morceaux complets ou une dizaine de textes pour 60 € (90 $). Si vous ne possédez pas une telle somme, vous pouvez également envoyer à votre adresse, sous pli recommandé et cacheté, une copie des textes et de la musique d'un morceau que vous avez écrits. En conservant cet envoi en l'état, sans l'ouvrir, vous pourrez ainsi prouver la paternité de vos œuvres si un litige quelconque survient à leur sujet.

Un peu d'histoire...

Comme bien d'autres domaines influencés par les avancées technologiques, l'évolution de l'enregistrement sonore a été jalonnée de progrès retentissants qui ont marqué à jamais l'histoire de la musique et les liens que le grand public pouvait cultiver à son endroit. Je crois même que l'évolution technique de l'enregistrement sonore et musical est l'un des facteurs les plus déterminants de l'attachement grandissant du public pour la musique populaire.

Tout a pourtant commencé de manière fort simple à la fin du XIXe siècle lorsque plusieurs scientifiques ont déposé, aux États-Unis et en Europe, des brevets relatifs à de nouvelles inventions qui permettaient de reproduire artificiellement le son de la voix.

Si le grand public d'ailleurs a retenu le nom de Thomas Edison comme père du phonographe, et celui de Graham Bell comme pionnier du téléphone, l'Histoire en a retenu plusieurs autres, auxquels l'on pourrait sans conteste attribuer une bonne part de la paternité de ces deux inventions. Citons notamment l'Italien Antonio Meucci et le Français Charles Cros, auxquels on attribue aujourd'hui la primauté scientifique de ces deux découvertes majeures. Malheureusement, ni eux ni leurs descendants n'ont bénéficié de ces trouvailles, car le dépôt des brevets n'a été officiellement réalisé que par les deux illustres personnes citées plus

---

18. SNAC : Syndicat national des auteurs et compositeurs.

haut. Mais oublions ces querelles de laborantins pour nous concentrer sur l'invention du phonographe en 1878.

Cette dernière a définitivement modifié l'histoire de la musique puisque, pour la première fois, on allait pouvoir fixer du son sur un support pouvant être reproduit à l'infini, conservé pendant de très longues années… et surtout vendu au public.

Le premier phonographe était évidemment une machine très rudimentaire qui gravait sur une feuille d'étain, enroulée sur un cylindre, le résultat des vibrations émises par la voix que son utilisateur dirigeait vers un pavillon conique. La durée de l'enregistrement caverneux qui en résultat ne devait pas excéder alors les 30 secondes.

Cette technique s'est cependant très vite affinée et de multiples améliorations ont été apportées à l'invention d'Edison. En 1899, on a notamment assisté à l'apparition des premiers disques 78 tours produits par la célèbre Berliner Grammophon, une compagnie mythique. Ces disques ont tout de suite eu un grand succès commercial et ouvert la porte aux prémices de l'industrie musicale. Le disque est d'ailleurs resté populaire très longtemps grâce à un grand nombre d'innovations : changements de dimension, transformation du verre en zinc, puis en caoutchouc, introduction d'un nouveau procédé technique et invention du microsillon de 33 tours, en 1948.

Parallèlement à l'évolution du disque, tout le domaine de l'enregistrement sonore a sans cesse été révolutionné par l'incessante amélioration et la diversification technique de ses outils. On ne cessait de vouloir tout enregistrer, les musiciens, les orchestres, les voix des orateurs. Même les militaires allaient très vite trouver des applications à ces avancées scientifiques. Plusieurs compagnies se sont ainsi spécialisées dans la fabrication des microphones, tandis que d'autres ont inventé la bande magnétique et toutes les machines utiles à l'enregistrement du son, comme le magnétophone à bandes, les tables d'enregistrement multipistes, ainsi que la fameuse Compact Cassette de la société Philips, en 1964.

Cette dernière, facile à utiliser et beaucoup moins fragile que l'ancestral disque 78 tours, a bouleversé le marché de l'enregistrement de la musique tout en y apportant une nouvelle donne de taille. En effet, cette cassette pouvait être effacée et réenregistrée à volonté par ses utilisateurs, pour peu que ceux-ci possèdent un appareil enregistreur leur permettant de le faire. Ces derniers ne se sont d'ailleurs démocratisés que quelques années après la commercialisation de ladite cassette, mais nous venions de franchir un tournant dans l'histoire de la musique. Car si les disques 33 tours avaient toujours des adeptes partout dans le monde, la polyvalence infinie de la cassette allait bientôt l'imposer comme l'outil même de la liberté musicale et de la duplication illégale des œuvres. Il était à présent devenu très facile de reproduire sur une cassette vierge l'enregistrement d'un album qui venait de sortir en magasin, puis de la revendre à des prix défiant toute concurrence. Le phénomène inquiétait déjà l'industrie, mais restait tout de même assez secondaire, ce qui ne remettait pas encore en cause le plus grand pan de l'économie du spectacle.

Ce n'est que trois décennies plus tard que tout allait vraiment se compliquer. Le souci de l'industrie de l'enregistrement sonore aura en effet toujours été d'améliorer la qualité de l'enregistrement musical, tout en garantissant au support une durée de vie raisonnable, ainsi qu'une facilité d'utilisation. La cassette semblait donc inébranlable jusqu'au début des années 1980, mais le successeur du bon vieux 33 tours a alors vu le jour : le Compact Disc était né.

Fruit de longues années de recherches scientifiques diligentées encore une fois par la société Philips et appuyées par la non moins célèbre marque japonaise Sony, le Compact Disc s'est imposé en l'espace de quelques années comme le standard mondial du support musical de haute qualité.

Petit, avec un diamètre de seulement 12 cm, il réunissait tous les atouts nécessaires pour s'imposer comme le format musical du XXIe siècle, doté d'une lecture laser d'informations numériques et, surtout, d'une qualité d'écoute extraordinaire.

En effet, pour la première fois, le particulier allait obtenir, chez lui, une qualité sonore digne des plus prestigieux studios professionnels. Le Compact Disc a d'ailleurs fait les choux gras de l'industrie musicale, malgré un lancement à prix prohibitifs en Europe, où à l'époque il fallait débourser environ 25 € pour acheter le moindre album sous ce format. Pourtant, le disque compact s'est vendu à des millions, si ce n'est à des milliards d'exemplaires dans le monde, reléguant la cassette, malgré la polyvalence et le format de cette dernière, à l'âge de pierre de l'enregistrement sonore. Il est inutile de préciser que cette invention a généré des profits énormes pour les grosses maisons de disques, les éditeurs et les vedettes du *show-business*.

Mais ce dont tous ces acteurs du milieu ne se doutaient pas encore, c'est que la révolution numérique qui avait trouvé un symbole de poids grâce au CD n'allait pas s'arrêter en si bon chemin et allait, bientôt, menacer les produits de cette sublime corne d'abondance.

Les progrès de l'informatique à l'intention du particulier avaient en effet, au même moment, aussi fait un énorme bond en avant, décuplant les capacités des ordinateurs personnels et démocratisant des périphériques qui allaient, indirectement, sonner le glas de l'incessante croissance des ventes de disques.

C'est ainsi qu'est apparu, au début des années 1990, le CD-R ou Compact Disc Recordable[19] espéré depuis longtemps par le grand public et qui permettait d'enregistrer soi-même ses propres CD, grâce à un graveur facile à installer sur son ordinateur personnel.

Or, si les prix de ces graveurs étaient excessifs au tout début de leur mise en marché, ces derniers ont très vite chuté pour devenir très abordables aujourd'hui. Quant aux disques CD-R vierges permettant d'enregistrer et de copier des CD, ils étaient aussi à la portée de toutes les bourses, ce qui leur a garanti un immense succès planétaire. Le CD-R n'avait en fait qu'un seul défaut, celui

---

19. Compact Disc Recordable : en français, disque compact enregistrable.

de ne pouvoir être utilisé qu'une seule fois. Quelques mois après la sortie du CD-R est donc apparu le CD-R Rewritable — ou réinscriptible, en français —, qui allait pallier les défauts de son prédécesseur en permettant de dupliquer de la musique sans aucune restriction. C'est à ce moment précis que toute l'industrie a réellement commencé à s'inquiéter pour son avenir, d'autant plus qu'une autre révolution était en marche depuis déjà une petite dizaine d'années. Il s'agissait de celle du particulier s'adonnant sans vergogne à l'échange de fichiers musicaux sur Internet.

C'est pour cette raison que je reste convaincu que l'évolution technique de l'enregistrement et la diversification de ses supports est la clé de la déroute juridique et inévitable à laquelle nous sommes confrontés aujourd'hui.

Je télécharge, tu télécharges, nous piratons...

Un grand débat secoue depuis maintenant 10 ans l'industrie du disque au sujet de la copie illégale de CD, mais aussi de l'échange *peer to peer*[20] de fichiers musicaux par le biais de la toile, autrement dit du Web.

Ce procédé permet à des internautes de mettre à la disposition de leurs semblables des fichiers informatiques contenant plusieurs médiums, soit de la musique — les fameux fichiers MP3 —, de l'image ou encore de la vidéo. Et si l'industrie du disque a toléré un temps la copie d'albums sur cassettes que les lycéens s'échangeaient dans les cours d'école, il n'allait certainement pas en être de même par cet échange illégal de musique sur Internet qui prend des proportions de plus en plus écrasantes. Car le *peer to peer* a la capacité d'être très efficace et se moque totalement des frontières, notamment celles d'ordre juridique.

Car, si les éditeurs avaient déjà du mal à récupérer leurs droits à l'époque du disque vinyle, imaginez un instant le problème totalement insoluble auquel ils font face à présent. L'industrie a

---

20. *Peer to peer*: en français, poste à poste.

donc rapidement tenté de faire interdire ce procédé en attaquant le fameux site américain Napster, qui était devenu le symbole de cette nouvelle liberté.

En quelques clics de souris, ce site vous permettait en effet de télécharger sur votre ordinateur personnel des milliers de morceaux de musique. Les cinq compagnies qui avaient attaqué ce célèbre portail de piratage en ligne, à savoir BMG, Warner, Sony, EMI et Universal, ont obtenu gain de cause avec un jugement condamnant, en 2000, Napster à fermer ses portes et à revoir sa façon de procéder. Mais si Napster a bel et bien cessé ses activités, d'autres sites du même ordre ont parallèlement vu le jour, dont les fameux Kazaa et eMule.

Aujourd'hui, le problème n'a guère évolué, même si l'on commence à entrevoir des solutions. La première consiste en la récupération de ce procédé par les grandes maisons de disques qui mettent elles-mêmes en ligne, moyennant un paiement modeste, des morceaux de leur catalogue à destination des internautes. ITunes est cependant le seul site à avoir remporté un succès significatif grâce à ce procédé, car de nombreux sites pirates et des logiciels gratuits permettent encore l'échange de fichiers illégaux comme au temps de Napster.

La deuxième solution réside dans la poursuite systématique des contrevenants, des plus petits aux plus gros. En France, le procès d'un particulier qui avait échangé des milliers de fichiers sur Internet a abouti à la condamnation de son auteur pour « mise à disposition illégale de fichiers protégés par copyright ». Sa sentence s'est soldée par une grosse amende, agrémentée d'une condamnation de prison avec sursis ouvrant la voie à une jurisprudence inédite en Europe.

Par ailleurs, les compagnies de disques françaises comme québécoises ont lancé une campagne qui vise à sensibiliser l'opinion publique au piratage et exercent d'énormes pressions pour que les fournisseurs d'accès Internet divulguent les noms des plus gros fraudeurs.

  Fabrication d'une star

C'est ici que se posent les limites de ce problème, puisque si les fournisseurs acquiescent à la demande des maisons de disques, un pan entier de la vie privée de l'utilisateur du service Internet risque d'être attaqué.

Pourtant, on ne peut ignorer que la piraterie Internet cause des ravages dans l'industrie du disque et donc, en dernière ligne, à ses artisans de la première heure, les artistes eux-mêmes.

Il faut cependant dire que la situation est menaçante. Pour la seule année 2003, le SNEP, le Syndicat national de l'édition phonographique, a en effet annoncé des baisses de vente de disques atteignant les 9 %, passant de 78 à 73 millions de disques vendus en France. Cette baisse a directement été attribuée à l'échange de fichiers sur le Web, ainsi qu'à la copie illégale de CD par le biais des graveurs. Pour faire face à cette dernière, la France a donc adopté une loi instaurant une taxe sur les CD vierges, que l'on appelle la taxe sur la copie privée. Son but est de renflouer les caisses des maisons de disques en intégrant les particuliers au processus de rémunération.

Je pense cependant qu'une grosse hypocrisie sous-tend toutes ces dispositions. On donne en effet des coups de bâton au consommateur, tout en lui offrant la capacité technique de copier ou d'échanger des fichiers sur Internet. Phénomène encore plus sournois, les grosses multinationales comme Sony, pour ne citer qu'elle, sont les premières à vouloir lutter contre le piratage, tout en continuant à mettre en vente de nouvelles machines permettant de le faire perdurer, comme des graveurs de disques de salon et des baladeurs MP3.

Comme le disait si justement Thomas Edison lorsqu'on l'accusait, en 1889, d'avoir volé le concept du phonographe : « Il est très aisé d'inventer des choses étonnantes, mais la difficulté consiste à les perfectionner pour leur donner une valeur commerciale. Ce sont celles-là dont je m'occupe. » Un principe que les multinationales du disque ont parfaitement entériné.

Les maisons de disques

Puisque le marché du disque a énormément évolué, notamment à cause de la crise engendrée par le partage des fichiers sur Internet, les maisons de disques sont désormais souvent obligées de suivre une nouvelle règle de fonctionnement, qui privilégie les nouveaux artistes. Les modes changent en effet très vite et de nombreux jeunes arrivent sur le marché chaque année. Tout comme le producteur ou le gérant, la maison de disques devra donc miser gros sur un ou plusieurs artistes inconnus sans savoir si le succès de ces poulains sera assuré.

La voie de la reconnaissance : réaliser un album

Approcher une maison de disques constitue souvent le premier contact à assurer pour votre future carrière discographique. Vous découvrirez d'ailleurs très vite que la maison de disques constitue un monde très particulier, régi par une loi ancestrale et incontournable : la prise de risques financiers. En effet, si les gérants et les producteurs doivent constamment *flirter* avec le facteur chance pour parvenir à leurs fins, les maisons de disques ne dérogeront pas à cette règle, bien au contraire.

Ces entreprises doivent investir énormément d'argent sur les artistes qu'elles ont choisi de représenter, et ce, dans le domaine de la production ou de la promotion. Elles doivent tout d'abord disposer de très bons contacts dans l'ensemble des médias qui touchent leur clientèle cible, de la presse spécialisée à la radio en passant par la télévision et les sites électroniques dédiés au domaine du spectacle. C'est pour cette raison que les grosses maisons de disques disposent toujours de vastes services de communication, à la pointe de la technologie, et dont les compétences sont sans cesse au service de la vente de leurs artistes phares.

Les agents promotionnels et attachés de presse y jouent d'ailleurs un rôle majeur, car ce sont les véritables représentants de la vente d'artistes de masse. En plus des médias spécialisés,

les maisons de disques entretiennent toujours de très bonnes relations avec le monde du spectacle, au sens le plus large du terme, c'est-à-dire avec les associations d'artistes, les syndicats et les institutions publiques, toutes hiérarchies confondues.

Les maisons de disques ont à peu près toutes le même but, faire connaître de nouveaux artistes au public par le biais de la vente de supports divers : CD, DVD et, désormais, le fameux fichier numérique en ligne. Mais ces compagnies ne travaillent pas toutes de la même manière et n'ont pas toutes la même philosophie, notamment en ce qui concerne l'organisation interne de l'entreprise. Ainsi, même si théoriquement toute compagnie est d'abord vouée à engendrer des bénéfices, deux écoles, diamétralement opposées, se font face dans le domaine discographique.

Commençons par celles qui défraient la chronique depuis maintenant 30 ans, à savoir les fameuses *majors* ou grandes compagnies internationales de disques. Il s'agit des célèbres maisons Sony, Universal, Polygram, Warner et consorts, toutes aussi puissantes et médiatisées les unes que les autres. Ces multinationales ont acquis leur statut enviable au bout de plusieurs dizaines d'années de luttes incessantes et de rachats constants de petites compagnies locales, lesquelles ont depuis presque toutes disparu de la circulation. Ces énormes entreprises disposent d'une maison mère et de nombreuses étiquettes satellites, éparpillées aux quatre coins du globe. C'est le cas, par exemple, de la maison Sony, également propriétaire de la société Virgin, qui est déjà elle-même une énorme compagnie de disques générant des rentrées d'argent substantielles.

La politique de ces grosses entreprises est souvent conçue en terme d'investissements dans tels ou tels domaines particuliers de la musique, comme la pop, le rock, le jazz ou le rap.

Pour bien comprendre leur position prédominante actuelle, il faut se remémorer qu'à l'origine ces sociétés ont été créées, il y a une cinquantaine d'années, à la suite des découvertes techniques qui ont permis la reproduction de masse de la musique. Leur expertise avérée du marché, ainsi que la mondialisation de l'économie, ont fortement contribué au succès qu'elles connaissent aujourd'hui, car elles disposent, grâce à cette ancienneté et à leur appétit, de nouveaux talents, de catalogues extrêmement larges qui leur assurent des revenus fixes, proportionnels à la notoriété des artistes qu'elles représentent.

Par exemple, les maisons de disques qui sont propriétaires des droits de reproduction d'Elvis, des Beatles ou de Jimi Hendrix disposent chaque année d'une manne financière quasi inépuisable. Celles-ci ne se contentent cependant pas de rééditer les albums de ces locomotives du *show-business*. Elles multiplient aussi les compilations, rééditions, inédits et autres *remasterings* de grands classiques du disque qui remportent un énorme succès auprès des *fans* de ces monstres sacrés, tout en mettant chaque année au monde de nouveaux artistes qui deviendront eux aussi, peut-être, à leur tour des classiques. Des artistes demeurent ainsi au sommet des palmarès des ventes des années après leur disparition ou leur séparation.

Dans le cas de Jimi Hendrix, celui-ci n'a enregistré que trois véritables albums de son vivant, mais a vendu près d'une centaine d'albums différents après sa mort, et ce, à des millions d'exemplaires dans le monde ! Dans le jargon des maisons de disques, on appelle ce phénomène, incroyablement rentable pour ses instigateurs, le *repackaging* d'un artiste, autrement dit le remodelage de l'image et de l'œuvre d'un artiste pour mieux le vendre auprès du public et ainsi générer des revenus financiers subséquents[21].

Pour ce qui est des artistes bien vivants, les grosses compagnies les choisissent directement en fonction de leur potentiel de

---

21. «Dans un contrat classique, les producteurs phonographiques financent les enregistrements, la promotion et la distribution. En contrepartie, leurs droits sont protégés pendant 50 ans après le premier enregistrement de l'œuvre, tout comme ceux des interprètes. Toute opération de réédition (compilations, coffrets...) ne peut donc se faire sans l'accord à la fois de la société éditrice et des artistes.» *Le Monde*, version électronique du 26 février 2005. <www.lemonde.fr>

succès, et n'hésitent pas à s'en défaire tout aussi rapidement si celui-ci n'est pas au rendez-vous. Elles ont effectivement une responsabilité très lourde en ce qui concerne le choix et l'émergence de nouveaux talents sur le marché.

Bill Rotary, qui était à l'époque directeur de Sony pour le Québec, a par exemple pris Céline Dion sous son aile, principalement parce qu'il croyait en elle et en Eddie Marnay. Mais il avait déjà un atout dans son jeu.

En effet, Eddie Marnay figure, au même titre que Pierre Delanoë, parmi les plus grands paroliers que la chanson francophone ait connus. En quelque 50 années de carrière, Marnay a écrit près de 4 000 chansons, interprétées par des artistes aussi célèbres que Bourvil, Yves Montand, Édith Piaf et Mireille Mathieu. Mieux que quiconque, il a sû transcender les époques, les interprètes et les genres musicaux. Sa rencontre avec Céline a abouti à l'écriture de plusieurs chansons, telles que *D'amour ou d'amitié* (1982), *Tellement j'ai d'amour pour toi* (1982), *ou Mon ami m'a quittée* (1983), chansons qui ont donné beaucoup de prestige à la chanteuse à ses débuts.

Grâce à sa confiance en Eddie Marnay, Bill Rotary a donc été l'un des principaux acteurs de l'impulsion de Céline Dion vers les sommets des ventes d'albums, traçant le chemin pour la maison mère de Sony qui allait, par la suite, transformer cette artiste populaire en vedette internationale.

Ce phénomène s'est reproduit pour de nombreux artistes actuels de la francophonie qui disposaient d'un directeur artistique déterminé et d'une très bonne équipe autour d'eux capable de défendre le produit qu'ils avaient à vendre. Pour atteindre cet objectif, il a évidemment fallu qu'une chimie s'installe entre l'artiste, son gérant et la maison de disques qui leur était associée.

Cette dernière condition est d'ailleurs très importante pour générer du succès. Aujourd'hui, aucune grande maison de disques digne de ce nom ne s'occupera d'un artiste sans gérant. La première question qui sera notamment posée à l'artiste voulant

se rapprocher d'une maison de disques sera la suivante : « Disposez-vous d'un gérant qui travaille avec vous ? ». Si la réponse est « Oui », l'imprésario en question devra très vite prouver sa crédibilité pour être pris au sérieux par la maison de disques et entamer une collaboration durable avec elle.

Une fois le premier contact établi avec une maison de disques, et le rendez-vous obtenu, vient l'étape de l'approche et de la séduction. Celle-ci est très délicate pour un jeune artiste qui devra montrer patte blanche pour se faire accepter par le label en question. À ce stade du recrutement d'un artiste, les maisons de disques s'assurent généralement que le ou la nouvelle venue ait de très belles prestations scéniques à son actif, d'une part, et qu'une campagne de promotion majeure vienne le soutenir, d'autre part.

Elles s'assurent aussi que son comportement personnel et son attitude soient toujours positifs. On comprend aisément qu'une maison de disques ayant pignon sur rue ne va pas dépenser des dizaines de milliers de dollars ou d'euros pour un artiste si celui-ci refuse, après la production de son disque, de se plier, par paresse ou par manque de respect, à l'inévitable campagne de promotion qui suit le lancement de son nouvel album.

Si un cas comme celui-ci se présente, ce n'est pas seulement l'artiste, mais toute une équipe à son service qui peut en effet en pâtir. Quant à l'idée saugrenue de sortir un disque sans en faire la promotion, notez bien que même pour les artistes les plus doués de leur génération, cela est tout simplement impossible !

Mais revenons aux caractéristiques propres aux maisons de disques. Les plus grandes d'entre elles — les *majors* — disposent d'énormes moyens financiers qui attirent bien sûr beaucoup de jeunes artistes rêvant de gloire, d'argent et de reconnaissance.

Il existe aussi de nombreuses compagnies indépendantes, de petite ou de moyenne dimension, qui travaillent très sérieusement et pourront amener un artiste vers le succès. On se rappelle par exemple des maisons françaises Barclay et Carrère qui étaient très efficaces avant d'être rachetées par de grosses compagnies.

Le génie du regretté Eddie Barclay a notamment permis l'éclosion de nombreux artistes de la chanson francophone, comme Dalida, Johnny Hallyday ou encore Eddy Mitchell. Barclay était, cependant, un ancien musicien et un artiste dans l'âme, ce qui lui a sans doute permis de discerner plus facilement, parmi la masse des aspirants vedettes de la musique, les véritables nouveaux talents, et ce, quels que soient l'époque et le style.

Aux pontes de la variété française qu'il a découverts, se sont aussi ajoutés de nouveaux venus du rock, tels que le célèbre groupe Noir Désir. Ce choix s'est révélé fructueux puisque, avant le malheureux épisode de la mort de Marie Trintignant en août 2003, le groupe mené par le très charismatique Bertrand Cantat figurait parmi les plus gros vendeurs de disques en France. Preuve que les *majors* ne sont pas les seules à se tailler de grosses parts de marché dans l'industrie musicale.

Il ne faut donc ni craindre ni minimiser l'importance de ces petites maisons de disques — en se renseignant au préalable, évidemment, sur leur réputation —, car elles peuvent se révéler des entités dynamiques et très structurées qui pourront vous amener à vous faire connaître.

Malgré tout, bien que ces maisons ne soient pas aussi tentaculaires que les *majors*, il n'est pas toujours évident de se faire accepter et de signer un contrat avec ce type d'entreprises. Vous, votre gérant et votre équipe devrez donc, comme pour les *majors*, entamer de nombreuses démarches et des présentations successives pour pouvoir intéresser ces structures qui misent beaucoup sur l'image et la personnalité des artistes avant de leur faire confiance.

Le mécanisme de production des maisons de disques est souvent le même dans la pratique, qu'elles soient des *majors* ou des maisons indépendantes.

Par exemple, la maison de disques A&R, autrement dit *Artistes et Répertoires*, va tout d'abord commencer par engager un réalisateur de disques choisi en concertation avec le gérant et l'artiste.

Si ce dernier n'écrit pas lui-même de chansons, la maison va lui adjoindre un ou plusieurs auteurs et compositeurs. La compagnie de disques veillera ensuite à la conception de la pochette de l'album avec un graphiste, puis au lancement proprement dit de l'œuvre sur le marché. Enfin, le distributeur devra motiver les vendeurs des magasins de disques éparpillés sur un territoire donné, de manière à assurer à ce disque une parfaite visibilité.

Comme vous le constatez, nous nous trouvons loin des étiquettes de disques personnelles ou « artisanales » que nous connaissions encore dans les années 1960. À cette époque, j'avais moi-même créé mon label, dont le but était de lancer sur le marché de nouveaux artistes de la chanson populaire. Mais je dois avouer que si j'avais fait ce choix à cette époque, c'était essentiellement parce que je n'avais pas d'autre solution pour réussir à atteindre mes objectifs.

À l'inverse, aujourd'hui, disposer de sa propre maison de disques demande un énorme investissement financier. Quant à s'adjoindre les services d'une équipe compétente, cette hypothèse relève souvent de la gageure, et ce même lorsqu'on dispose d'une bonne notoriété. Ainsi, à moins d'être une personnalité très célèbre comme Peter Gabriel, je déconseillerais vivement à des artistes de se lancer dans une telle aventure car, généralement, cela n'engendre pas de très bons résultats, notamment parce que l'énergie exigée par ce travail surpasse de loin celle qu'il faut déjà fournir pour vivre de son art.

À ce sujet, même les Beatles, qui avaient décidé de créer leur propre label, Apple, dans les années 1970, ont connu une vraie déconfiture qui les a conduits à la faillite, et cette banqueroute leur a coûté des millions de livres sterling ! J'attribue d'ailleurs principalement leur échec au fait qu'ils étaient avant tout des artistes et non pas des hommes d'affaires.

L'actualité récente nous prouve cependant que de grands artistes continuent à se distancier des méthodes et de la politique des grosses maisons de disques qui ne défendent pas toujours

leurs intérêts avec l'attention qu'ils seraient en droit d'attendre d'elles, et cela malgré les énormes profits qu'elles génèrent grâce à eux. On a ainsi appris, en janvier 2004, que Johnny Hallyday souhaitait se défaire de la compagnie Universal Music, filiale du groupe Vivendi, tout en demandant «la restitution (de ses) "masters[22]" et 50 millions d'euros de dommages et intérêts pour avoir été contraint à un système "dégradant" de prêts et d'avances sur royalties[23]». Le cas d'Hallyday n'est pas isolé. MC Solaar et Michel Sardou ayant eux aussi quitté leurs maisons de disques pour revenir à des labels plus «humains» quelque temps avant cette icône légendaire du rock français. D'autres artistes se sont également destinés à l'autoproduction de leurs disques, comme ce fut très récemment le cas du chanteur français Michel Jonasz.

Grandes compagnies ou labels indépendants, il ne vous restera finalement qu'à faire un choix qui vous ressemble et vous mette en confiance pour la suite de votre cheminement professionnel… en n'oubliant pas que votre force de conviction, ainsi que celle de votre gérant, constitueront un atout essentiel pour persuader les maisons de disques de vous engager.

RealWorld, un label indépendant et dynamique

Les passionnés de musique du monde ont depuis quelques années un label qui leur ressemble grâce à Realworld, une petite maison de disques indépendante qui a vu le jour en 1989 et n'a depuis cessé de prendre de l'ampleur. Il a cependant fallu beaucoup d'audace à ses créateurs pour s'aventurer dans une voie que la dance, la pop, le rock et la balbutiante techno pouvaient très aisément étouffer.

En fait, personne auparavant ne s'était jamais lancé dans cette avenue musicale, par peur de l'échec sans doute, mais aussi parce que le grand public ne semblait pas, à quelques exceptions près bien sûr — Johnny Savuka en est un bon exemple —, s'intéresser à ce genre de répertoire…

---

22. Masters : bandes originales de l'enregistrement d'un morceau de musique
23. *Le Monde*, version électronique du 26 février 2005. <www.lemonde.fr>.

Ou peut-être parce qu'il fallait tout simplement se déplacer pour trouver des artistes internationaux dont le calibre et l'originalité seraient suffisants, ce dont doutaient beaucoup de maisons.

Une hésitation que n'ont fort heureusement pas eue les fondateurs de cette compagnie indépendante, à savoir l'organisation WOMAD, dédiée à la mise sur pied de festivals de musiques du monde et, chose plus étonnante à première vue, l'un des anciens membres du groupe culte Genesis, Peter Gabriel. Non que celui-ci n'ait pas habitué son public à la surprise. Dès le début de sa carrière solo, en 1975, dans ses premiers opus personnels, il avait en effet déjà délaissé le style pop pour une musique plus cérébrale, sombre et électronique. Il n'a cependant réussi à reconquérir son statut de vedette que lors de la sortie de l'album *So*, en 1986. Fort de cette confiance publique, il a alors fait évoluer ses compositions vers une musique de métissage, intégrant de nouvelles influences venues des confins des terres africaines et qu'il a adaptées avec brio pour la bande originale du film *La Dernière Tentation du Christ*, de Martin Scorsese. À l'écoute de ces chants et mélodies inconnus, qu'il a d'ailleurs réunis au sein de l'album *Passion Sources* (1989), Peter Gabriel est littéralement tombé amoureux de la musique du monde. Malheureusement, il faisait encore partie des rares personnes qui avaient la chance de pouvoir découvrir ce type d'artistes,

dont la visibilité se restreignait généralement à certains festivals particuliers, voire aux villages dans lesquels ils habitaient. « Il me semblait que j'avais une responsabilité, la responsabilité de quelqu'un qui disposait de tous les moyens nécessaires à sa promotion, alors qu'eux n'avaient rien pour faire connaître leur art. Je me devais donc de les aider à être popularisés », a-t-il confié au magazine *The Beat* en 1990.

Il a donc approché WOMAD et défini avec eux ce qui deviendrait, au mois de juin 1989, la première maison de disques consacrée aux musiques du monde, RealWorld. « Nous avions tous cette soif spirituelle de musique, une soif qui transcendait largement les frontières des festivals que nous organisions, a dit Thomas Brooman, le directeur artistique de WOMAD. La musique, c'est un moment, une atmosphère, une matière invisible qui nous transporte. Et nos artistes de RealWorld ont tous en eux cette parcelle d'invisible, d'indicible. »

La petite entreprise a ainsi commencé son enthousiaste recherche de nouveaux talents et sorti ses cinq premiers albums dans la foulée. « Oh, nous n'avons que des ambitions limitées, avait alors avoué Peter Gabriel au journaliste de *City Limits*. Nous souhaitons commencer lentement et peut-être vendre 2 000 disques de chaque artiste la première année. » « Mon but est avant tout d'aider ces artistes à trouver leur propre voie, leur propre force, leur propre public, et ainsi leur propre assise financière,

Fabrication d'une star

a-t-il rajouté par la suite dans *The Beat*. Cela leur permettra de s'assurer l'indépendance à laquelle ils ont droit. »

Une initiative très généreuse, admettons-le, mais qui a aussi très rapidement porté ses fruits puisque le disque *Passion*, dont les ventes ont été encouragées par la popularité du film de Scorsese et un Grammy remporté en 1990, ainsi que celui de *Shahen-Shah*, le premier opus de celui qui a eu l'idée de mélanger ses influences soufies à des rythmes actuels, le grand Nusrat Fateh Ali Khan, ont été de grands succès. Il n'en fallait pas plus pour cimenter la confiance de l'équipe de RealWorld, une confiance qui n'a depuis jamais failli, car cette dernière a poursuivi son parcours en gardant les mêmes objectifs qu'à ses débuts : aider les artistes talentueux du monde entier à accéder aux meilleurs équipements techniques et à se faire connaître au-delà de leurs frontières territoriales.

Le label a également développé un genre que copient aujourd'hui, avec souvent moins de succès, toutes les autres maisons, y compris les *majors*. Il s'agit du métissage musical, un métissage rendu possible grâce à l'invitation que RealWorld a osé lancer à des artistes du monde entier pour que ces derniers viennent la rejoindre dans ses studios, se rencontrent, puis jouent ensemble.

Cette manifestation particulière, intitulée *Semaine d'enregistrement*, a débuté en 1991 avec le rassemblement de plus de 75 artistes et producteurs venus d'un peu partout. Et elle s'est achevée avec l'enregistrement, non seulement de plusieurs albums solo, mais aussi de bases créatives qui ont présagé ce vers quoi beaucoup d'artistes tendraient par la suite : la performance. Une performance qui a réuni des musiciens et des interprètes qui ne parlaient pas la même langue, mais partageaient une même passion pour la musique, ce qui a donné naissance à de nombreux albums mémorables.

Certains artistes se sont d'ailleurs tellement alimentés à ces nouvelles et si intéressantes avenues musicales qu'ils en ont créé un style, comme le prouve par exemple l'un des groupes phares de la maison de disques, l'Afro Celt Sound System, qui mélange les influences africaines, celtes, mais aussi asiatiques et américaines dans ses compositions.

La maison RealWorld a donc réussi son pari. Elle est à présent distribuée dans tous les magasins de musique, reconnue pour la qualité de ses artistes et de ses enregistrements, et suivie par des millions de personnes sur la planète.

Elle n'a pas cédé aux pressions commerciales exercées par la plupart de ses concurrentes et continue à faire découvrir à ses fidèles des artistes qui n'auraient peut-être jamais enregistré d'albums, comme les fabuleux Blind Boys of Alabama, un ensemble de chanteurs noirs aveugles qui se produisait *a capella* sur scène depuis les années 1930 !

RealWorld représente aussi Martyn Bennett, l'un des pionniers de la musique celtique moderne ; Daby Touré, un artiste africain qui remplit à présent très facilement les salles de spectacles européennes et canadiennes ; ou encore Tana Tani, dont l'album a été encensé par la critique. Ceci sans compter les genres musicaux dont ce label a été à l'origine, comme la Qawwali music, dont Nusrat Fateh Ali Khan est le créateur.

Nous n'avons donc pas de questions à nous poser lorsque nous remarquons, sur un album, le petit arc-en-ciel qui caractérise cette maison multiculturelle. Il s'agira évidemment de bonne musique, d'une musique qui aura à la fois été respectée et guidée pour donner le meilleur d'elle-même. De quoi satisfaire les mélomanes comme les curieux, nous en sommes convaincus !

Les techniciens du succès

Réalisateurs de disques, artisans de la scène et réalisateurs d'images

Ce sont bien souvent et malgré eux les parents pauvres du *show-business*, puisqu'ils sont réduits, dans la plupart des cas, au silence, voire à l'anonymat. Les techniciens, réalisateurs, musiciens accompagnateurs et divers autres professionnels des coulisses n'en demeurent pas moins des acteurs clés d'un milieu dédié au mythe de l'image et à la notoriété publique des artistes. Leur présence est indispensable à la bonne tenue d'un spectacle, au montage d'une scène en plein air à l'occasion d'un gros festival, ou encore à l'enregistrement du dernier disque de votre artiste préféré. Mais on l'ignore souvent. Le public ne regardera effectivement que la pointe de l'iceberg en ne retenant des techniciens du spectacle que l'image caricaturale du *roadie*[24] amateur de bière, tatoué de la tête aux pieds, bref d'un personnage tout juste bon à porter des amplis sur une scène ou à accorder une guitare.

---

24. *Roadie* : de l'anglais *On the road* (sur la route) : technicien spécialisé dans un domaine précis, tel que le montage et le démontage des lumières ou du matériel de son lors d'une tournée d'un ou de plusieurs artistes.

  Fabrication d'une star

Ou, on ne se souviendra de ces intermittents du spectacle[25] que lorsque ceux-ci, excédés par leur situation socio-économique déplorable, interviendront par surprise sur un plateau de télévision pour sensibiliser l'opinion publique à la fragilité de leur statut professionnel.

Ce dernier est d'ailleurs l'un des plus instables qui soient. En effet, il n'y a guère de domaine d'activité où les lendemains peuvent être aussi incertains que celui des techniciens du spectacle. Les contrats épisodiques répétés de façon aléatoire et suivis de périodes de chômage plus ou moins longues sont le lot de nombreux travailleurs de la scène. À cette instabilité professionnelle chronique s'ajoute une reconnaissance sociale quasi inexistante, quel que soit le pays où l'on se trouve. Pourtant, en se penchant sur l'exemple de la France, l'organisation et les statuts légaux des professionnels de ce pays font figure d'exception mondiale dans le domaine. Effectivement, à la fin de la Seconde Guerre mondiale, la France s'est dotée — sous l'égide du Général de Gaulle et avec l'impulsion de son illustre premier ministre de la Culture, André Malraux — d'un système de couverture sociale unique en son genre, l'intermittence du spectacle.

Le principe en est simple et partait à l'origine d'un constat évident : les métiers du spectacle sont par nature soumis à une instabilité chronique et à une grande mobilité de main-d'œuvre, ce qui ne permet pas forcément à ceux qui les exercent d'obtenir une viabilité salariale digne de ce nom. Une loi avait donc été votée pour permettre à ces travailleurs de l'ombre de pouvoir bénéficier de prestations de chômage les jours où ils ne travaillaient pas, moyennant un minimum d'heures annuelles à accomplir.

Ce statut a perduré, tout en connaissant de multiples modifications, dont une, récemment, qui a provoqué l'ire des intermittents

---

25. Intermittent du spectacle : terminologie française du statut légal de la plupart des travailleurs du spectacle. Artistes, techniciens et autres professionnels du spectacle sont tous réunis sous cette appellation.

du spectacle, car elle voulait instaurer un quotat d'heures de travail beaucoup plus important que par le passé. Les techniciens du spectacle tentent depuis cette date de contrecarrer ces nouvelles dispositions en faisant valoir les nombreuses difficultés sociales inhérentes à leur métier. Le statut des artisans de la scène est donc loin d'être aussi fiable et rentable en France que partout ailleurs, à l'exception, peut-être, de l'Irlande qui verse traditionnellement un salaire à tous les artistes qui vivent et produisent sur son territoire.

Fort heureusement, les techniciens du spectacle exercent leur profession avec passion et générosité.

On pourrait dresser ici un tableau exhaustif de l'ensemble des professions techniques ou annexes du spectacle, mais celui-ci serait très fastidieux à parcourir. Aussi ai-je choisi de n'en retenir que les acteurs les plus importants.

L'équipe technique du disque

En studio d'enregistrement, la main-d'œuvre est moins nombreuse que sur scène, mais tout aussi nécessaire. La première personne clé de ce secteur est le réalisateur de disques, qui représente le lien entre l'artiste qui décide d'enregistrer son disque et les personnes ressources qui vont l'épauler dans ce projet. Parmi ces dernières, rappelons la présence essentielle des arrangeurs qui viennent compléter les bagages artistiques de l'interprète et donner une chaleur, une complexité aux morceaux. Le réalisateur va devoir encadrer l'ensemble de ces acteurs pour leur faire réussir le disque. Dans bien des cas, il interviendra dans le choix du studio d'enregistrement, ainsi que dans celui de l'ingénieur du son qui va enregistrer l'album. Parfois, il pourra aussi suggérer le nom de certains musiciens de studio qui se spécialisent, comme leur nom l'indique, dans l'enregistrement d'albums. Ces musiciens sont souvent des techniciens hors pair, des professionnels confirmés capables de découvrir un nouveau morceau et de l'interpréter sans fausse note au pied levé. Pour enregistrer tous

ces intervenants, l'ingénieur du son[26] officiera derrière sa console de mixage.

La mission menée conjointement par l'ingénieur du son et le réalisateur sera de restituer le résultat du travail de l'équipe artistique et de donner une âme, une couleur à cet enregistrement, tout en lui garantissant une qualité exceptionnelle. Les ingénieurs du son développent d'ailleurs une oreille musicale particulièrement polyvalente au cours de leur carrière, ainsi que des techniques d'enregistrement toujours à la fine pointe de la technologie, ce qui transcende le rendu original du travail. Ils sont souvent secondés par des techniciens du son qui préparent les séances d'enregistrement et les épaulent dans différentes tâches connexes liées à la prise de son.

Une fois cet enregistrement terminé, l'équipe artistique peut décider de transmettre les bandes[27] à un autre ingénieur chargé de *remixer* cet enregistrement avant son lancement sur le marché, c'est-à-dire, en d'autres mots, de travailler le rendu final du ou des morceaux.

Entre l'idée initiale d'une chanson et son enregistrement, il faudra donc un bon nombre d'interventions avant que le disque que nous écoutons chez nous ne soit gravé. Et la participation de ces techniciens est bien plus capitale qu'on ne l'estimerait de prime abord, car d'eux aussi dépend le succès du morceau en question. Pour étayer cette réalité, je m'appuierai d'ailleurs sur un exemple. Il y a quelques années, l'une des grandes vedettes actuelles de la chanson francophone, Patricia Kaas, souhaitait, comme bien d'autres artistes de sa génération, travailler exclusivement avec des réalisateurs et des musiciens américains. Mais mal lui en a pris quand elle a voulu enregistrer de cette manière une chanson composée pour elle par Jean-Jacques Goldman, *Il me dit que je suis belle*. En effet, alors que cette dernière s'apprêtait à atterrir

---

26. Cette appellation n'est pas utilisée au Québec où on lui préfère le terme de *mixer* ou *sound designer*.
27. On emploie toujours ce mot bien que les fameuses bandes aient été remplacées depuis longtemps par un support numérique.

dans les bacs des disquaires, les plus proches collaborateurs de la chanteuse, choqués par l'enregistrement outrageusement commercial qu'en avaient fait les Américains, ont décidé de faire marche arrière et de confier ce morceau aux soins de son véritable créateur, Goldman. Celui-ci en a réalisé une version studio bien plus intimiste, mais ô combien plus charmeuse, qui a permis à Patricia Kaas d'en faire un succès dans toute la francophonie.

Les artisans de la scène

Pour qu'un spectacle se déroule dans de bonnes conditions, rien n'est laissé au hasard, qu'il s'agisse de la technique ou de la sécurité des manifestations. Ainsi, une fois que les organisateurs ont fixé la date d'un spectacle, la première étape d'un tel projet se traduit par un dialogue entre le régisseur technique de la salle convoitée par l'organisateur de la manifestation et l'équipe technique de ce dernier, menée elle-même par un régisseur.

Quel est le rôle de ce régisseur technique ? C'est la personne responsable de toutes les décisions techniques dans une salle de spectacles, un festival ou un spectacle en plein air. On nomme également ce professionnel régisseur général ou directeur technique, lorsqu'il dirige, par exemple, d'autres régisseurs spécialisés dans un domaine particulier, comme la lumière, le plateau ou la scène. Il ne faut pas non plus oublier de citer l'équipe qui les entoure, parmi lesquels les techniciens et les *roadies*.

Les régisseurs cherchent tout d'abord à définir et à circonscrire les éléments techniques nécessaires à un spectacle ou à une tournée. Cette étape se traduit dans la pratique par un échange de fiches techniques entre les deux entités organisatrices de l'événement. Ces données constituent les cartes d'identité des salles d'accueil, d'une part, et celles des spectacles organisés, de l'autre. Elles sont indispensables à la définition des spécificités d'un lieu, comme sa capacité d'éclairage, sa puissance électrique, la taille de sa scène, la hauteur de son plafond, mais aussi à la mise en place des éléments essentiels à la bonne tenue du spectacle, comme le nombre de musiciens et les besoins requis en sonorisation.

Une nouvelle fois, rien ne doit être laissé au hasard, car les régisseurs cherchent non seulement à organiser un spectacle de qualité, mais aussi et surtout à en garantir la sécurité pour le public. Parfois, les négociations sont même rudes entre les deux parties lorsque des difficultés surviennent.

Dans d'autres cas de figure, si une salle ne dispose pas de l'équipement requis pour l'organisation d'un spectacle, les parties conviendront, soit de louer le matériel supplémentaire, soit de le modifier ou de le supprimer, si la direction artistique du spectacle y consent. C'est aussi à cette étape que l'on détermine les ressources humaines nécessaires au spectacle.

Une fois que l'on s'est entendu sur l'ensemble des moyens à utiliser, et que la visite les lieux du spectacle a été réalisée, on peut aborder la deuxième phase de préparation qui consiste en l'organisation concrète de l'événement. Celle-ci peut d'ailleurs commencer des mois seulement après le début des procédures engagées par l'artiste ou la personne qui le représente.

En effet, les grandes salles ayant une programmation continue qui s'étale souvent sur plus de 300 jours par an, il n'est pas rare que les spectacles s'y enchaînent à un rythme effréné. Ainsi, lorsque vous allez voir le *show* de tel artiste un vendredi soir, il est fréquent qu'un spectacle différent ait lieu dans la même salle le lendemain. Si bien qu'une fois que vous avez quitté cette salle, le travail ne s'arrête pas pour tous les professionnels de la scène. Un véritable ballet s'y met en fait en place pour libérer l'espace et le préparer pour le spectacle suivant.

En voici le processus : pendant que l'équipe chargée de l'entretien remet en ordre et nettoie le lieu, les fameux *roadies* s'activent sur scène afin de démonter et de ranger le matériel des musiciens, comme les amplificateurs, les systèmes de son et les instruments de musique. Parallèlement, les techniciens des lumières, perchés sur leurs échelles, démontent les projecteurs qui ne seront pas utiles au spectacle du lendemain, et les techniciens du son rangent tout le matériel de sonorisation du spectacle, démontent les micros, les enceintes[28] et enroulent des kilomètres de câbles électriques.

S'il le faut, d'autres employés vont procéder au démontage de pans entiers de la scène, tels que les charpentes, les chapiteaux et armatures diverses, afin d'édifier dans cet espace un tout nouveau décor. Alors que tous ces techniciens spécialisés démontent le matériel utilisé, les *roadies* continuent de leur côté à ranger et à mettre en ordre l'équipement qui va être instantanément chargé dans des camions dont les chauffeurs sont déjà prêts à repartir vers de nouveaux lieux de représentation, souvent à des centaines de kilomètres de là.

Une fois que toute la logistique de cet événement est achevée, le démontage du spectacle vu en début de soirée se termine, tandis que les prémices d'un autre s'annoncent déjà. Nous nous trouvons souvent en plein cœur de la nuit, voire parfois aux aurores. L'équipe qui vient de terminer son travail peut aller se coucher alors qu'une autre prend immédiatement la relève pour accueillir le spectacle suivant, dont les organisateurs avaient fixé l'organisation des mois auparavant.

C'est alors que commence ce qui constitue une étape décisive demandant beaucoup de main-d'œuvre. S'il le faut, des techniciens spécialisés commencent tout d'abord par monter la scène et les structures d'accroches des projecteurs. Au même moment, des éclairagistes commencent à peaufiner l'accroche des spots, projecteurs, robots laser et autres poursuites. Dans la foulée, les techniciens du son installent leur régie, comprenant plusieurs tables de mixage, une batterie impressionnante de haut-parleurs, sans oublier une armada de câbles en tous genres, indéfinissables bien sûr pour les néophytes. À ces équipes constituées de techniciens se rajoutent parfois des électriciens, des assistants aux décors, des machinistes, des assistants de plateau, des cuisiniers — car il faut bien nourrir tout ce beau monde —, des *runners*[29]

---

28. Enceintes ou haut-parleurs.
29. De l'anglais *to run*: *runner* signifie littéralement coureur.

chargés de régler tous les petits problèmes qui se posent à l'improviste, et enfin de multiples *roadies*. Une véritable armée de fourmis œuvre donc jour et nuit de manière à permettre au rideau de se lever.

Les faiseurs d'image

J'aborderai à présent brièvement un autre domaine dans lequel les techniciens seront tout aussi prépondérants, celui de l'image. Là encore, et même plus encore que dans le secteur musical, le réalisateur va jouer un rôle de premier plan. Il ne faudra donc jamais sous-estimer ses qualités, ainsi que celles de tous les techniciens qui œuvrent pour tourner un documentaire, un film ou un clip.

Pour les besoins d'une scène dont vous serez la vedette, n'oubliez jamais tous les intervenants qui contribueront aussi à votre succès. De l'habilleuse au costumier, en passant par l'accessoiriste, vous devrez apprendre à respecter le travail de toutes ces personnes qui travaillent continuellement à la beauté et à l'excellence de l'Art.

Matmos, ou la poésie des sons

L'exploration sonore de notre planète nous a toujours fascinés. C'est peut-être pour cela qu'elle a, avant la musique elle-même, constitué la base des premiers enregistrements. En effet, le gramophone d'Edison était, du moins à ses débuts, utilisé à des fins essentiellement scientifiques. On enregistrait alors, pendant quelques minutes, le son des oiseaux ou d'une voix sans chercher à en faire un montage mélodieux. Les années ont passé et le XXe siècle a vu se succéder une pléiade de nouveautés technologiques qui ont permis à la musique de s'enrichir continuellement de sons. Des sons obtenus grâce à l'évolution des instruments eux-mêmes, bien sûr, puisqu'il aurait été inimaginable, il y a de cela seulement un siècle, de penser à jouer de la guitare électrique et encore moins de créer des rythmes à partir d'un ordinateur. Évolution aussi des moyens d'enregistrement et des champs sonores, puisque aujourd'hui il nous est possible, par le biais d'un petit enregistreur numérique, de capter l'ambiance d'une manifestation, le bruit d'un

ballon que l'on frappe, ou encore le clapotis des vagues sur une berge. Bref, tout semble possible dans le domaine sonore, mais encore faut-il intégrer ces trouvailles au sein d'un montage qui se tienne, si l'on ne veut pas demeurer dans le spectre très restreint de la musique contemporaine.

C'est ce que s'efforcent de faire, avec plus ou moins de succès, de nombreux DJ à travers le monde. Certains d'entre eux, comme les Chemical Brothers ou Cornershop, sont parvenus à concilier si finement les champs exploratoires avec les attentes musicales du public qu'ils en sont devenus très populaires.

Un peu plus dans l'ombre que ces vedettes, mais souvent à l'origine de trouvailles qui marqueront durablement le monde musical, se cachent des chercheurs qui explorent des catégories sonores inusitées. Leurs idées se retrouvent sur des albums très surprenants, sur ceux des célébrités avec lesquelles ils collaborent, ou encore dans des bandes originales de films.

Matmos, un duo de joyeux drilles américains que l'on a pu voir déambuler sur scène en tenue de cygne lors de la très sérieuse soirée des Oscars, en 2001, est de ce nombre. Audacieux, impétueux et un peu fous, les membres de ce groupe, en l'occurrence Martin Schmidt, qui contrôle le département d'art conceptuel de l'Institut d'art de San Francisco, et Drew Daniel, un ancien étudiant en littérature devenu l'un des compositeurs de musique de films les plus appréciés, se sont taillés une place très particulière au sein du monde musical. En effet, ils sont à la fois considérés comme de grands académiciens musicaux et comme des précurseurs.

Précurseur, il fallait effectivement l'être pour proposer, dans un premier album autoproduit — *Matmos*, en 1997 (étiquette Vague de terrain) — des sons amplifiés de nerfs d'écrevisses, de cheveux humains ou de vapeur décongelant au soleil. Cela n'a pas empêché nos deux laborantins de poursuivre dans cette voie surprenante avec des enregistrements dans des égouts et, ce qui a marqué leur parcours, des bruits insolites captés à même l'univers de la chirurgie plastique, de l'opération de liposuccion à la chirurgie au laser de l'œil, en passant par la rhinoplastie d'un muscle. Tout cela peut être sidérant, voire effrayant à première vue, mais les experts en musique électronique ne s'y sont pas trompés : Matmos représente aujourd'hui ce qu'il y a de plus significatif en termes d'exploration sonore. De grands artistes se sont donc très naturellement intéressés à leurs recherches, dont Björk qui a non seulement collaboré avec eux dans le cadre de son album *Vespertine* (2001), mais leur a également demandé de la suivre en tournée.

Par ailleurs, le duo Matmos ne se limite pas à la trouvaille de nouveaux sons, il cherche aussi à donner un sens et une homogénéité certains à ses compositions. À titre d'exemple, son dernier opus, *La Guerre civile*, sorti en 2003, mêle des instruments classiques, tels que des cornemuses et des percussions militaires, à des violons, et toutes sortes de sonneries qui nous plongent vraiment dans l'atmosphère guerrière que nos ancêtres ont pu connaître, sans pour autant tomber dans l'excès folklorique qu'on nous livre le plus souvent dans le commerce. En ce sens, Matmos représente indéniablement aujourd'hui la quintessence de la rencontre entre la tradition, la musique et la recherche.

Distribution et relations de presse

Si un jour vous avez la chance d'enregistrer votre premier disque, bref qu'un gérant et une équipe constituée d'arrangeurs, d'auteurs et de compositeurs vous secondent dans cette tâche, il vous faudra remettre le destin de votre œuvre entre les mains des lois du marché. Même si vous avez le plus grand des talents, vous ne couperez pas à cette inébranlable réalité du marketing et, bien souvent, vous n'interviendrez que très rarement dans ce domaine, qui appartiendra plutôt aux maisons de disques. Mais pas uniquement à elles, puisque pour les aider à faire de ce morceau un *hit* des ventes, celles-ci engageront des relationnistes de presse qui en assureront la promotion dans l'ensemble des médias pouvant toucher une ou plusieurs clientèles cibles.

Un tube à créer

Les maisons de disques ne travaillent pas uniquement pour la gloire, c'est vrai. Elles sont avant tout là pour gagner de l'argent, réaliser des bénéfices et vendre le plus d'albums possible. Ces entreprises définissent donc des stratégies d'approche en fonction de leurs clientèles cibles, comme c'est le cas dans de nombreux domaines professionnels.

Régulièrement elles se poseront par conséquent les questions suivantes : pour quelle tranche d'âge, de goût et de moyens pouvons-nous proposer tel ou tel album ? Quelles sont les tendances cette année ? Quelle promotion faut-il associer à telle ou telle sortie pour atteindre notre public visé ?

Ces questions constituent l'essence du lancement d'un disque sur le marché, bien plus que celles qui touchent à la qualité d'un morceau lui-même. Il est donc extrêmement important de bien analyser le marché du disque et du spectacle, voire de réviser ses stratégies de temps à autre, si nécessaire. Et comme les modes fluctuent très vite, ces entreprises évoluent de la même manière très régulièrement. Aussi la raison initiale qui les aura poussées à vous choisir plutôt qu'un autre artiste aura essentiellement un lien avec le style, l'image et les modes qui sont véhiculés au même moment au sein de la société.

Il est même possible que ce que vous estimiez être un tube il y a encore deux mois ne le soit plus une fois son passage effectué au comité de sélection. Vous ne pourrez pas grand-chose contre cela, comme vous ne pourrez rien non plus contre la non-finalisation d'une entente, c'est-à-dire si la maison de disques concernée décide subitement, la veille de la sortie de votre disque, qu'elle aura pourtant produit, de ne plus le lancer.

Par exemple, la chanteuse québécoise Mitsou, qui avait été enregistrer un disque à Los Angeles à l'intention du public américain, a ainsi vu, du jour au lendemain, son rêve international partir en fumée pour cause de conjoncture défavorable. La maison de disques avec laquelle elle avait signé avait pourtant énormément misé sur ce projet, mais les centaines de milliers de dollars investis n'étaient apparemment pas comparables à la perte financière que la compagnie aurait pu subir, du moins en théorie, lors de la sortie de cet album.

Les raisons de ces contrecoups décisionnels sont nébuleuses pour la plupart des artistes. Elles sont cependant souvent liées à l'omnipotence de quelques grosses compagnies qui ont tôt fait d'écraser leurs benjamines à la moindre erreur. De plus, ces *majors* tendent, mondialisation oblige, à s'unir, ce qui ne facilite pas du tout la tâche aux labels indépendants qui ont par la suite du mal, non seulement à produire, mais aussi tout simplement à promouvoir et à distribuer leurs produits.

Malgré cette difficulté croissante, il demeure encore de bonnes petites compagnies de disques indépendantes qui font du très bon travail et qui réussissent à percer le marché. Alors comment s'y prennent-elles ? Comment créer un tube et le placer au bon moment et au bon endroit ?

Il va de soi que le produit de base doit être de bonne qualité et, pour cela, je vous renvoie à tout ce que nous avons déjà écrit au sujet des rouages et des intervenants du métier. Ceci dit, la concurrence est extrême dans ce domaine, et le marché des plus capricieux. Avec l'accroissement de la population, et depuis l'explosion musicale des années 1970, quantité de styles musicaux ont vu le jour au cours de ces 30 dernières années. Toutes ces musiques correspondent à des publics différents auxquels il faut plaire pour réussir. Peut-être certains genres rapportent-ils plus que d'autres, c'est vrai, mais ne vous correspondront pas. Il est par exemple de notoriété publique que la variété demeure la musique qui vend le plus et génère de nombreux tubes populaires, mais si cela ne correspond pas à ce que vous êtes, ne vous fourvoyez pas dans ce genre qui n'est pas le vôtre, cela pourrait vous jouer de mauvais tours.

De toute manière, la variété n'est pas le seul style à faire aujourd'hui des adeptes. Le jazz, par exemple, qui était autrefois bien loin d'être une discipline très lucrative, prend de nos jours de plus en plus d'ampleur sur le marché. On me confiait même dernièrement que, en France, un disque de jazz s'était vendu à deux millions d'exemplaires, ce qui aurait été tout simplement impossible il y a de cela 30 ans.

Le marché de la musique se spécialise en fait de plus en plus, ce dont il faut prendre conscience si vous voulez réussir à placer votre travail au sommet des ventes.

Pour illustrer cette tendance, je citerai le groupe Gotan Project, qui a réussi à se faire un nom en l'espace de quelques semaines en sortant un disque à la fois pointu dans le domaine du tango et de la musique électronique. Il en a été de même pour St-Germain,

qui a envahi tous les clubs en un clin d'œil grâce à des compositions acid-jazz planantes et décontractées. Ces deux formations, totalement inconnues du public, sont parvenues à éclore en imposant de nouveaux styles, ou plutôt un mélange de styles inédits qui ont réussi à prendre le marché à contre-pied.

La voie du succès se trouve donc, en partie du moins, au croisement de ces quelques chemins : connaître le marché, connaître les styles du moment et ne pas se renier soi-même.

Nous pouvons également y ajouter un paramètre qui peut se révéler décisif, mais que vous ne maîtriserez jamais puisqu'il est par nature incontrôlable… celui de la chance, bien sûr.

La technologie numérique — un moyen efficace de se faire connaître

Certains d'entre nous ont beau regretter l'époque du vinyle, voire du phonographe, ils doivent d'admettre que le monde de l'enregistrement sonore a considérablement évolué. En effet, grâce à la technologie numérique, et surtout à l'arrivée en 1983 du disque compact audionumérique, une révolution a frappé de plein fouet le milieu musical. Un milieu qui n'a cessé, depuis, de se moderniser.

Le CD, le mini-CD, et aujourd'hui le DVD ou encore le MP3 sont de nos jours utilisés à des fins qui transcendent largement la musique, puisqu'ils nous servent de support de travail, de recherche ou de loisirs.

Disposant d'une qualité sonore bien supérieure à leurs prédécesseurs magnétiques, capables d'enregistrer une quantité de données très importantes, utilisables à volonté et, plus que tout, très accessibles, les supports numériques sont utilisés par les professionnels, comme par M. et Mme Tout-le-monde. Ils constituent par conséquent une alternative fiable et peu coûteuse pour les maisons de disques qui souhaitent lancer un nouvel artiste sur le marché — on ne tient ici évidemment pas compte de l'aspect promotionnel d'une telle initiative, qui peut engendrer des frais conséquents —, mais aussi une solution pour de jeunes groupes qui souhaitent vendre leurs compositions après leur spectacle, pour les auteurs-compositeurs qui envoient des maquettes aux maisons reconnues, ou encore pour ceux qui se cherchent une carte de visite originale ou n'ont pas les moyens de s'autoproduire autrement que par Internet.

Les possibilités de se faire connaître grâce au numérique sont en fait si nombreuses qu'il est quasiment impossible, aujourd'hui, à un débutant de passer inaperçu, ou du moins de ne pas tenter quelque chose pour faire connaître son talent.

Intéressons-nous en premier lieu à la méthode la plus traditionnelle de s'implanter sur le marché. Une fois une candidature acceptée par une maison de disques ou, plus simplement, par un gérant, dans un cas comme dans l'autre ces derniers vont généralement louer les services de professionnels de la réalisation pour enregistrer une maquette, c'est-à-dire un mini-CD promotionnel de quatre ou cinq titres dont ils assureront la diffusion, soit auprès du public lui-même par le biais des magasins de disques et des médias, soit auprès de décideurs du milieu afin d'obtenir, idéalement, un contrat plus alléchant et la possibilité d'enregistrer un album complet. Cette technique est très fréquemment utilisée pour tester le marché et jauger les attentes des auditeurs.

Mais elle n'appartient pas seulement à la catégorie des professionnels. En effet, l'enregistrement obtenu sera peut-être d'une qualité sonore supérieure à celle qu'il serait possible au talent encore amateur d'obtenir dans son propre studio maison. Peut-être ce mini-album bénéficiera-t-il également d'une pochette plus attrayante, et d'une meilleure position dans les magasins. Il est néanmoins toujours possible à une personne déterminée d'enregistrer et de graver elle-même quelques morceaux de sa composition à peu de frais, puis d'envoyer la maquette ainsi obtenue à des instances décisionnelles.

Il lui est également possible de se démarquer grâce aux DVD ou aux cartes numériques promotionnelles. Un DVD, dont la capacité de stockage équivaut à celle de cinq CD, permet d'ajouter aux compositions enregistrées un volet multimédia dans lequel on peut intégrer sa biographie, des paroles de chansons et, pourquoi pas, une petite présentation vidéo de son travail, comme un extrait de concert. Une fois encore, les possibilités sont multiples et peuvent différer selon la personnalité et l'ambition de chacun.

La carte numérique promotionnelle, pour sa part, possède de nombreuses qualités. Elle se présente sous la forme d'un mini-CD de 6 cm, coupé aux deux extrémités et peut contenir jusqu'à 60 Mo d'informations ou de montage à des prix défiant toute concurrence, puisqu'elle se détaille moins de 1 $ (70 centimes d'euros) l'unité. Elle nécessite donc moins d'efforts de manipulation et d'envoi que des dossiers de présentation habituels en papier. Son contenu peut aussi régulièrement être mis à jour, se faire l'écho d'un site Internet, proposer des vidéos, des animations ou des montages sonores... et se glisser dans une poche ou un portefeuille, exactement comme une carte commerciale traditionnelle !

Enfin, pourquoi ne pas suivre l'exemple d'autres groupes ou interprètes comme Prince qui refusent le système, et ne pas profiter des bienfaits d'Internet ? En effet, bien qu'un profond débat déchire notre société actuelle au sujet des fameux MP3 et de leur utilisation par les particuliers à des fins d'échange et de copie, bien que des artistes subissent les contrecoups financiers de ce que certains nomment du vol de droits d'auteur, les MP3 sont devenus un moyen d'expression providentiel pour ceux qui ne veulent pas se modeler à ce que les maisons de disques réclament ou n'ont pas les moyens de produire des albums. Munis d'un bon ordinateur et d'un peu de matériel d'enregistrement, ils peuvent s'exprimer et véhiculer leurs compositions par le biais d'Internet, que ce soit en les proposant à d'autres internautes sur des sites tels que Casa, ou en les intégrant en écoute sur leur site personnel. Une solution qu'ont choisie à leurs débuts des artistes comme Moby, ce qui prouve qu'elle peut parfois porter fruit.

Une réputation à construire
L'impact dû aux relationnistes de presse

Si les paramètres liés à la chance sont incontrôlables, ceux entourant la sortie d'un disque ne le sont pas. Je placerai tout d'abord le facteur de réputation ou d'aura de l'artiste au premier plan, car si ce dernier dispose déjà d'une belle notoriété publique, il est clair que son album sortira sous de meilleurs auspices que celui d'un débutant dont il s'agit de la première galette[30].

Le prochain disque de M, récompensé en février 2005 par quatre Victoires de la musique pour l'album *Qui de nous deux*, constituera en effet certainement un événement lorsqu'il sortira. Cette situation sera similaire pour la plupart des gros artistes tels que U2, Radiohead ou Björk, qui défraient les manchettes lors de chaque nouvelle sortie d'album. Pourtant, le succès de ces sorties sera, pour une bonne part, lié à un autre acteur connexe de notre métier, le relationniste de presse.

Celui-ci est partie prenante d'un rouage important de la profession que l'on a injustement tendance à occulter. Le relationniste

---

30. Dans le jargon, la galette signifie le disque.

a pour fonction principale de diffuser auprès de tous les médias possible une nouvelle particulière, qu'il s'agisse d'un événement à venir organisé par telle ou telle structure de la sortie d'un album, ou de toute autre information pertinente.

Il n'est généralement pas chargé de la conception de l'information ou du message à véhiculer, rôles qui incombent aux chargés de communications et aux publicitaires. Par contre, le relationniste aura la lourde responsabilité de faire la promotion de ce message. Donc, dans le cas d'un album, d'en faire un succès avant même qu'il ne soit sorti.

Lorsqu'un artiste signe un contrat avec une maison de disques, celle-ci dispose en général de son propre service d'attachés de presse[31], lequel s'occupe de sa promotion en plus de celle de tous ceux qui travaillent avec ce label.

Si, par contre, la popularité d'un artiste prend de l'ampleur, son équipe de gérance engage souvent un attaché de presse qui va travailler presque exclusivement pour lui. Moyennant un salaire mensuel fixe ou un pourcentage négocié, cet attaché ou relationniste de presse va assurer la publicité de l'artiste toute l'année. À d'autres occasions — on pense par exemple à la sortie d'un album — des attachés de presse sont engagés pour une période déterminée, afin de maintenir au plus haut niveau la pression publicitaire désirée par les clients.

Il ne faut d'ailleurs pas confondre publicité et relations de presse. Car si la publicité s'achète, les relations de presse, pour leur part, sont ou ne sont pas efficaces ! Il faut donc faire preuve d'une grande prudence lorsqu'on choisit des relationnistes pour encadrer la promotion d'un artiste, puisque de leur travail dépend souvent le succès financier d'un album.

Les méthodes employées par les relationnistes de presse pour arriver à leurs fins sont relativement simples lorsqu'on les observe du point de vue technique. Une fois que l'entreprise concernée,

---

31. Attachés de presse et relationnistes de presse exercent le même métier.

par exemple une maison de disques, a défini le message qu'elle souhaite véhiculer auprès des médias ou de tout autre acteur pertinent concernant l'événement dont elle veut assurer la promotion — le lancement d'un album, par exemple —, elle fait rédiger plusieurs documents promotionnels par un chargé de communication ou par une agence. Parmi ces documents, on trouve des communiqués et des dossiers de presse relatifs à l'artiste ou à l'événement en question, ainsi que, selon le cas, d'autres supports publicitaires comme des dépliants, des cartes postales, des CD, des CD-ROM et même des DVD interactifs. L'ensemble de ces outils a pour fonction de donner une image particulière à l'artiste et à l'album qu'il vient de produire. Image que l'on veut véhiculer le plus largement possible pour que tous les publics cibles en prennent connaissance, bien sûr. On veut aussi que cette image soit fidèle à la réputation de l'artiste que l'on représente ou, dans le cas d'un nouveau venu dans le métier, que cette image fasse beaucoup parler de lui à cause de son audace ou de son côté innovateur.

Les documents, une fois produits, sont ensuite mis à la disposition des relationnistes engagés par la maison de disques pour qu'ils puissent commencer leur travail. Ce dernier consiste, pour une large part, à établir des contacts directs avec des journalistes, des rédactions de journaux et de magazines spécialisés ou généralistes, la télévision, la radio et des sites Internet.

Généralement, le relationniste qui gère les relations de presse dispose de listes pré-établies comprenant des centaines, voire des milliers de contacts auxquels seront envoyés l'information par voie postale, électronique ou par télécopieur. Cette première phase d'envoi de communiqués de presse et de dossiers est généralement divisée en plusieurs étapes étalées sur quelques semaines.

Après ce premier envoi, les relationnistes doivent relancer les responsables des médias qu'ils veulent intéresser à l'événement en question. Pour ce faire, ils ne font rien de très compliqué, du moins en théorie, puisqu'il leur suffit de décrocher leur téléphone.

Mais comme les médias sont littéralement assiégés par ce type de demandes, il leur faut souvent, soit de la chance, soit beaucoup d'opiniâtreté pour parvenir à diffuser largement leurs nouvelles.

C'est précisément ici qu'une facette plus subtile des relationnistes entre en jeu. Beaucoup d'entre eux disposent en effet de contacts privilégiés avec certains médias et font donc jouer ces derniers pour arriver à leurs fins. Pour d'autres, c'est l'insistance consacrée à joindre un journaliste qui fera la différence. Par contre, si ce journaliste se sent accaparé, il fermera sa porte pour de bon à toute relance, qu'il s'agisse de ce projet ou d'un autre ! Heureusement, ce genre de situation n'arrive que rarement, car la majorité des relationnistes savent parfaitement gérer l'originalité de leur approche en misant sur le caractère exceptionnel de ce qu'ils présentent. Ils opteront d'ailleurs davantage, de concert avec leurs clients, pour un lancement original se détachant au maximum de ce qui s'est déjà fait auparavant.

Les relationnistes cherchent donc à obtenir des résultats qui se traduisent, dans la pratique, par la diffusion d'articles et d'entrevues relevant de la presse écrite, radiophonique, télévisuelle ou électronique ; bref, de tout ce qui peut transmettre de l'information sur ce qu'ils souhaitent promouvoir.

Pour un artiste peu connu et sur lequel on veut miser, il va falloir que les relationnistes fassent beaucoup d'efforts pour obtenir des résultats tangibles. Si, au contraire, l'artiste est surmédiatisé, les relationnistes vont devoir négocier les demandes d'entrevues au compte-gouttes en choisissant les meilleurs vecteurs d'informations possibles. Dans ce dernier cas, ce ne sont plus les relationnistes qui relancent les médias, mais les médias qui, singulièrement, relancent les relationnistes ! Lorsqu'une nouvelle information sort ainsi au sujet d'un artiste très connu, des centaines de médias, toutes branches confondues, cherchent à joindre en l'espace de deux ou trois jours le service des relations de presse de cet artiste. L'attaché de presse doit alors juger, de concert avec le gérant, s'il est préférable d'accepter telle ou telle entrevue, ou s'il convient plutôt d'organiser une conférence de presse. En général, c'est l'ampleur de l'événement ou de la nouvelle qui détermine cette réponse. Si l'on travaille avec de véritables professionnels, ceux-ci doivent être capables d'aménager le temps que l'artiste devra consacrer aux médias.

Ainsi, toutes les informations, ou du moins une grande majorité de celles que le public est susceptible de recevoir, proviennent d'un service de relationnistes de presse ou d'entreprises dont la communication est le métier. Ceci est valable pour l'article que vous avez lu ce matin dans un journal gratuit en prenant votre train de banlieue, comme pour la dépêche sur la sortie de tel ou tel film que vous avez entendue au cours d'une émission de télévision. L'information est finalement loin d'être un phénomène hasardeux, elle est régie par un fonctionnement qui lui est propre.

Universal, les coulisses du *star system*

Lorsqu'on évoque le nom des *majors* dans le secteur musical, on ne s'imagine souvent pas à quel point ces entreprises pieuvres peuvent occuper le marché. Pourtant, il suffit de se rendre sur leur site Internet central pour se rendre compte qu'en plus de leur propre label, elles possèdent une déclinaison impressionnante de marques de commerce et de champs d'activité qui leur permettent non seulement de produire la quasi-totalité de nos stars, mais aussi d'assurer à ces artistes une promotion et une diffusion hors du commun.

Le groupe Universal, par exemple, occupe aujourd'hui près du quart du marché mondial de la musique. Présent dans 77 pays, il détient les plus prestigieux labels de musique, s'impose dans tous les champs musicaux et diversifie tellement ses activités qu'on le retrouve un peu partout, des magasins de disques au cinéma, et des magazines jusqu'au secteur de la téléphonie mobile.

Dans le seul secteur de la production musicale, ses signatures sont nombreuses. La compagnie Verve est une référence en matière de musique classique, Motown dans la pop, Mercury Nashville dans le rock.

Parmi les milliers d'artistes qu'Universal représente, à titre actuel ou posthume puisqu'il détient également les droits de nos idoles d'hier, on peut notamment citer Ella Fitzgerald, Louis Armstrong, les Jackson 5, Lionel Richie, Diana Ross, Diana Krall, Herbert von Karajan, Enrique Iglesias, Mylène Farmer, Beck, Shania Twain, Metallica, U2, Snoop Dog, The Beastie

Boys... La liste de ces vedettes serait trop longue pour en apprécier pleinement la valeur. Elle constitue cependant une manne dont peu d'entreprises musicales peuvent se vanter.

Aussi faut-il en prendre soin pour qu'elle se rafraîchisse sans cesse. C'est ce qu'Universal a parfaitement compris en jouant son succès sur deux tableaux, c'est-à-dire en rééditant les vedettes d'hier tout en faisant briller les étoiles d'aujourd'hui. Ainsi, en s'intéressant aux seules sorties américaines pour la semaine du 18 octobre 2005, on se rend compte que sur les 57 albums commercialisés pendant cette période, près de la moitié d'entre eux sont des reprises, des compilations, ou encore la mise à jour de certaines collections, en l'occurrence celle d'Oscar Peterson. À grands renforts de publicités télévisuelles, radiophoniques et d'affiches, voire de reprises par une star actuelle de certains succès, Universal parviendra très rapidement à écouler ses exemplaires, alors même que cette compagnie n'aura, dans les faits, produit qu'une vingtaine de nouveaux albums.

Les adversaires des *majors* n'ont donc pas tout à fait tort lorsqu'ils critiquent le peu d'espace que le marché du disque offre aujourd'hui à de nouveaux talents. Toutefois, si Universal investit dans moins d'artistes que nous le penserions, ceux dont elle s'occupe deviennent très souvent des stars. Non que ces derniers disposent automatiquement d'un potentiel hors du commun,

mais ils disposent d'une infrastructure commerciale si puissante qu'à moins d'un scandale majeur ou d'un album totalement raté, tout est mis en place pour assurer leur succès. Car il ne faut pas se leurrer, Universal produit certes de la musique, mais produit avant tout de nouvelles idoles. Au besoin, elle les créera d'ailleurs de toutes pièces afin de répondre aux attentes des mélomanes ou pour obtenir des parts de marché supplémentaires dans un style musical qui n'est pas encore en vogue.

Mais comment parvient-elle concrètement à imposer ces nouvelles égéries à l'intérieur d'un marché que l'on sait déjà saturé? Comment peut-on réellement fabriquer une star?

Les pistes de réponse peuvent être nombreuses, mais lorsqu'on étudie attentivement la structure de Universal, on s'éloigne très rapidement des notions de chance et de hasard. Il faut certes beaucoup de chance pour attirer l'intérêt de cette maison de disques, mais un contrat une fois acquis avec cette entreprise, le succès est quasiment assuré. Pourquoi? Parce que Universal dispose d'atouts imparables, et ce, dès l'amont de la production jusqu'à l'aval de la diffusion.

En tout premier lieu, en occupant une grande part du marché musical actuel, cette compagnie possède une grande expertise du milieu et est donc à même de flairer les tendances qui s'imposeront demain. Elle s'entoure donc des meilleurs outils de sondage, parallèlement aux meilleurs auteurs, compositeurs et réalisateurs, pour créer des succès que tout inconnu pourra véhiculer. Ces inconnus eux-mêmes ne sont pas choisis au hasard, quel que soit le style musical dans lequel ils évoluent. Ils doivent correspondre à l'image qui, selon les responsables du marketing de la compagnie, se conciliera avec les attentes du public. Il va de soi que les interprètes ou groupes «marionnettes» que ce système engendre ne forment pas la majorité des rangs de la musique actuelle, fort heureusement. Mais tous les artistes qui signent avec une maison comme Universal doivent tout de même s'attendre à ce que leur production soit scrutée à la loupe, voire modifiée si les responsables de l'entreprise le jugent bon.

Il n'y a par conséquent pas vraiment de hasard dans le choix des chansons d'un album, encore moins sur les titres qui seront mis de l'avant lors d'une commercialisation.

Toute production fait l'objet d'une stratégie menée par un service de marketing qui compte parmi les plus efficaces du monde. Celui-ci détermine les publics cibles, la promotion à mettre en place, la pochette de l'album, les déclinaisons publicitaires possibles (t-shirts, DVD, *magnets*, etc.), les tournées, parfois même le discours et les vêtements des stars de la maison.

Pour ce faire, ce service dispose d'une panoplie de moyens, comme des magazines, des stations de télévision ou de radio, des studios de cinéma, ainsi que d'antennes spécia-lisées dans 41 pays qui appartiennent tous à Universal. Une stratégie de battage médiatique que certains qualifieraient d'anticommerciale, mais qui, somme toute, est l'apanage de grandes sociétés comme Coca-Cola ou McDonald's.

Universal investit également dans l'avenir, et a donc, depuis quelques années, joint les rangs de la recherche par le biais de son service eLabs, afin de trouver de nouveaux supports musicaux. On peut ainsi se procurer des DualDisc, un disque qui permet d'écouter un album sur une face, et de profiter des options du DVD sur l'autre. La compagnie commercialise aussi le DVD audio, une technique qui assure à l'auditeur d'écouter de la musique en haute définition, en plus de bénéficier d'ajouts comme de la vidéo ou des entrevues. Enfin, le Super Audio Compact Disc, pour sa part, jouit également de la haute résolution tout en pouvant être compatible avec des lecteurs traditionnels.

Le marché de la compression des données est donc loin d'être comblé, loin s'en faut. D'ailleurs, Universal investit aussi ses fonds dans le secteur du MP3 avec le système *pay-per-play*, ou l'achat de chansons à l'unité par le biais d'Internet. La société s'est également emparé d'une grande partie des droits liés à la téléphonie mobile et inonde ce marché de sonneries, de morceaux et de clips qui lui permettent de mettre son catalogue de l'avant.

Universal appartient finalement à la catégorie gagnante des maisons

Fabrication d'une star

de disques qui ont su faire les bons choix au bon moment, quitte à délaisser parfois le domaine de la morale et de la concurrence loyale. Peut-être sa stratégie prône-t-elle moins l'émergence de talents que la sophistication des moyens de communication de masse, mais elle a le bénéfice de nous faire découvrir et redécouvrir des milliers d'artistes, puisque cette compagnie possède près d'un million de copyrights dans le monde. Alors, en avant la musique !

Les médias

On a coutume de considérer les médias comme le quatrième pouvoir — après l'exécutif, le législatif et le judiciaire — tant leur place est prépondérante dans notre société. Symboles mêmes de la liberté d'expression à l'intérieur des démocraties, les médias constituent un contre-poids incontournable et un élément moteur de la transmission de l'information vers un large public sans cesse avide de nouveautés et de *scoops* en tous genres.

Or, s'il est un domaine où les médias jouent un rôle de poids, c'est bien dans celui du spectacle, basé essentiellement sur l'image qu'on en véhicule. En y réfléchissant bien, les médias et le spectacle sont étroitement liés et même en inévitable symbiose. Parfois, la frontière entre ces deux mondes est d'ailleurs bien difficile à tracer, comme on le voit avec l'essor de la téléréalité.

J'ai eu l'occasion d'analyser ce phénomène durant toute ma carrière, et je crois que ces deux domaines se nourrissent chacun des qualités ou des travers de l'autre pour arriver à perdurer et à générer des profits.

Le public attache, pour sa part, une importance particulière à l'actualité des stars et des vedettes du *show-business*, puisque ces dernières véhiculent du rêve, un ingrédient indispensable à la survie de ces industries du loisir. Leur omniprésence dans les manchettes des magazines entretient une distance volontaire entre leur vie et celle du commun des mortels, leur conférant ainsi un statut de héros intouchable des temps modernes. Mais suivre leur vie ou leur actualité dans les médias peut aussi, à l'inverse,

les rendre plus humaines et accessibles, du moins en théorie. Être au courant de leurs moindres faits et gestes, ou de leurs faiblesses, satisfait également, ne le cachons pas, un voyeurisme latent, propre à de nombreux individus. Paradoxalement, cette présence continuelle des stars dans les médias leur assure une visibilité positive, génératrice de succès, qui entretient leur statut, mais les place aussi sous le feu nourri de critiques acerbes qui peuvent très vite nuire à leur réputation.

Mythes et réalités du monde médiatique : faut-il avoir peur de la critique ?

À l'instant même où un artiste commence à connaître de la popularité auprès du grand public, il commence à devenir intéressant pour les médias. Pourquoi ? À cause de la rentabilité, bien sûr !

De nombreux vecteurs d'actualités ou d'informations touchant au spectacle ont cependant, je vous rassure, une réelle volonté culturelle et pédagogique. Bien souvent, cette qualité d'informations, cette indépendance d'esprit et cette volonté de neutralité seront la marque de fabrique des grands médias que nous pourrons respecter. Pour les autres — je parle de la presse à sensations — la volonté d'informer passera souvent au second rang, derrière celle de nourrir le lectorat ou l'audience d'informations croustillantes qui dépasseront largement le simple cadre des qualités artistiques d'un individu.

Il est très étonnant de s'attarder aux liens qu'entretiennent les médias et les artistes en début de carrière. Ces derniers feront dans les faits tout pour se faire remarquer des premiers afin de générer du succès. C'est d'ailleurs dans ce sens qu'une maison de disques ou un gérant investiront des sommes folles pour engager des relationnistes de presse. Car si les médias ne parlent pas de vous, alors qui le fera ? Certes, le bouche à oreille suffit parfois pour faire éclore un artiste, mais cela est, somme toute, assez rare et ne permet jamais d'obtenir un succès aussi large et éclatant qu'un reportage sur une grande chaîne nationale à une heure de grande écoute.

  Fabrication d'une star

En vérité, les artistes ont besoin des médias pour vendre des albums, remplir des salles de concert et de cinéma, car ces derniers, toutes catégories confondues, sont en relation directe avec le public, la clientèle.

Pour arriver à toucher le public au tout début de votre carrière, votre tâche sera assez difficile, car vous devrez affronter la critique. Si vous débutez, je pense qu'en dehors des médias locaux ou amateurs qui se feront un plaisir d'annoncer votre prochain spectacle et de vous écrire un petit article dans la gazette du quartier, l'élément déclencheur de votre succès viendra souvent d'une bonne critique émanant d'un média ayant pignon sur rue. Il peut d'ailleurs tout aussi bien s'agir d'un média spécialisé que d'un média généraliste, local ou national, car aussi incroyable que cela puisse paraître, une bonne critique pourra souvent être plus rentable pour vous qu'un encart publicitaire, surtout en début de carrière. Une critique en appelant une autre, votre attaché de presse se fera alors un devoir de récolter tous ces précieux articles qui viendront étoffer votre dossier de presse naissant et ajouter une pierre à votre édifice de popularité personnelle.

On le sait, le public, multiple et varié, a généralement tendance à se fier à la critique, ou du moins à l'écouter. Prenons l'amateur de rock'n'roll. Il sera toujours plus enclin à chercher des nouveautés musicales dans des chroniques spécialisées comme les magazines *Les Inrockuptibles*, *Rock'n'Folk* ou *Rolling* Stone que dans l'émission *Star Système* consacrée aux vedettes de la variété. Il est bon de noter que ces magazines proposent à chaque nouveau tirage un vaste espace consacré aux critiques d'albums nouvellement sortis. Et de se souvenir qu'ils ne vont pas nécessairement attribuer toute la place aux stars du rock'n'roll, mais aussi réserver leurs pages à des nouveautés qui auront constitué leurs coups de cœur du moment.

L'artiste américain Ben Harper, qui ne vendait que très peu de disques aux États-Unis, est ainsi devenu une véritable vedette en France, grâce à de très bonnes critiques dans la presse spécialisée.

Cette dernière a la qualité de faire passer le talent et l'amour de la musique avant le sensationnalisme.

Cette règle sera la même pour un spectacle auquel un critique aura assisté et dont il rendra compte de manière positive dans son article. Il ne faut pas non plus dédaigner la presse locale, car cette dernière, parfois, vous ouvrira les portes de la presse nationale. Bref, ne négligez personne dans le milieu !

De plus, contrairement à l'idée reçue, la critique pourra vous servir. Et n'oubliez pas qu'à leurs débuts, de grands artistes ont également subi ses foudres. Charles Aznavour était par exemple jugé trop petit et trop laid pour réussir, tandis que Jacques Brel a été à maintes reprises invité à retourner dans sa Belgique natale. Leur persévérance et leur passion du métier leur ont tout de même assuré le succès, mais qu'en est-il des milliers d'autres qui ont abandonné en chemin ? La plupart d'entre eux ont tout simplement succombé à leur échec sans persévérer, à tort ou à raison.

Bien sûr, la critique de votre premier spectacle ne sera pas forcément positive. Mais quel crédit faut-il véritablement accorder à un avis émis par un individu donné, ayant ses goûts, ses opinions et, par conséquent, un jugement inévitablement partial sur le sujet ? Je pense qu'il n'y a aucune solution à ce problème, car la liberté d'expression s'exprime toujours d'une manière ou d'une autre.

De plus, la musique étant avant tout guidée par les sens, il est tout à fait normal que nos goûts nous poussent davantage vers un style que vers un autre. Malgré tout, si certains critiques semblent prendre un malin plaisir à cracher du venin à l'endroit des artistes, d'autres font preuve de discernement en critiquant des artistes ou des œuvres qui le méritent amplement.

En mars 2005, une controverse a d'ailleurs fait rage à Montréal au sujet de deux téléséries qui avaient fait l'objet de critiques assez sévères dans la presse, ce qui a provoqué leur retrait de l'antenne. Les scénaristes et auteurs de ces téléséries se sont insurgés contre cette critique dégradante qui a nui à leur réputation et ont

voulu intenter un procès à ceux qui les avaient coupé de l'antenne. Mais en dehors des considérations purement contractuelles et financières qu'impliquait ce retrait, leurs détracteurs avaient-ils vraiment tort ? Après tout, sommes-nous prêts à accepter n'importe quel reportage, artiste ou disque qui sort sous prétexte qu'il sera de qualité, parce qu'on nous le présentera comme tel ? Espérons que non, car à ce moment-là, nous n'aurions plus qu'à laisser les médias choisir à notre place les programmes ou artistes que nous devrions écouter ou aimer.

Il est évident qu'un certain battage médiatique pourra porter aux nues des artistes qui ne mériteraient pas vraiment de réussir, mais, en règle générale, un produit vraiment insipide se heurtera au bon sens, alors qu'un produit d'excellente qualité fera souvent l'unanimité auprès du public, finalement le véritable décideur en la matière.

La critique fait donc partie du monde médiatique et se révèle un mal nécessaire. À partir du moment où vous choisissez de monter sur scène, vous vous exposez à la critique, ce phénomène est inévitable.

Il me semble d'ailleurs qu'au Québec, ce sujet soit nettement plus sensible qu'en France où la critique, la contestation et l'argumentation sont quotidiennes. Ici, on a toujours une propension à ne pas vouloir blesser les artistes ou les vedettes du petit écran en nuançant toujours notre avis. Finalement, nous ne regardons pas la vérité en face, ce qui n'est pas nécessairement un gage de qualité. En effet, que cet avis émane d'un gérant ou d'un critique, je crois que l'on aura toujours intérêt à dire à un artiste la vérité sur la qualité de son travail ou de ses prestations, car il pourra sûrement en tirer quelque chose de positif pour l'avenir. Son ego en sera vraisemblablement touché, mais cela aura peut-être un effet positif sur la suite de sa carrière. Enfin, ce n'est pas parce qu'on subit de mauvaises critiques pendant un temps qu'on les subira toute sa vie !

C'est ici que se situe le paradoxe dont je parlais en début de chapitre. Une fois que les artistes sont largement présents dans

les médias, ils voudraient que ces derniers entretiennent *ad vitam æternam* leur réputation sans jamais la ternir. Cependant, c'est bien souvent ce qui intéresse le plus les médias à sensations. Ceux-ci tirent leurs profits de ce genre de couverture médiatique et la raison en est simple : les artistes ont bel et bien besoin des médias pour survivre, mais l'inverse est tout aussi vrai ! Les médias ont en effet besoin de nouvelles sensationnelles pour garder leur auditoire ou leur cote d'écoute, laquelle influe sur le prix des publicités diffusées, et donc sur leur rentabilité.

Alors, faut-il avoir peur de la critique ? En considérant, d'une part, qu'il est extrêmement rare qu'un artiste fasse l'unanimité et que, d'autre part, cette critique puisse être justifiée et vous apprendre beaucoup de choses sur vous-même, je vous conseillerai de ne pas vous en offenser, mais au contraire de lui prêter une attention particulière en apprenant à la décrypter.

Faites cependant extrêmement attention aux paroles que vous serez parfois amené à prononcer en entrevue. En effet, lorsqu'un artiste se retrouve, lors d'une campagne promotionnelle, à jongler entre les avions et les *interviews*, il peut facilement se faire piéger par des journalistes qui ne demanderont pas mieux que de l'interroger sur des sujets débordant du contenu strictement artistique. Il vous faudra par conséquent faire preuve de fermeté et de discernement.

Céline Dion, par exemple, alors qu'elle était interrogée pendant une conférence de presse à Vancouver, s'était prononcée en faveur d'un Canada unifié, ce qui avait fait la une de tous les journaux du Québec le lendemain. Elle avait alors été contrainte de se rétracter et de nuancer sa position pour ne pas perdre sa clientèle québécoise. Les médias sont donc extrêmement féroces et pourraient ne faire qu'une bouchée de vos faiblesses, ne l'oubliez pas !

Chaînes, stations et programmes musicaux

Depuis les années 1980, les médias spécialisés dans le domaine du *show-business* musical se sont massivement multipliés, au plus

grand bonheur du public, très friand de toute actualité pouvant toucher de près ou de loin ses idoles et stars favorites. Mais le principe n'en est pas si nouveau que cela.

En effet, depuis quelques décennies, la presse écrite compte dans ses rangs de belles publications, comme nous l'évoquions avec les exemples des *Inrockuptibles* ou de *Rock'n'folk*, en France.

Il faut également se souvenir que le Paris des siècles derniers disposait de ce qu'on appelait communément alors ses «feuilles de chou», c'est-à-dire des gazettes quotidiennes ou hebdomadaires qui influaient beaucoup sur le succès des pièces de théâtre et des opéras présentés dans la capitale.

Les chaînes de radio et de télévision, pour leur part, ont commencé, dès les années 1950 et 1960, à programmer des émissions spécifiquement consacrées au spectacle, émissions qui ont fait la gloire de nombreuses vedettes aussi bien en France qu'à l'étranger. On se souviendra, par exemple, de la légendaire émission radiophonique puis télévisée de la chanteuse Mireille, *Le Petit Conservatoire*, qui a vu les débuts de plusieurs grands noms de la chanson comme Françoise Hardy, Jacques Dutronc ou Serge Lama.

Ce *Petit Conservatoire* est d'ailleurs sûrement le plus vieil ancêtre de la *Star Académie*, car son principe consistait à donner des cours en direct à la télévision aux apprentis artistes de la chanson, en plus d'améliorer leurs techniques vocales sous les conseils avisés d'une professeure de chant réputée dans le tout-Paris.

Il y a également eu la fameuse émission *Salut les copains* sur Europe 1, la radio française qui a ouvert la voie à la mode yé-yé en France et a ainsi permis à un nombre incalculable de chanteurs d'accéder au succès. Johnny Hallyday, Dick Rivers, France Gall et Eddy Mitchell ont notamment connu leurs premières heures de gloire grâce à cette station. L'émission avait même remporté un tel succès qu'elle avait été déclinée, non seulement à la télévision, mais aussi sous la forme d'une revue très populaire.

L'une des qualités essentielles de cette émission était de réunir sur son plateau de jeunes artistes très sympathiques dont le succès n'avait pas encore terni la personnalité. Tous acceptaient de se prêter au jeu des duos et des sketches improvisés de manière naturelle et sans souci de l'image qu'ils pouvaient projeter.

Après la mode du yé-yé, le rock a obtenu ses lettres de noblesse, malgré une image souvent négative. L'une des émissions musicales phares des années 1980 dans ce domaine aura sans conteste été *Les Enfants du rock* sur Antenne 2, à la fois insolente et originale. Cette dernière a même décroché le titre d'émission culte de la télévision française. Elle a aussi vu les débuts d'un certain Antoine de Caunes et ceux des non moins talentueux Pierre Lescure et Alain de Greef, futurs patrons de la chaîne Canal+.

Pour sa part, Antoine de Caunes, avant de devenir l'icône de la célèbre chaîne à péage, a aussi été l'animateur de deux autres émissions cultes sur le rock et la culture *underground* très appréciées du public : *Rapido* et *Eurotrash*, coanimée avec le couturier français Jean-Paul Gaultier. Ces émissions ont permis à une génération entière d'avoir accès à des informations et à des artistes qu'elle n'aurait pas pu découvrir ailleurs, à une époque où le rock rebelle n'avait pas le droit de cité sur les ondes.

Le phénomène a d'ailleurs perduré jusque dans les années 1990 avec deux émissions qui lui étaient consacrées à la télévision française, *Culture rock* sur M6 et, dans une moindre mesure, *Taratata*, animée par Nagui sur France 2.

Il me faut cependant avouer qu'à l'époque de *Salut les copains* ou des *Enfants du rock*, l'accessibilité pour un jeune artiste à ce type de programmes était beaucoup plus simple qu'elle ne l'est aujourd'hui.

Dans les années 1960, la variété commençait en effet tout juste à être populaire et le grand public ne demandait pas mieux que de découvrir de nouveaux jeunes pleins de fougue et de talent. Ceux-ci n'étaient pas si nombreux qu'aujourd'hui à vouloir auditionner pour ce type d'émissions et ils pouvaient donc facile-ment espérer se faire diffuser sur les ondes.

Aujourd'hui, la donne a changé, même si le public est toujours friand de nouvelles têtes. Le spectacle-*business* a resserré son étau et professionnalisé l'accès aux médias. C'est ainsi que la *Star Académie*, qui avait un petit côté amateur à ses débuts, accueille à présent, lors de ses auditions, des jeunes semi-professionnels ou ayant constitué un portfolio digne d'un artiste à part entière. La concurrence est donc beaucoup plus serrée qu'elle ne l'était auparavant, et l'accès aux médias tout aussi délicat.

Les voix du succès

De nombreux artistes ne comprennent pas le rôle du journaliste et finissent par se révolter contre cet acteur incontournable des médias, en disant que ce dernier aura détourné l'information transmise au cours d'une entrevue ou projeté une mauvaise image d'eux. On a tendance à condamner trop vite les journalistes qui peuvent se révéler, comme tout un chacun, soit très talentueux soit, au contraire, totalement exécrables. Mais qu'ils soient bons ou mauvais, on aurait tout de même tort de vouloir tous les loger à la même enseigne.

L'expérience m'a certes montré que certains journalistes ne font pas toujours preuve d'un minimum de respect envers les artistes qu'ils rencontrent. Ce minime pourcentage de journalistes désagréables a souvent tendance à profiter de la moindre occa-sion pour détruire la réputation d'artistes talentueux. En réalité, il s'agit bien souvent d'êtres qui ne cherchent qu'à attirer l'atten-tion sur leur personne, plutôt que sur les artistes dont ils sont censés parler dans leurs écrits ou leurs émissions. Cependant, et heureusement, il en résulte un phénomène assez sournois pour eux, puisque leur réputation pâtit de l'acidité de leurs propos. Et cette mauvaise renommée conduit évidemment les artistes les plus lucides à se méfier de ces personnes et à éviter toute colla-boration professionnelle avec elles. On récolte souvent ce que l'on sème, il faut bien l'admettre, et le milieu artistique est une petite famille où tout se sait et où l'on a tôt fait de désigner les moutons noirs. Il est donc de mise de se méfier des manipulateurs d'opinion qui, encore une fois, par ego ou par bêtise, s'attaquent à la réputation d'autrui avec l'unique souci de nuire.

Cette pratique ne fait heureusement pas recette dans les médias. Au contraire, la majorité des journalistes est constituée de personnes consciencieuses, professionnelles et perfectionnistes qui exercent une profession qui est loin d'être facile. Ils sont en effet constamment en train de courir après des artistes pour obtenir un entretien, en plus de gérer sans cesse l'urgence. Par exemple, lorsqu'un journaliste débute une entrevue avec un artiste, le gérant lui déclarera souvent dès le début : « Bon, vous n'avez droit qu'à 15 minutes, alors soyez bref et efficace, car notre temps est compté ! » De plus, les artistes ont des emplois du temps très remplis et leur patience peut s'étioler très rapidement. Par conséquent, la préparation du journaliste doit être irréprochable, et ses questions à la fois pertinentes et originales pour éviter que l'artiste ne s'ennuie pendant l'entrevue. Pour ce faire, il lui faudra tenter de poser des questions que l'artiste n'aura jamais entendues. La plupart du temps, cela se révèlera très délicat, car même en tentant d'être original, un journaliste commence souvent son entrevue en posant des questions classiques.

Quoi qu'il en soit, si vous jouissez déjà d'une belle notoriété et que la première question que vous pose un journaliste en entrevue est l'une de celles-ci : « À quel endroit êtes-vous né ? Quelle est votre formation musicale ? Quel a été votre premier succès, votre maison de disques ? », vous serez en droit de lui faire comprendre qu'il n'est guère professionnel, car généralement toutes ces informations sont déjà présentées dans votre dossier de presse et n'ont pas besoin d'occuper une interview ! Par contre, si vous êtes encore peu connu, ces questions vous seront sûrement posées et vous vous ferez bien sûr un plaisir d'y répondre, du moins les premières fois…

Les questions posées à un artiste tournent la plupart du temps autour des mêmes sujets : son parcours personnel, ses influences,

sa manière de travailler. Ce peu d'ouverture s'explique à cause de la marge de manœuvre du journaliste, souvent limitée, et ce, quelle que soit la notoriété de son interlocuteur. Il faut également tenir compte du fait que ce dernier appréhende toujours la bonne conduite et le résultat de cette rencontre. En effet, ce n'est pas parce qu'un journaliste entame et termine une entrevue avec un artiste, aussi réputé soit-il, que celle-ci sera acceptée par sa rédaction. Cette dernière peut même se montrer extrêmement exigeante quant aux résultats à atteindre par le journaliste. À l'inverse, il est certain que plus l'interview sera réussie, autrement dit plus elle sera exclusive, plus elle aura des chances d'être à la une d'un journal ou d'occuper une bonne place dans une émission de télévision. Le journaliste persévérant ne ménagera donc pas ses efforts pour arriver à plaire à son directeur de publication, en prenant soin évidemment de suivre la ligne éditoriale du média pour lequel il travaille.

Quant aux artistes, ils devraient parfois se montrer plus généreux dans leurs rapports quotidiens avec les journalistes qu'ils ne le font dans les faits, car ces derniers représentent tout de même une bonne part de leur gagne-pain !

Les journalistes servent en effet indéniablement les artistes et vice versa. Ce lien n'échappe à personne. Un artiste qui ne bénéficie d'aucune publicité dans la presse ne jouira pas de la même popularité qu'un habitué des manchettes, à l'exception de quelques rares phénomènes qui arrivent à générer un mystère rentable autour d'eux. Malheureusement, beaucoup trop d'artistes demeurent désagréables avec les journalistes qu'ils côtoient par peur, par méprise ou parce qu'ils ne comprennent pas leur rôle fondamental. Ce rôle consiste tout simplement à informer le public de manière indépendante, et non pas à manger dans la main des artistes, sous prétexte qu'ils ont de la notoriété !

Il est évident que lorsqu'un artiste débute sa carrière, il est extrêmement satisfait d'avoir la plupart des journalistes quasiment à ses pieds pour espionner chacun de ses faits et gestes. Il se montre alors souvent sous son meilleur jour pour arriver à générer de l'énergie positive autour de lui. Par la suite, ce même artiste a malheureusement tendance à devenir, une fois le succès acquis, bien moins loquace et courtois qu'auparavant. Or, en étant désagréable avec un journaliste, il est fort probable que celui-ci le devienne à son tour par le biais de sa plume ou de sa voix, ce qui peut engendrer des conséquences dommageables pour l'artiste en question. Ceci est de bonne guerre.

Le problème qui risque de se poser, lorsqu'un artiste ne ménage pas suffisamment le milieu journalistique, dépassera le seuil de la simple entrevue bâclée. La réputation de cet artiste pourra décliner et les médias finiront par ne plus s'intéresser du tout à lui. Qui plus est, le monde des journalistes étant souvent un petit univers où tout se sait très rapidement, on peut vite y dresser des listes noires où figurent certains individus jugés arrogants ou méprisants. Et si les médias ne s'intéressent plus à un artiste ni à son travail, la cote de popularité de ce dernier auprès du public risque fort bien de décliner à son tour, entraînant dans sa chute les ventes de disques.

Les articles, les chroniques et entrevues constituent finalement une publicité gratuite à ne pas négliger, surtout quand on a le pouvoir, grâce à une attitude compréhensive, dynamique et patiente, de les influencer positivement.

Comment faire ou défaire une carrière
L'animateur Claude Rajotte, de Radio-Canada

Peu d'animateurs, toutes origines confondues, peuvent se vanter d'avoir plus de 25 ans de carrière derrière eux et garder toute leur popularité. C'est ce qu'a pourtant réussi Claude Rajotte, le journaliste musical sans aucun doute le plus écouté au Québec. Source de référence de bien des mélomanes, et d'exaspération pour ceux qui ont eu le malheur de lui envoyer un album de moindre qualité, cet homme passionné représente, à bien des titres, l'intégrité d'un milieu dont on douterait parfois de la neutralité.

Mais le ton Rajotte ne s'est pas créé du jour au lendemain. L'animateur a même dû, dans les années 1980, réorienter sa carrière, de prime abord radiophonique, pour parvenir à faire

Fabrication d'une star

accepter sa manière de parler de la musique. Il était alors aux commandes d'une émission très populaire sur les ondes de CHOM, une station montréalaise anglophone, pour laquelle il alternait des présentations en français et en anglais, ce qui n'était ni courant, ni apprécié par la principale compétitrice francophone de cette station, CKOI. Sous prétexte que ce genre d'attitude pouvait la mettre en danger — dans les faits, Rajotte avait un peu trop de cotes d'écoute à ses yeux —, CKOI a fait interdire toute présentation francophone sur la station CHOM, ce qui a, du même coup, détruit le concept vendeur de son animateur.

Vaille que vaille, Claude Rajotte a alors décidé de joindre les rangs d'une nouvelle chaîne télévisuelle consacrée à la musique, Musique Plus. Drainant dans son sillage un nombre déjà important de mélomanes de tous les horizons, il a activement participé au développement de cette chaîne et en est devenu l'un des animateurs-vedettes. Libre de mener comme il l'entendait les émissions dont il était responsable, Rajotte a adopté le ton que nous lui connaissons encore aujourd'hui, un ton à la fois sincère, intransigeant, caustique et un peu réactionnaire. Le Cimetière des CD, un programme symbole devant lequel se massaient, une fois par semaine, des centaines de milliers de téléspectateurs, demeurera à jamais gravé dans les mémoires. Pourquoi ? Parce qu'on pouvait y assister aux meilleures découvertes musicales de l'heure, mais aussi aux plus grandes humiliations. Ces dernières prenaient en effet la forme d'une cuvette de toilette où l'animateur jetait nonchalamment les albums qui ne méritaient pas, selon lui, de figurer dans les magasins ! Évidemment, cette manière d'agir a pu offenser, si ce n'est révolter, plusieurs artistes. Mais elle a également forgé la réputation d'un homme qui refuse la langue de bois si courante dans le milieu musical, ainsi que celle d'une chaîne qui, depuis son départ au cours de l'année 2004, a perdu une partie de la magie — et de l'auditoire — qui a fait ses années de gloire.

Car Claude Rajotte a de nouveau décidé de changer de voie et officie aujourd'hui dans l'émission *Bande à part*, présentée sur les ondes d'Espace Musique, une antenne radiophonique de Radio-Canada. Fidèle à son tempérament et à sa grande connaissance du monde musical, il entraîne ses auditeurs aux quatre coins du monde, débusque de nouveaux courants et rend hommage à ceux qui ont disparu des magasins ou de notre mémoire. Nous nous trouvons donc loin de l'image stéréotypée du musicien raté qui a décidé de devenir critique musical pour se faire vengeance. Claude Rajotte représente même, pour de nombreux artistes méconnus, l'une des seules fenêtres de diffusion possible à l'intérieur d'un système dans lequel le commercial prime souvent sur l'original. Preuve qu'il y a encore de bons journalistes dans ce secteur d'activité.

La scène

La scène m'a toujours fasciné, et cela depuis ma plus tendre enfance. Comme beaucoup d'artistes ou de personnes qui travaillent dans notre milieu, j'ai souvent eu de la difficulté à expliquer les raisons qui m'y ont tant attiré. Toutefois, si je devais refaire ma vie, je la referais immanquablement sur scène.

La scène est un lieu de rêve, d'émotion et de plaisir qui donne à notre existence un côté magique. Cette vérité est valable que l'on y officie à titre d'artiste, ou que l'on soit un simple spectateur. N'êtes-vous pas émerveillé lorsque vous pénétrez dans une salle plongée dans la pénombre et s'ouvrant sur une scène camouflée derrière un épais rideau de velours noir ? Ou lorsque les jeux de lumière vous surprennent et donnent à la représentation à laquelle vous assistez une nouvelle dynamique et un onirisme évocateur ? Pour ma part, j'ai toujours été émerveillé comme un enfant, et j'imagine que pour beaucoup d'entre vous, c'est à peu près la même chose.

Le plus étrange dans les rapports que l'on entretient avec la scène est que, malgré tous les efforts qu'il faut faire pour arriver à se l'approprier et à y briller, ce lieu ne cesse de nous attirer, quelle que soit sa forme ou sa dimension. De la plus petite estrade dans une fête scolaire, au plateau le plus gigantesque dans un stade lors d'un concert en plein air, son attraction est intemporelle, indicible.

L'aboutissement d'une carrière, une grande salle de concert

Je me souviens avec émotion de ces incroyables photographies de Freddy Mercury, le leader de Queen, chantant en 1986 dans l'enceinte du stade de Wembley, en Grande-Bretagne, devant une foule avoisinant les 90 000 personnes… Quatre-vingt-dix mille âmes conquises qui buvaient ses paroles et reprenaient en chœur ses refrains. Ces images, comme tant d'autres, demeurent inoubliables par leur force, qu'il s'agisse de celles, mémorables, des 500 000 personnes immortalisées dans le documentaire tourné sur le Festival de Woodstock en 1969, ou de tous ces innombrables concerts en plein air qui ont jalonné le parcours des Beatles, devenus trop populaires pour jouer dans des salles de concert classiques.

On se demande d'ailleurs souvent ce que peuvent ressentir les artistes lorsqu'ils se retrouvent devant cette marée humaine entièrement conquise. Eh bien, cela donne un sacré frisson et, surtout, une bonne dose d'adrénaline !

Car, en réalité, un véritable artiste ne se sentira chez lui que lorsqu'il brillera sur scène. Il y a bien sûr des exceptions à cette règle, puisque les chanteuses Barbra Streisand ou Mariah Carey avouent toutes deux avoir une peur bleue des représentations en public.

Mais, si vous n'êtes pas trop stressé, la scène deviendra pour vous un lieu où vous vivrez les moments les plus inoubliables de votre vie. La majorité des artistes, tout comme vous, ne montent pas sur les planches par hasard, mais bien parce qu'ils ressentent le besoin intense d'attirer sur eux l'attention de leur entourage. Ce phénomène est d'ailleurs très naturel. Lorsqu'on a du talent, on est poussé à le partager avec son entourage, et ce, que l'on se nomme Dalí, Pavarotti, Madonna ou Hubert, l'inconnu d'une petite banlieue.

Le principe fondateur de l'état d'artiste réside d'ailleurs tout simplement dans la volonté irrépressible d'extérioriser ses émotions artistiques. Lorsqu'on est un artiste de la scène, quelle joie et quelle satisfaction, effectivement, de pouvoir savourer un succès éphémère après avoir travaillé durant des semaines interminables dans l'anxiété et le stress !

Et n'oublions pas non plus le trac lié à la première représentation d'un spectacle où les médias, les amis, la famille et le public nous attendent tous au tournant ! On ne souhaite décevoir personne à ce moment-là. Mais c'est seulement quand le rideau se lève et que l'on a interprété quelques chansons que l'on sait si la partie est gagnée ou non. Vous aurez des frissons et, pendant tout ce spectacle, vous savourerez de tout votre être ce succès tant attendu.

Par contre, si jamais la sauce ne prend pas, votre prestation pourra vous sembler interminable. Quoi qu'il en soit, ne vous fiez qu'à deux paramètres : la réactivité et la sincérité des applaudissements de votre public. Ce sont souvent ces deux aspects qui font en sorte que des artistes restent sur scène jusqu'à 80 ans, voire plus.

Paradoxalement, les concerts ou les spectacles qui ont lieu dans des stades ou des immenses salles de spectacles ne sont pas forcément les plus impressionnants pour les artistes. En effet, lors de ces spectacles de masse, le public se trouve tellement loin de la scène que le rapport en devient plus froid, voire inexistant. Les artistes ont d'ailleurs l'impression, dans ce genre de situation, de jouer devant un écran de cinéma géant, et ce sentiment est partagé par le public qui, dans sa majorité, suit lui aussi le concert sur d'immenses écrans disposés de chaque côté de cette impressionnante scène. En fait, seules les personnes qui auront dépensé de fortes sommes d'argent pour leurs billets de spectacle pourront se targuer d'accéder au parterre et de voir leurs idoles de plus près.

Sur le plan de la qualité, les grands stades et les salles de sport aménagées exceptionnellement pour recevoir des spectacles sont loin d'être les meilleurs endroits pour un concert. Ces lieux sont en effet plutôt conçus pour rentabiliser une tournée que pour vous permettre d'assister à un spectacle de qualité. Certes, sur le plan visuel, les concepteurs scéniques ont fait des progrès inouïs depuis les années 1970, si bien que les concerts d'aujourd'hui rivalisent d'exploits pyrotechniques et d'effets spéciaux pour répondre aux demandes des fans les plus exigeants. Les concerts de U2 et de Michael Jackson sont notamment restés gravés dans les mémoires comme des exemples en la matière, surtout dans le cas de Jackson qui mêlait chorégraphies de groupe, effets spéciaux et pyrotechnie de superbe manière. Du côté francophone, on ne se lasse pas non plus des fantastiques mises en scène de Mylène Farmer et de M. Mais pour revenir à la qualité des spectacles de grande envergure, on est loin, vraiment très loin, de ce que l'on pourrait espérer. Pourquoi ? Tout simplement parce que ces stades et ces salles de sport ne sont pas construits pour écouter de la musique amplifiée. En effet, lorsqu'on assiste à un concert dans ce type d'endroits, on a plus l'impression d'entendre un énorme brouhaha teinté d'écho, qu'une prestation artistique d'un grand de la chanson. C'est évidemment dommage. Mais il est logique que ce type d'artistes ne donnent pas régulièrement des concerts dans des salles plus petites, même si ces dernières sont très prestigieuses, considérations financières obligent.

Il y a cependant des exceptions à cette règle. Certaines grandes salles de spectacles sont en effet devenues tellement mythiques que même les plus grosses stars du monde du *show-business* veulent encore y jouer. Les Rolling Stones ont ainsi donné une série de concerts inoubliables à l'Olympia au mois de juillet 2003 à l'occasion de leur quarantième anniversaire.

Pour cette tournée, ils avaient précisé qu'ils ne souhaitaient pas jouer dans des stades, mais bien dans des salles de taille humaine pour retrouver les sensations ressenties au tout début de leur carrière. Cette nouvelle avait évidemment fait l'effet d'une bombe parmi les fans du groupe qui s'étaient précipités pour obtenir des places pour ces concerts, des places qui se sont finalement écoulées en l'espace de quelques heures.

Les Stones ne sont d'ailleurs pas les seuls à vouloir de temps à autre jouer dans des salles de concert plus petites. Prince est connu pour donner très souvent des concerts surprise dans des salles de spectacles de ce type aux États-Unis. N'oublions pas non plus la merveilleuse *Tournée des campagnes* qui avait amené dans les années 1990 le trio Goldman, Frederick et Jones à se produire dans de petites salles intimistes à travers toute la France.

C'est d'ailleurs ce genre d'anecdotes qui ont fait la gloire de certaines salles comme l'Olympia, un endroit de prédilection qui constitue encore, pour beaucoup d'artistes francophones, un rêve à réaliser ou l'aboutissement d'une carrière. En effet, quel grand artiste français n'a pas joué à l'Olympia ? De Brassens à Aznavour, en passant par Johnny Hallyday ou encore M, ils y sont tous passés ! Car si ces salles sont plus petites comparées aux stades et aux très grandes salles de spectacles, elles n'en demeurent pas moins grandes par leur qualité et leur réputation. Elles constituent donc forcément un passage obligé pour toute carrière digne de ce nom.

L'Olympia (Paris), le Carnegie Hall, l'Apollo (New York) ou le Spectrum (Montréal)… toutes ces salles représentent des temples du spectacle. La qualité sonore y sera toujours au rendez-vous et le rapport public-artiste intéressant, car il y demeurera des plus humains.

Mais qu'est-ce qui fait véritablement la magie de ces prestigieuses salles de spectacles ?

Pour beaucoup, la première réponse qui vient à l'esprit est la réputation de ces lieux. Il est en effet particulièrement exaltant pour un artiste d'avoir l'impression de marcher dans les traces des plus grands. Pour d'autres, l'ambiance du lieu, son cachet, ses qualités acoustiques ou techniques les attireront.

L'Olympia remplit d'ailleurs tous ces critères, ce qui la classe dans la catégorie supérieure des grandes salles. Des loges en passant par le plateau, et des sièges en velours aux coulisses, tout l'espace de ce lieu concourt à cette réputation en or. Voir son nom figurer en grosses lettres sur le fronton d'une salle telle que l'Olympia ne laissera aucun artiste indifférent.

Enfin, ces espaces, malgré leur petite taille, arrivent à créer une synergie entre le public et l'artiste qui contribue au succès, et du spectacle, et de l'artiste concerné.

Bien sûr, il est quasiment impossible pour un artiste de moindre réputation de jouer dans une telle salle. L'accès à ces lieux se négocie durement et avant qu'un producteur n'entreprenne de les louer, il s'assurera que votre popularité vous permette de les remplir, si possible en de nombreuses occasions. En cas d'échec, c'est la survie de votre équipe ou pire, de votre réputation, qui en seraient menacées.

Si vous n'êtes pas encore prêt pour ces grandes salles, vous avez par contre toujours la possibilité d'en rêver et de vous en approcher par votre travail acharné. Il vous reste aussi la possibilité de faire vos premières armes sur d'autres scènes plus modestes, mais intéressantes, à deux pas de chez vous.

Deux salles prestigieuses, l'Olympia et Carnegie Hall

L'une se trouve à Paris, l'autre à New York, mais elles font toutes deux partie de la petite famille des salles de spectacles dont la seule évocation fait briller le regard de tous les mélomanes et artistes. Pour les premiers, elles représentent l'assurance d'une programmation exceptionnelle et des rencontres historiques avec leurs vedettes préférées. Pour les seconds, qui rêvent tous de pouvoir un jour fouler la scène de ces panthéons de la musique du XXe siècle, elles transpirent à tel point de talent que certains d'entre eux se sentent, au cours de leur prestation, faire corps avec des idoles disparues.

Cette pensée peut faire sourire au premier abord, mais elle se fait simplement l'écho d'une histoire palpitante. L'Olympia et Carnegie Hall ont en effet toutes deux reçu la visite des plus grands du spectacle et connu un parcours très tumultueux.

L'Olympia, tout d'abord, construit en 1894 sous l'impulsion de Joseph Oller, le prestigieux créateur du Moulin Rouge, a dès ses débuts défrayé la chronique. De grands artistes internationaux du cirque, de la danse et de la mode s'y sont succédé jusqu'en 1929, date à laquelle la salle est devenue un cinéma... qui périclitait, lorsqu'un jour Bruno Coquatrix, un auteur-compositeur qui avait déjà fait sa marque dans le domaine de la production musicale et que tous les membres du *show-business* considèrent encore aujourd'hui comme l'un des plus grands visionnaires qu'ils aient connus, l'a acheté en 1952. Coquatrix a alors très rapidement, dès la réouverture de l'Olympia en 1954, transformé cet endroit en un temple du music-hall. Un temple à l'intérieur duquel, grâce aux légendaires émissions d'Europe 1 *Musicorama* et *Salut les copains*, retransmises en direct depuis la salle de spectacles, les plus grandes vedettes de la chanson française et étrangère se sont présentées : Louis Amstrong, Duke Ellington, Judy Garland, Ella Fitzgerald, Frank Sinatra, Maurice Chevalier, Yves Montand, Édith Piaf, Marlene Dietrich, Jacques Brel, Georges Brassens, Serge Aznavour, Joe Dassin, Dalida, Michel Fugain, Michel Sardou... La liste des grands noms qui s'y sont produits est longue, d'autant plus longue qu'elle s'enrichit chaque année de nouvelles signatures, comme le prouve pendant le seul automne 2005 la visite de groupes comme Matmatah et Louise Attaque, ainsi que celle de chanteurs comme Robert Plant, Mireille Mathieu, Cali, Tracy Chapman et Sinead O'Connor.

Malgré tout, l'Olympia a bien failli disparaître en 1979 après le décès de Bruno Coquatrix. Puis, en 1997, des menaces d'expropriation pour raison de classement historique se sont abattues sur la femme, la fille et le neveu de Coquatrix qui avaient repris les rênes de l'entreprise. Et ce n'est finalement que grâce à l'intervention providentielle de nombreux artistes et du ministre français de la Culture de cette époque, Jack Lang, qu'une solution peu banale a été trouvée pour sauver l'Olympia : le déconstruire pour le reconstruire à l'identique quelques dizaines de mètres plus loin !

Il s'en est donc fallu de peu pour que Paris perde l'un de ses plus grands temples de la musique… tout comme New York, en 1960, alors que l'Orchestre philharmonique de cette ville a décidé de déménager ses installations au Lincoln Center, abandonnant du même coup le Carnegie Hall. Pour beaucoup de mélomanes, mais surtout pour bien des artistes attachés à cette construction d'une beauté époustouflante — il s'agit d'un des seuls grands bâtiments new-yorkais totalement conçus en bois et de style baroque florentin encore existants — et à l'acoustique exceptionnelle, il était hors de question de laisser détruire le Carnegie Hall pour le remplacer par un bâtiment commercial. Et l'on comprend cette réaction, lorsqu'on a la chance de déambuler dans les couloirs, de grimper les 105 marches qui nous conduisent jusqu'au dernier balcon de la salle Main Hall, ou d'assister tout simplement à un concert depuis le parterre. Il émane de ce panthéon de la musique classique une aura de magnificence et de perfection qu'il serait difficile de trouver dans des salles plus récentes. Peut-être ce sentiment est-il renforcé par la présence, aujourd'hui fantomatique, de son fondateur, Andrew Carnegie, qui a présidé à sa construction pendant près de sept ans, de 1890 à 1897. Ou bien les nombreux portraits dédicacés qui envahissent le vestibule veillent-ils encore à ce que cet endroit ne devienne jamais désuet. Nul ne le sait, mais Isaac Stern, qui a mené le groupe de défense qui a sauvé le Carnegie Hall de la destruction, avait vu juste. En effet, même s'il a été impossible d'empêcher la construction, entre 1987 et 1989, d'un building de 60 étages dans le même pâté de maisons, la salle de spectacles, pour sa part, est demeurée fidèle à ses origines. Elle attire invariablement de nombreuses vedettes de la scène classique, mais aussi jazz et populaire — dont dernièrement Youssou N'Dour, Rokia Traore ou Diana Reeves —, et enchante des milliers de spectateurs chaque année. Comme quoi les mythes ne sont pas destinés à s'éteindre.

Fabrication d'une star

Les salles indépendantes, un réseau très structuré

Pour les artistes moins connus ou qui débutent leur carrière, de plus petites salles constitueront une très belle vitrine pour intégrer le monde du spectacle. Ces salles provinciales ou locales sont très nombreuses et offrent, tout au long de l'année, des programmations riches et variées d'artistes plus ou moins connus, mais qui sont parfois tout aussi talentueux que les grandes vedettes du *show-business*.

Pour tout dire, je considère parfois ces artistes bien meilleurs que les vedettes elles-mêmes, mais la chance ou des concours de circonstances défavorables ne leur ont pas permis d'atteindre la notoriété publique. Cela ne les empêche pas de toucher un autre public dans le réseau des salles locales, et encore moins de le fidéliser. Car ces salles locales ont en effet un public d'habitués qui n'hésite pas à se déplacer pour assister à des spectacles, surtout dans les villes de moyenne importance, voire dans des zones dites rurales. La salle de spectacles, qui fait souvent office de salle de concert et de théâtre, voire de salle des fêtes, y constitue en effet un lieu d'échange et de maillage culturel unique entre les couches sociales et les générations.

Depuis la fin des années 1980, les pouvoirs publics, en France comme au Québec, ont particulièrement encouragé le spectacle vivant. Cette attention s'est traduite, dans la pratique, par une véritable floraison, aux quatre coins de la France, ainsi qu'au Québec, de nombreuses salles de spectacles, de théâtres et de centres culturels. Ces derniers, en dehors de leur capacité d'accueil et de leur taille, n'ont pratiquement rien à envier techniquement aux grosses salles que nous évoquions précédemment. Le but avoué de cet essor du spectacle sur le plan local était à l'origine d'offrir, à moindres frais, à un public qui n'avait pas l'occasion de se rendre dans de grosses métropoles, la chance de pouvoir voir un spectacle de qualité à deux pas de chez lui. Car généralement, ces salles subventionnées par les municipalités ou les régions appliquent des politiques tarifaires très abordables pour attirer leur clientèle. Et cette initiative s'est gagnée de nombreux adeptes, en plus d'être, à mes yeux, totalement louable, puisque ces salles constituent un service de proximité qui contribue à l'enrichissement des individus et soutient le développement d'artistes moins connus du grand public. En ouvrant leurs portes à ces talents méconnus, ces salles écrivent l'histoire culturelle d'un pays.

On peut d'ailleurs diviser ces lieux de spectacles en plusieurs sous-catégories distinctes. Certains dépendent directement d'une municipalité qui les finance sans autres ressources extérieures. On parle alors de salles gérées en régie directe par des fonctionnaires municipaux. Elles comprennent évidemment des directeurs techniques, des responsables de communications et des chargés de programmation, ce qui les place quasiment au même rang que leurs vénérables grandes sœurs évoquées dans le précédent chapitre.

L'accès à ces salles pour un artiste est pourtant nettement plus facile que celui d'une grande salle parisienne, car, par définition, cette salle locale a pour but d'aider à l'éclosion de nouveaux talents.

Si vous souhaitez jouer dans ce type d'endroits, vous n'avez donc qu'à présenter un petit dossier sur vous et vos talents particuliers. Parfois, vous déposerez aussi une vidéocassette ou un CD, de manière à ce que le programmateur de l'endroit étudie votre candidature en concertation avec une commission culturelle municipale.

Bien sûr, ces salles ne sont pas uniquement destinées aux spectacles de la relève, elles peuvent aussi accueillir des spectacles d'artistes plus connus et ne vous programmeront peut-être pas du premier coup. Mais qui sait, peut-être y décrocherez-vous une première partie intéressante, à défaut d'une soirée en tant que tête d'affiche.

Les centres culturels municipaux fonctionnent également sur ce principe sans discrimination, ce qui peut constituer une belle chance pour vous de commencer à vous produire sur scène. Notez par contre que la rémunération dans ce genre d'endroits s'effec-

tuera en fonction de votre réputation et de votre notoriété. Autrement dit, ne vous attendez pas tout de suite à des cachets élevés si vous êtes inconnu du grand public !

En dehors des espaces municipaux, vous trouverez également sur votre chemin des salles privées créées par des particuliers passionnés. Souvent, ces dernières couplent leurs activités avec celles d'un club ou d'un bar afin d'assurer leur rentabilité. Leur taille et leur capacité d'accueil varient, selon le cas, entre de très petites salles et des salles de moyenne importance. Ce sont des endroits prisés par les musiciens, parce qu'ils disposent généralement d'une programmation spécialisée dans un style particulier, comme le jazz, le rock ou la chanson française.

Le public qui fréquente ces salles est également différent, plus critique et donc intéressant à conquérir. Il existe une infinité de scènes de ce type en France comme au Québec, des lieux chaleureux où vous pourrez sûrement jouer quelque temps après vos débuts musicaux.

Enfin, certains lieux de spectacles dépendent d'autres entités administratives, telles que les régions, provinces, et communes. Ils peuvent aussi se fédérer en réseau sous une sorte de label de qualité spécifique, comme le réseau des SMAC[32], en France. Approcher et jouer dans ce type de salles peut être très productif, car elles peuvent ouvrir la voie à d'autres lieux importants de diffusion.

En somme, d'innombrables solutions s'offrent à vous pour débuter votre carrière sur scène, à votre mesure et surtout à votre rythme.

La musique en toute intimité

Pour beaucoup, les bars sont souvent les premiers endroits où ils ont la chance d'assister à un spectacle qui suscitera chez eux une vocation. Pour d'autres, ces établissements sont idéaux pour

---

32. SMAC : scène de musiques actuelles. Appellation d'une salle appartenant à ce réseau de diffusion.

décompresser après une semaine de travail surchargée. Le bar demeure donc un passage sinon obligé, du moins possible et vivement recommandé à tout artiste voulant se lancer dans une carrière musicale.

Combien d'entre eux ont d'ailleurs entamé leurs débuts artistiques dans un bar ? Beaucoup, si ce n'est la plupart. Le bar est en effet par définition un endroit très familial et se révèle dans bien des cas un endroit propice pour commencer à affronter le public, et par conséquent s'affronter soi-même. Car le public des bars n'est pas celui des salles de spectacles. Vous devrez sûrement accepter d'entendre quelques noms d'oiseau lors de vos prestations dans ce genre d'établissements où la clientèle peut être très chahuteuse ! Par contre, ce sera aussi l'endroit où vous rencontrerez le plus d'intimité avec le public, ce qui vous formera pour des salles de plus grande capacité.

En ce sens, même si les bars ne disposent pas toujours de très gros moyens pour vous accueillir, il vous sera toujours agréable d'y jouer. Certes, souvent gratuitement en échange d'un repas au frais du propriétaire, ou encore, peut-être, en partageant les modestes recettes des entrées avec lui.

Mais, ce sera le lieu où votre famille et vos amis vous verront accomplir vos premières armes. Par conséquent, il restera longtemps gravé dans votre mémoire, comme tous les bars de Hambourg sont restés dans la mémoire des Beatles. Rien n'est d'ailleurs plus simple que de jouer dans un bar un samedi soir. Vous n'avez qu'à vous présenter au patron de ce lieu avec une cassette ou un CD, et lui proposer de vous accueillir, vous et votre orchestre si vous en avez un. Dans bien des cas, les tenanciers de ces établissements sont très favorables à ce genre d'événements qui animent la vie de leur café et attirent la clientèle.

La floraison des comédies musicales

Une nouvelle vogue les a remises au goût du jour depuis quelques années, et pourtant les comédies musicales sont loin d'être un

phénomène très nouveau. En effet, Hollywood et Broadway les ont rendues célèbres et populaires dans le monde entier depuis plus de 50 ans et on en trouve aujourd'hui de toutes sortes, de toutes ampleurs et, bien évidemment, de toutes qualités. Elles comptent cependant dans leurs rangs de magnifiques et mythiques réalisations telles que *West Side Story*, *Hair*, *Les Misérables*, le *Fantôme de l'opéra*, *Starmania*, *Notre-Dame de Paris*, ainsi que des metteurs en scène tout aussi prestigieux, comme Andrew Lloyd Weber.

Leurs différences et leur pluralité font généralement leur charme, et contribuent pour une grande part à intéresser le public à cette forme de spectacle en apparence assez limitée, mais tellement vivante.

La beauté d'une comédie musicale réside dans sa forme artistique, idéale pour entonner de belles mélodies, condition *sine qua non* pour en faire des spectacles de très haute qualité qui s'imposeront internationalement et qui plairont au public. Celui-ci se situe généralement dans une tranche d'âge supérieure à 25 ans, ayant les moyens d'acheter un billet de spectacle relativement cher. Enfin, les comédies musicales sont le lieu idéal pour voir éclore le talent de nouveaux auteurs et compositeurs, et ce, même si leur nombre y demeure limité.

Pour un artiste débutant, la participation à une comédie musicale peut se révéler un excellent choix stratégique pour multiplier ses talents, sa visibilité et sa notoriété, car cet art attire beaucoup les regards depuis quelques années.

Une participation à un tel projet peut aussi constituer un tremplin non négligeable pour une carrière solo balbutiante. Très souvent, en effet, l'affiche de ces spectacles mêle des artistes très connus à d'autres issus de la relève, ce qui est particulièrement intéressant pour chacun d'entre eux, car ils peuvent ainsi apprendre les uns des autres. Des artistes comme Garou ou Diane Tell ont, par exemple, connu d'énormes succès populaires en jouant dans de grosses comédies musicales telles que *Roméo et Juliette*, et

Starmania, soutenus par des artistes anonymes, mais très talentueux. Bien entendu, il faut savoir tirer profit de la visibilité offerte par ces événements pour accroître son potentiel personnel. Ainsi, parallèlement à votre participation à une comédie musicale — si vous avez cette chance —, vous devriez en profiter, vous et votre gérant, pour vous faire de nouveaux contacts et, pourquoi pas, tenter d'enregistrer, durant la même période, votre album solo — ou du moins un simple — tout en commençant votre promotion personnelle. Votre carrière pourrait alors connaître un essor non négligeable, parallèlement au succès de la comédie musicale elle-même à laquelle vous participez.

Ceci dit, pour avoir le prestige d'être retenu dans le *casting* d'une comédie musicale, vous devrez faire montre des plus belles qualités artistiques. En premier lieu, il va de soi que vous devrez posséder une voix exemplaire. Une voix qu'il faudra cependant soutenir par des cours de danse et de théâtre qui vous permettront d'obtenir une attitude scénique irréprochable vous donnant le statut d'un artiste complet.

Les comédies musicales sont en effet extrêmement exigeantes à tout point de vue, physique, artistique comme personnel. Pour pouvoir jouer dans une comédie musicale, vous devrez aussi bénéficier d'un certain facteur de chance inhérent au monde du spectacle, il faut bien l'admettre. Il vous faudra donc, comme on dit, être à la bonne place au bon moment, mais aussi vous tenir continuellement aux aguets pour décupler vos chances d'être repéré et de participer à ce genre d'entreprises artistiques.

Malgré tout, la comédie musicale peut aussi nuire à certains artistes dont la carrière est en plein essor. Comme nous l'évoquions plus haut, les comédies musicales sont excessivement exigeantes sur le plan artistique, mais elles demandent aussi une disponibilité totale qui peut fixer des artistes dans un endroit donné pendant de très longues périodes. Or, en pleine ascension, je ne conseillerais pas à un artiste de stagner dans le confort illusoire d'une comédie musicale. Certains se sont en effet détournés de leurs carrières en restant trop longtemps dans des aventures de la sorte, aventures qui ont fini par leur coller à la peau. Car si le milieu vous catalogue comme chanteur de comédie musicale, vous aurez parfois le plus grand mal à faire machine arrière. Il vous faudra donc vous méfier de cette éventualité.

Une visibilité sans frontières
Le prestige des événements spéciaux

Parmi les carrières les plus réussies dans le *show-business*, celle d'Elvis Presley marquera à jamais les mémoires, car elle s'est adaptée, à l'image du King et du colonel Parker, à toutes les avenues musicales.

Ainsi, lorsque Presley a commencé à vieillir et vu sa cote de popularité diminuer, il s'est concentré sur l'industrie artistique la plus prolifique du marché américain, c'est-à-dire le cinéma. Or, cette option était très rentable pour conserver son public, car le film demeure un vecteur de publicité extraordinaire, surtout quand on le lie à la sortie d'un album de musique. La courte carrière d'Elvis au cinéma l'a, sans conteste, aidé à maintenir une cote de popularité qui aurait très bien pu décliner du jour au lendemain.

Effectivement, même pour un artiste confirmé, le fait de se tourner vers des disciplines connexes au spectacle peut se révéler un excellent facteur de développement de sa visibilité et de son prestige. Mais le choix de cette discipline doit bien sûr être judicieux afin d'éviter tout catalogage qui pourrait être néfaste à sa réputation.

La stratégie d'Elvis était fort simple et agrémentée de quelques particularités, comme le fait de refuser systématiquement toutes les entrevues qu'on lui proposait, ceci dans l'unique but de forcer le public à se laisser attirer par l'énorme force d'attraction de ses longs métrages. Pour avoir des nouvelles du King, ses fans étaient donc contraints de s'intéresser à son dernier film et de suivre toutes les publicités qui pouvaient paraître à ce sujet. Cette méthode a porté ses fruits pendant un temps et le cinéma a réussi à maintenir la popularité d'Elvis au sommet. Ce dernier a cependant commis l'erreur de jouer dans de trop nombreux films qui se ressemblaient tous. Et c'est à partir de ce moment-là que le public a commencé à se désintéresser de ces films à petit déploiement dans lesquels Presley chantait imperturbablement entre 10 et 12 chansons autour d'un scénario teinté, il faut bien l'admettre, de beaucoup d'eau de rose.

Une erreur que Presley avouait lui-même à la fin de ses jours, ajoutant qu'il aurait dû jouer dans d'autres catégories de films, pas nécessairement musicaux, mais qui auraient valorisé ses talents d'acteur. Or, son imprésario avait refusé de lui soumettre des propositions de rôles qui l'auraient conduit à partager l'affiche avec Barbra Streisand et Henry Fonda, ce qui est vraiment regrettable. Cela aurait été une excellente option pour lui de s'éloigner de ces petits films musicaux, tout en prouvant au public du monde entier qu'en plus d'être un bon chanteur, il était aussi un bon acteur de cinéma.

À l'inverse, d'autres artistes ont réussi ce pari audacieux comme Frank Sinatra ou Aznavour. Ce dernier joue d'ailleurs régulièrement dans des longs métrages, ce qui n'a jamais nui à sa carrière de chanteur, bien au contraire. Tout comme Barbra Streisand, qui peut participer à un film par année et présenter quelques spectacles à l'occasion, avec des cachets évidemment exorbitants, sans pour autant souffrir de la moindre baisse de popularité. Elle a, par exemple, participé à l'ouverture du MGM (Metro-Goldwin-Mayer) à Las Vegas, et comme ce spectacle était retransmis en exclusivité à la télévision, elle a bien sûr touché plusieurs millions de dollars.

En choisissant ce type de vie publique, cette artiste dispose ainsi de plus de temps à consacrer à sa famille et à ses enfants, tout en se permettant, en une dizaine de semaines de travail par an, de gagner entre 10 et 30 millions de dollars.

Il est donc parfois plus rentable pour des artistes de renom de participer à un film ou à un événement spécial plutôt que de s'épuiser à faire régulièrement des spectacles ou à partir en tournée aux quatre coins du monde.

Le cinéma représente par conséquent un bon support pour les artistes de la chanson, mais pas uniquement lorsqu'ils se trouvent devant la caméra. En effet, un autre bon moyen de soigner sa visibilité est de participer à la bande originale d'un film.

On peut notamment penser à Éric Serra, un illustre inconnu qui a vu sa vie d'auteur-compositeur-interprète changer radicalement lors de la sortie du film *Le Grand Bleu*, devenu depuis l'un des classiques du cinéma français. Il a d'ailleurs si bien compris l'intérêt d'une bande originale qu'il a depuis cette date régulièrement poursuivi ce type de collaborations.

Céline Dion a également eu beaucoup de chance au cours de sa carrière, puisqu'elle a eu la possibilité de se voir offrir des chansons titres de films qui lui convenaient parfaitement. Il faut bien noter que ce genre d'occasions ne se présentent pas tous les jours. Ces thèmes auraient tout aussi bien pu convenir à un homme ou à un groupe de rock, mais c'est elle qui les a décrochés en définitive et en a fait de grands succès. Elle s'est en effet tout d'abord illustrée avec *When I Fall in Love*, grâce aux studios Disney. Par la suite, sa voix s'est fait entendre dans le film de Robert Redford et d'Annette Bening *Up Close and Personal*, dans lequel Diane Warren lui a donné la chanson *Because You Loved Me*. Presque au même moment, Céline chantait également à l'ouverture des Jeux olympiques d'Atlanta en 1996, ce qui lui a donné l'occasion d'être vue par des milliards de téléspectateurs dans le monde. Enfin, son couronnement est arrivé avec le film *Titanic* de James Cameron, pour lequel elle a interprété la chanson *My Heart Will Go on*.

Ce choix des plus judicieux a donné à la chanteuse québécoise l'immense popularité mondiale qu'on lui connaît aujourd'hui. À la sortie du film, la pièce musicale a été jouée près de 117 millions de fois en une semaine, et un succès n'allant pas sans l'autre, *Titanic* est devenu le long métrage le plus lucratif de toute l'histoire du cinéma. Céline a bien sûr eu beaucoup de chance d'arriver dans un *timing* si parfait que celui-ci.

Aussi, si au cours de votre carrière vous avez l'occasion de rencontrer de telles occasions — elles ne sont pas faciles à obtenir, je vous le concède —, ne les manquez pas. Chanter le thème d'un film, ou réaliser de temps à autre des prestations lors d'événements prestigieux, pourrait permettre à votre carrière de prendre un tournant décisif.

Les trames musicales de Walt Disney

Ah, le merveilleux monde de Walt Disney!... Quel enfant, de par le monde, n'a pas succombé au charme des dessins animés et des longs métrages animés produit par cette entreprise? Les films *Bambi*, *Pinocchio*, *La Belle et le Clochard*, *Winnie le Pooh*, *Fantasia*, *Les 101 Dalmatiens*, *Mary Poppins*, *Le Livre de la jungle*, *Les Aristochats*, *La Belle au bois dormant*, *Le Tour du monde en 80 jours* et *Peter Pan* sont tous, sans exception, devenus des classiques du genre qui ont valu à leur créateur et parrain, M. Walt Disney, une réputation qui ne connaît plus de frontières. De Paris à Pékin, des millions de jeunes — et de moins jeunes — attendent toujours avec impatience la sortie d'un prochain film Disney, collectionnent les DVD, poupées et autres cahiers d'images de leurs personnages préférés, ou rêvent de pouvoir se rendre à l'un des parcs d'attractions fondés par l'entreprise.

Il est en fait bien difficile de quantifier le succès d'une telle aventure. M. Disney lui-même aurait-il pu se douter qu'il transformerait radicalement le monde de l'animation lorsqu'il a débarqué à Hollywood dans l'entre-deux-guerres, avec seulement 20 dollars en poche et une petite valise? Probablement pas, mais ce dont il était par contre sûr, c'était que son talent et ses idées trouveraient preneur. Cumulant succès sur succès dès ses premières années de production — il a notamment été le premier à proposer des longs métrages en couleur entièrement réalisés en animation, à y inclure de la musique de studio, et à en diffuser à la télévision —, Walt Disney a sans cesse révolutionné le genre et établi une marque de fabrique que certains jugent aujourd'hui un peu désuète, sans pour autant pouvoir la concurrencer.

Car le monde de Walt Disney a évolué en même temps que ses spectateurs. Et si *Bambi* demeure un classique, toutes générations confondues, il n'en irait pas de même pour des longs métrages plus récents, si

Fabrication d'une star

on ne leur avait pas greffé d'autres atouts. Ces atouts, on peut les retrouver dans les techniques de réalisation utilisées — les films *Roger Rabbit*, *Mulan* et *Monster Inc* en sont de bons exemples —, mais aussi dans la musique qui les accompagne, devenue parfois tout aussi populaire que les films eux-mêmes. Tout le monde se souvient notamment de la chanson-titre du film *Le Roi Lion*, *Can You Feel the Love Tonight*, interprétée par Elton John. Cette dernière a remporté, au cours de la même année, tous les plus prestigieux prix musicaux, du Grammy Award au Golden Globe Award, en plus de se vendre à des millions d'exemplaires. On peut également penser à la merveilleuse chanson *You'll Be in My Heart*, que Phil Collins a popularisée dans le film *Tarzan*.

L'entreprise Disney représente donc bien plus qu'une longue série de succès cinématographiques. Son énorme diffusion, la promotion titanesque dont ses films font l'objet, ainsi que la fidélité de millions de spectateurs de par le monde permettent à ses acteurs indirects, les interprètes, de bénéficier d'une visibilité impressionnante. Même si, parfois, cette dernière est associée à une imagerie un peu mièvre, à une histoire dans laquelle les gentils doivent toujours triompher des méchants, et les méchants associés à des catégories sociales discutables, il n'en demeure pas moins qu'interpréter la chanson titre d'un film de Disney peut rapporter beaucoup. Beaucoup de crédibilité, tout d'abord, puisque cette maison est toujours associée à des valeurs d'humanisme et, bien sûr, de rêve. Beaucoup d'argent, également, car il suffit qu'une chanson plaise au public pour qu'elle devienne immédiatement un succès mondial. Il n'est donc pas étonnant que des stars de la scène comme Jim Brickman, Phil Collins et Elton John aient accepté de jouer le jeu pour profiter de la publicité que leur conférait leur participation à ces films. Il n'est pas étonnant non plus que des vedettes en devenir, comme Céline Dion et Jasmine — Jasmine a été découverte grâce à *Aladdin* —, aient chacune, en leur temps, sauté sur l'occasion pour se faire connaître d'un plus large public.

Que l'on soit en accord ou non avec les idées véhiculées par Disney, et quelles que soient les limites que nous nous soyons imposées lorsque nous débutons dans le milieu musical, il est essentiel de comprendre, par le biais de cet exemple, que toute porte menant vers la reconnaissance est bonne à prendre. Après tout, si les rêves d'un individu peuvent s'allier, le temps d'un film, à ceux de millions de personnes, tout le monde sort gagnant de cette aventure.

Cahier souvenir de Jean Beaulne 2

Jean Beaulne et Enrico Macias lors d'une pause
pendant le tournage du documentaire *Et maintenant… Pierre Delanoë*.
(Photo Julien Druinaud)

Pierre Delanoë, Jean Beaulne, Marcel Amont, Michel Fugain
sur le balcon de la grande salle de cérémonie
du ministère des Affaires culturelles, à Paris, le 31 mars 2004.
(Photo Julien Druinaud)

  Fabrication d'une star

Nicoletta en séance de maquillage pour son entrevue.
(Photo Julien Druinaud)

Charles Aznavour lors du
tournage du documentaire
Et maintenant… Pierre Delanoë
(Photo Julien Druinaud)

Georges Moustaki et
Jean-Jacques Aillagon,
ministre des Affaires
culturelles, à Paris.
(Photo Julien Druinaud)

Michel Fugain
et Pierre Delanoë,
qui a écrit toutes les
chansons du Big Bazar.
(Photo Julien Druinaud)

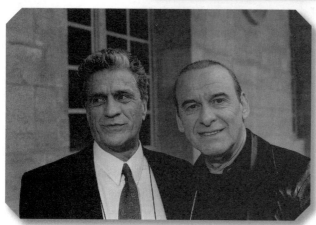

Jean Beaulne
et Michel Fugain
lors de son entrevue
pour le documentaire
*Et maintenant…
Pierre Delanoë.*
(Photo Julien Druinaud)

Enrico Macias enregistrant le thème musical du documentaire *Félix Leclerc*.
(Photo Julien Druinaud)

Marcel Brouillard, narrateur du documentaire *Félix Leclerc*, Enrico Macias
et Jean Beaulne lors du tournage du documentaire *Félix Leclerc*.
(Photo Julien Druinaud)

Pierre Delanoë, Charles Aznavour et Jean Beaulne
lors d'une prise de vue du documentaire *Et maintenant… Pierre Delanoë*.
(Photo Julien Druinaud)

Georges Moustaki en entrevue.
(Photo Julien Druinaud)

Nana Mouskouri et le producteur Jean Beaulne
lors du tournage à Montréal de la série *Paris-Montréal*.
(Photo Pierre-Yvon Pelletier)

Annie Cordy en entrevue pour la série *Paris-Montréal*.
(Photo Julien Druinaud)

Georges Moustaki et le producteur Jean Beaulne.
De dos, Sophie Ginoux, qui a procédé aux entrevues.
(Photo Julien Druinaud)

Raymond Lévesque lors du tournage
du documentaire sur Félix Leclerc, *Moi, mes souliers*.
(Photo Pierre-Yvon Pelletier)

LE GRAND SAUT

Même si de nombreux conseils de ce livre vous ouvriront des portes menant vers la réussite, il vous faudra malgré tout faire preuve de nombreuses qualités personnelles pour atteindre vos objectifs, qu'il s'agisse de jouer dans une comédie musicale, d'enregistrer un disque ou de rôder vos prestations scéniques. Sans votre intime et profond engagement, rien de tout cela ne pourra jamais se concrétiser. Il est très important de le comprendre, surtout à une époque où l'engagement des individus cède souvent sa place à la facilité généralisée ou, du moins, à la croyance illusoire en cette facilité.

Percer dans le domaine du spectacle n'est pas une mince affaire et demande une connaissance précise de ses acteurs, connaissance à laquelle il faut ajouter du courage, du travail, de la ténacité, ainsi qu'une détermination sans limites.

Alors, même si vous faites preuve — ce dont je n'oserais douter — de toutes ces qualités, il faudra également pour réussir vous armer de patience et ne pas vous décourager, l'attente

pouvant se révéler excessivement longue avant d'obtenir des résultats concrets. Et n'oubliez pas que même les plus grands du spectacle ont souvent eu à franchir cette étape.

Un peu de patience !

Imaginons votre situation — idéale en apparence — à ce stade précis de notre ouvrage…

Vous vous êtes mis à travailler d'arrache-pied et maîtrisez à présent plusieurs champs de compétence indispensables pour tirer votre épingle du jeu dans le milieu du *show-business*. Vous avez appris le chant, la musique, et vous êtes entouré de personnes très compétentes pour vous aider. Vous avez même déjoué les pièges des médias… Mais aucun résultat probant ne s'est encore fait sentir et vous commencez à vous impatienter. Dans une telle situation, je vous conseille de vous armer encore et encore de patience. Sachez que vous vivez tout simplement ce que la plupart des artistes qui se lancent à l'assaut du métier du spectacle doivent vivre à un moment ou à un autre de leur carrière, c'est-à-dire une période mêlant l'attente à l'acharnement. Ce fut le cas pour Madonna, les Beatles et combien d'autres encore.

Je lisais d'ailleurs tout dernièrement l'histoire des Bee Gees, et j'ai découvert que ce groupe mythique des années 1970 a dû travailler pendant des années dans l'ombre avant d'obtenir la moindre once de reconnaissance publique. Vous constaterez d'ailleurs bien vite que vous ne serez jamais le seul à devoir vous armer de patience pour réussir. Cette histoire se répète inlassablement pour d'innombrables artistes évoluant dans toutes les disciplines.

Un autre artiste cristallise également, à mes yeux, l'acharnement et la détermination qui font toute la différence entre ceux qui percent dans le métier et ceux qui n'y arriveront jamais : Charles Aznavour.

Né à Paris en 1924, au sein d'une modeste famille d'apatrides qui souhaitait à l'origine immigrer aux États-Unis, le jeune Charles Aznavourian a tout de suite baigné dans un univers artistique qu'il n'a jamais quitté. Son père était un ancien baryton reconverti dans la restauration, et sa mère une comédienne. C'est donc tout naturellement que Charles s'est orienté vers les arts de la scène dès son plus jeune âge. Inscrit à l'école du spectacle à l'âge de neuf ans, il a commencé sa carrière en duo avec un certain Pierre Roche, compositeur avec lequel il a écumé tous les cabarets de Paris et obtenu un succès prometteur.

Si l'on étudie cependant plus en détail cette période qui correspond aux débuts artistiques d'Aznavour, on remarque que cette dernière a donné lieu à la création de nombreuses chansons dépeignant son univers de bohème et la difficulté pour lui de devenir un artiste confirmé. Car ce n'est finalement que bien des années plus tard, en 1946, que sa rencontre avec Édith Piaf lui a ouvert les portes du succès en Europe comme en Amérique du Nord.

En effet, avant cette collaboration fructueuse, Aznavour était totalement inconnu en France, et ce, même si ses spectacles avec Roche étaient très appréciés à Montréal, ville dans laquelle ils sont d'ailleurs restés à l'affiche pendant des semaines d'affilée. De retour à Paris, mais seul puisque son compère était resté au Québec pour se marier, Charles Aznavour a entamé une longue et difficile carrière de chanteur solo. Car même si son talent d'auteur commençait à être reconnu par le milieu, on ne pouvait pas en dire autant de sa voix ni de son style qui étaient unanimement décriés par les critiques. S'ajoutaient à cela des remarques désobligeantes sur un physique que certains jugeaient ingrat. Qu'importe ! Charles se voyait déjà en haut de l'affiche et, malgré des années de galère, il a persévéré et fini par imposer son talent. «On m'a hué, envoyé des sous, des canettes de bière, mais j'ai tenu et je suis là», raconte-t-il aujourd'hui en souriant[33].

_____

33. Extrait du site Web officiel de l'artiste < www.c-aznavour.com>

En effet, en 1954, à la suite d'une tournée en Afrique du Nord qui a confirmé son succès naissant, Aznavour a enfin décroché un contrat dans la célèbre salle de l'Alhambra, puis un autre à l'Olympia, à Paris. Et si les critiques se montraient toujours aussi féroces à son endroit, le public, pour sa part, a commencé à lui témoigner son soutien, si bien que son statut de vedette s'est confirmé. Nous étions en 1958, soit 12 ans après ses débuts, 12 longues années d'efforts et de détermination pour que la consécration arrive. Nous connaissons évidemment la suite. Aznavour a enchaîné les succès et est très vite devenu un chanteur incontournable en France comme à l'étranger où il a multiplié, et multiplie encore, les tournées. États-Unis, Grèce, Russie ; aucune frontière ne l'arrête plus désormais.

Parallèlement à la chanson, on a eu la chance de voir évoluer Aznavour dans de nombreux films, tels que *Les Dragueurs* de Jean-Pierre Mocky, ou encore *Tirez sur le pianiste* de François Truffaut. En 1965, il a triomphé une deuxième fois à l'Olympia avec une série record — et toujours inégalée à ce jour — de 12 semaines de représentations consécutives devant des salles combles. À cela se sont ajoutés des succès comme *La Mamma* ou *La Bohème* qui sont à présent inscrites au répertoire des classiques de la chanson française. « Dans la chanson, on travaille sans filet, un succès comme *La Mamma* ou *La Bohème*, ça n'arrive pas tout seul », avoue-t-il. Effectivement, le travail et la ténacité ont été les seules voies qui ont mené Aznavour aux sommets, de ses duos avec Lisa Minnelli, aux reprises de ses titres par Ray Charles ou Bing Crosby.

Aznavour n'aura donc cessé de s'acharner et de croire en lui malgré les dénigrements et les critiques qu'il a pu subir aux débuts de sa carrière. À 82 ans, ce bourreau de travail, décoré de la Légion d'honneur par le président Jacques Chirac en 1997, planifie encore des tournées et se voit toujours dans les studios d'enregistrement !

Ce destin hors du commun, couplé à une volonté de fer, pourrait constituer une leçon de courage et d'abnégation pour beau-

coup d'entre vous. Si vous travaillez très fort pour développer votre talent, vous avez déjà gagné la première bataille. Il ne vous restera donc plus, en vous armant de patience, qu'à gagner la guerre décisive, celle du succès !

Je ne mange pas de ce pain-là

Pour réussir dans le domaine du spectacle, la patience se marie avec un autre atout, celui de multiplier à la fois les prestations scéniques, comme nous l'évoquions au début de ce livre, mais aussi la participation à différents types d'événements qui renforceront votre visibilité. Et dans ce domaine-là, toutes les occasions sont bonnes pour vous faire connaître ! Sachez en effet que même si vous avez eu la chance de participer, et pourquoi pas de gagner, un concours comme *Star Académie* — qui donne, je vous l'accorde, beaucoup de visibilité –, vous ne couperez sûrement pas à cet exercice de style que représente la diversification de vos prestations, car votre objectif sera alors de vous faire connaître par un public toujours plus large.

Il est évident que cet aspect particulier de la carrière d'un artiste nécessite une humilité constante. La participation à des événements ou à des projets connexes à votre passion première pourraient, c'est certain, quelque peu vous décourager. Pourtant, dans la plupart des cas, il vous faudra vous y plier, afin de décupler votre potentiel et votre visibilité. Je ne vous dis pas qu'il vous faudra accepter tout et n'importe quoi pour vous faire remarquer des foules. Si vous participez, par exemple, à une vente promotionnelle de fromage dans un supermarché, vous risquez fort de vous éloigner de vos objectifs artistiques et cela ne vous rapportera rien ! Par contre, certaines participations pourraient se révéler beaucoup plus pertinentes si elles collent à votre image artistique, et bien entendu à votre discours.

Concernant les publicités, je ne saurais que vous conseiller de suivre votre éthique personnelle. Ainsi, si cela ne vous dérange pas de voir votre image associée à un produit quelconque, et en

admettant que ce produit ait un lien, même infime, avec votre discipline artistique, alors laissez-vous tenter par la publicité.

Notez pourtant que le fait de prendre part à une annonce commerciale peut parfois être assez mal vu du public, qui colle souvent une étiquette de profit à ceux qui y participent. Il est vrai que certaines entreprises n'hésitent pas à mettre les bouchées doubles pour convaincre des vedettes de joindre leur nom à une campagne publicitaire.

Lorsque Air Canada a notamment approché Céline Dion pour redorer son image de marque, ou lorsque Apple a contacté U2 pour représenter son célèbre lecteur MP3 iPod, ce sont bien entendu des millions de dollars qui leur ont été proposés pour endosser ces produits. Ces contrats sont cependant assez rares en début de carrière.

Pour ma part, j'ai plutôt tendance à privilégier les événements plus rentables en termes d'image et qui ont un but social avéré. Les événements caritatifs constituent effectivement souvent de très beaux projets, car en plus d'amasser des fonds pour des causes qui en valent la peine, ils décuplent votre visibilité et l'associent à une image positive. On le voit par exemple en France chaque année depuis que Coluche a créé les Restos du Cœur, un organisme qui vient en aide aux plus démunis. La Tournée des Enfoirés qui permet de remplir les caisses de cette organisation rassemble aujourd'hui une pléiade d'artistes connus, dont Jean-Jacques Goldman, Johnny Hallyday et Francis Cabrel, et ce pour le plus grand plaisir du public qui apprécie toujours ces concerts exceptionnels. Or, ce genre d'événements a la faculté intrinsèque de contenter tous ceux qui y participent de près ou de loin, qu'il s'agisse des organisateurs qui rentrent toujours, en principe, dans leurs frais ; des artistes, qui projettent une image positive d'eux ; et du public, qui raffole de spectacles spéciaux rassemblant plusieurs vedettes sur une même scène.

Se rajoutent à ces événements caritatifs toutes les causes pour lesquelles vous pouvez devenir porte-parole et qui vous fourni-

ront une très belle visibilité. En choisissant d'aider une fondation luttant contre la maladie ou la précarité, ou en vous ralliant à certains événements ponctuels du même ordre, vous pourriez ainsi saisir d'excellentes occasions pour votre avenir artistique.

Vous constaterez d'ailleurs qu'à partir du moment où vous atteindrez une certaine notoriété publique, les demandes de participation à ce type d'événements se multiplieront. Certains artistes ont cependant tendance à accorder trop d'importance à ces demandes, ce qui les éloigne de leur activité principale, autrement dit de la scène. Dans ces cas-là, il reviendra à leur gérant de les conseiller pour les aider à faire les choix les plus judicieux pour leur cheminement personnel.

Enfin, si la visibilité est importante du point de vue communication, elle l'est tout autant du point de vue artistique. Des participations à des galas, à des remises de prix ou à des premières parties d'artistes connus pourraient vous apporter une certaine crédibilité auprès de producteurs ou d'acteurs influents du milieu du spectacle. Cela aura en outre pour conséquence de valoriser votre carrière et la manière dont vous la menez.

Quoi qu'il en soit, faites de votre mieux pour mériter l'estime de vos pairs en cumulant les prestations artistiques vous mettant en valeur. Aussi banal que cela puisse paraître, ce choix demeurera très souvent l'un des meilleurs moyens pour asseoir votre réputation dans le milieu et pour vous ouvrir de nouvelles portes.

Madonna, des photos de charme aux couvertures de magazines

Audacieuse, provocante, sulfureuse. Bien des qualificatifs ont été attribués à la Madone américaine de la pop depuis plus de 20 ans. Il faut dire que cette dernière les a aussi habilement entretenus jusqu'à la naissance de sa fille, Maria Lourdes, en 1996. Par souci de revendication selon les uns, de stratégie marketing selon les autres. La principale intéressée, pour sa part, arguerait davantage qu'elle a toujours tout mis en œuvre pour réussir.

Effectivement, Madonna n'a jamais eu froid aux yeux lorsqu'il s'agissait d'imposer son image dans les esprits, peu importent les moyens utilisés. Il faut cependant tenir compte d'une histoire peu banale pour saisir peut-être davantage ce qui l'a poussée, à certains moments de sa vie, à basculer dans un comportement que beaucoup jugent scandaleux.

Une histoire qui a en fait débuté tandis qu'elle grandissait au sein d'une famille nombreuse — Madonna a six frères — d'immigrés italiens dans une banlieue modeste de Détroit. À 6 ans, Louise Veronica Ciccone, de son vrai nom, a perdu sa mère des suites d'un cancer du sein. Étant la fille aînée, elle s'est très vite retrouvée en charge de ses frères, ce qui l'a dotée d'un fort tempérament qu'elle exhibait déjà dans les cours des écoles catholiques qu'elle fréquentait. Excès de maquillage, passion pour les crucifix, tenues extravagantes et indiscipline scolaire lui ont forgé une solide réputation auprès de ses enseignantes et d'une belle-mère pourtant très autoritaire.

Le contact, lors de son adolescence, avec un établissement public l'a réconciliée pour un temps avec les règles. Même si elle était assez douée à l'école, Madonna ne souhaitait cependant pas finir sa vie comme institutrice. Sa première passion, la danse, l'entraînait déjà à rêver d'une carrière au sein d'une grande troupe new-yorkaise. Voilà pourquoi elle est partie pour cette métropole à l'âge de 17 ans, avec pour tout bagage un diplôme de baccalauréat et 35 $ en poche.

Ses premières années sur place n'ont pas été très faciles. Elle vivait dans de petits hôtels sordides, suivait des cours de danse et cumulait les petits boulots pour s'en sortir, de la vente de beignets jusqu'à celle de journaux dans la rue. Elle était malgré tout déterminée. Déterminée à se faire remarquer, à réussir.

Aussi, pour pouvoir intégrer plusieurs compagnies de danse — toutes ses tentatives ont été des fiascos — des groupes de musique — dont le Breakfast Club et Emmy, qui n'ont pas très bien fonctionné —, ou encore pour briller dans les soirées organisées par les boîtes tendance de New York, Madonna servait le jour… et posait de temps à autre, le soir, en tenue d'Ève pour des photographes! Ces photos de charme valent évidemment aujourd'hui leur pesant d'or, comme l'a prouvé en 1989 celui qui a vendu certains de ces clichés à la marque de préservatifs Condomania. Mais à l'époque ils ne représentaient qu'un moyen de s'alimenter. Dégradant? Pas tant que cela, puisqu'il n'est tout de même pas donné à toutes les femmes de pouvoir poser pour les magazines *Playboy* et *Penthouse*, ce que Madonna a fait en 1977.

Soit, Louise Veronica Ciccone n'avait pas peur de dévoiler ses formes gracieuses pour réussir. Mais ce n'est pas ces clichés qui lui ont véritablement permis de percer. Son caractère provocateur, qui faisait fondamentalement partie de sa personnalité, l'a en fait servie à bien d'autres endroits.

C'est en effet grâce à ce tempérament qu'elle s'est fait remarquer par le DJ-vedette de la très renommée boîte de nuit Danceteria, qui l'a introduite auprès de Seymoun Stein, le directeur de la maison de disques Sire, ce qui lui a permis d'obtenir un premier contrat valide pour deux 45 tours. Grâce aux tubes *Everybody* et *Physical Attraction*, elle a commencé à faire sa marque. Une marque qui était d'ailleurs tout autant liée à des chansons très dansantes qu'à un look des plus provocateurs. Coiffures abracadabrantes, tenues parfois choquantes, discours volontairement irrespectueux, tout était déjà en place pour graver l'image de cette Madone peu orthodoxe dans les mémoires.

Et Madonna ne s'est pas privée, pendant de nombreuses années, de ces méthodes pour gagner la prospérité. De ses dents en or à la scandaleuse petite culotte qu'elle a envoyée dans la foule du Parc des Sceaux, lors d'un concert en 1989, et du clip *Justify My Love* (1990), interdit de diffusion quelques jours après sa sortie, au pernicieux documentaire *In Bed with Madonna*, pré-

senté en première du Festival de Cannes en 1992, la chanteuse a frôlé à plusieurs reprises la condamnation papale et le lynchage des «honnêtes» gens. Rien ne semblait pourtant à son épreuve puisque, en 1992 toujours, elle a publié un premier livre, *Sex*, dans lequel elle mettait en scène ses présumés fantasmes sexuels avec ses amis.

Critiquée ou non, son but était atteint. Madonna est parvenue à se faire connaître partout dans le monde, a vendu plus de 100 millions d'exemplaires des 18 albums qu'elle a réalisés, flirté avec le théâtre, le cinéma et, plus récemment, l'édition, en plus de troquer les photos de charme contre celles des couvertures de magazine. Même si elle semble plus sage aujourd'hui — n'oublions pas qu'elle a d'elle-même retiré le clip *American Life* des ondes en 2003, alors que les États-Unis entraient en guerre contre l'Irak —, nul ne sait si elle s'est véritablement assagie, car elle trouve toujours un moyen de troubler les esprits, soit en jouant de son *sex-appeal*, soit en explorant de nouvelles avenues musicales. Une chose est certaine : la Madone exerce aujourd'hui toujours autant de fascination qu'à ses débuts. Un bel exemple de réussite !

Une étoile est née

Si l'ascension vers la réussite est difficile, une autre question se pose une fois que l'on a réussi à percer : «Que doit-on faire, lorsqu'on a rencontré de premiers grands succès, pour rester le plus longtemps possible sur ce nouveau et prestigieux piédestal ?»

Bien souvent, l'étape la plus cruciale et la plus délicate d'une carrière sera de demeurer au sommet. Il s'agit en fait de l'un des plus difficiles aspects du métier d'artiste.

Attention, premier tube !

En 1970, j'ai été le producteur de Marc Hamilton, un artiste prometteur qui avait notamment écrit la chanson *Comme j'ai toujours envie d'aimer*. Cette chanson avait été très populaire, devenant même le premier morceau pop à remporter un énorme succès au même moment en France et au Québec, ce qui ne s'était pas produit depuis Félix Leclerc.

Malheureusement, la chimie que je m'étais évertué à installer entre Marc et moi s'est brisée du jour au lendemain quand il a décidé de confier sa carrière à un nouveau producteur, qui l'a très mal entouré, ce qui a eu pour résultat de sonner le glas de la carrière du jeune chanteur. Hamilton n'aura finalement connu qu'un seul vrai succès commercial. Il n'a eu, par la suite, aucune longévité publique même s'il a poursuivi tant bien que mal son cheminement artistique. Effectivement, après avoir connu un tel hit avec cette chanson — elle a tout de même atteint le million d'exemplaires vendus —, il aurait fallu que Marc enchaîne avec un morceau aussi bon que le précédent. Or, c'est cela précisément qui n'est guère évident !

Paul Anka a, par exemple, réussi à s'en sortir après *Diana*, vendue à neuf millions d'exemplaires, grâce à ses talents de compositeur. Par contre, un grand artiste comme Chubby Checker n'a jamais pu reproduire le succès qu'il avait connu avec sa fameuse chanson *Let's Twist Again*, ceci pour la bonne et simple raison qu'il ne disposait pas de bonnes compositions pour poursuivre sur cette voie.

Pour revenir à un exemple québécois, Roch Voisine a connu la même mésaventure, car après son tube *Hélène*, il n'a jamais produit de chansons aussi fortes, et ce, malgré un réel charisme scénique et une grande popularité. Encore une fois, c'est invariablement la chanson qui fait le chanteur ou la chanteuse, et non le contraire. Il vous faudra donc, en tout temps, garder un jugement très lucide sur vous-même si vous voulez perdurer dans le milieu du spectacle.

Il faut savoir réitérer l'expérience avec un deuxième album tout aussi bon que le précédent et, dans le meilleur des cas, encore meilleur que celui-ci. Vous devrez enregistrer de très bonnes chansons afin de maintenir votre cote de popularité au maximum. Et même si vous pensez que cet objectif sera tout à fait réalisable dans les deux ou trois premiers albums que vous enregistrerez, n'oubliez pas qu'il vous faudra aussi maintenir cette qualité artistique dans tous les opus suivants.

Comprenez-vous à présent pourquoi il faut savoir garder la tête froide lorsqu'on se lance dans une carrière artistique ? Quand on enregistre un album tous les deux ou trois ans, cela signifie qu'au bout de trois albums, on peut déjà compter entre six et dix années de popularité, ce qui est évidemment fort appréciable.

Mais comment procéder à ce stade pour maintenir l'amour inconditionnel du public à votre endroit ? Les plus grands artistes ont pour leur part employé des stratégies très particulières pour fidéliser leur clientèle. Ces dernières se scindent généralement en deux principes fondamentaux : savoir maintenir sa visibilité, d'une part, et savoir vieillir avec son public, d'autre part.

Prenons l'exemple des Stones. Ceux-ci répètent chaque fois sensiblement le même processus, tous les quatre ou cinq ans, quand ils reviennent sur le devant de la scène. Je suis d'ailleurs convaincu que cette formule est quasiment infaillible.

La première étape de leur éternel retour se résume à la publication de l'annonce des dates de leur nouvelle tournée mondiale dans les stades. Cette dernière est jumelée à la sortie d'un album quelques mois avant le début de la tournée, et est suivie par une campagne massive de promotion qui enclenche du même coup la tournée attirant à chaque arrêt des foules énormes de 20 000 à 50 000 spectateurs. Si les spectateurs apprécient le spectacle — ce qui est généralement le cas avec les Rolling Stones —, ils iront acheter le nouveau disque de leurs idoles dans la foulée du concert. S'ils ne se le sont pas déjà procuré avant, bien sûr.

Les tournées ont effectivement la faculté de stimuler les ventes d'albums, car le public fonctionne souvent par impulsion. Ces ventes ont également pour conséquence d'inciter les radios à diffuser le disque en question sur leurs ondes, ce qui accroît encore une fois la visibilité du groupe et contribue ainsi à maintenir sa popularité auprès d'un large public, et ce, pendant de longues périodes.

Bien sûr, ce principe peut fonctionner pendant des années, mais il n'est pas éternel, étant donné que le monde du spectacle est en perpétuelle évolution. Au bout de 10 années de présence, un artiste n'aura généralement plus le même impact sur les médias, les animateurs et les journalistes d'autrefois ayant été remplacés par des personnalités beaucoup plus jeunes. Ces jeunes n'auront probablement plus le même intérêt pour les vieux « baroudeurs » de la scène, ce qui est normal.

On peut d'ailleurs facilement comprendre qu'un animateur de radio qui a aujourd'hui entre 20 et 30 ans sera certainement plus à même de favoriser des artistes actuels, qu'il s'agisse de Britney Spears ou de Beyoncé, que de s'identifier aux Rolling Stones, dont les membres ont l'âge de son père ou de son grand-père. C'est pour cette raison que même lorsque les Stones dévoilent les dates de leur nouvelle tournée et la sortie de leur dernier disque, leur plus important travail, en dehors bien sûr de celui d'imposer de nouveaux titres sur le marché du disque, est de convaincre la toute nouvelle génération de journalistes qui aurait davantage tendance à s'identifier à des artistes de leur âge qu'à ces vieux routiers de la musique. Je me souviens d'ailleurs que, lorsque j'étais jeune, les vedettes courues de l'époque étaient Frank Sinatra et Dean Martin, mais je préférais alors m'identifier aux Beatles ou aux Stones, qui étaient de ma génération.

Le public s'identifie donc généralement à des artistes de son âge, ce qui ne l'empêche évidemment pas d'avoir de l'admiration pour les Beatles ou les Rolling Stones. Mais les générations passant et les modes changeant très rapidement, le public aura très vite fait de jeter son dévolu sur de nouveaux venus du spectacle.

Si l'on observe une nouvelle fois, par exemple, la carrière de Céline Dion, on constate que cela fait maintenant 20 ans qu'elle officie dans le *show-business* et on peut affirmer sans hésitation que son public a vieilli avec elle. Encore faut-il qu'elle ne le déçoive pas, auquel cas elle perdrait toute popularité, cela va de soi.

Aussi, l'idéal réside, pour les artistes confirmés, dans le fait de savoir vieillir avec leur public, tout en essayant d'atteindre les plus jeunes, ce qui demeure, il faut bien l'admettre, un véritable tour de force.

Au regard de ces quelques exemples prestigieux, je souhaite sincèrement que vous puissiez atteindre cet objectif et asseoir de belle manière votre longévité artistique. Cependant, celle-ci dépendra aussi de quelques autres facteurs que nous allons à présent aborder.

Un mélange explosif

Les médias et le public raffolent toujours de la vie personnelle comme professionnelle de leurs idoles, car cela leur permet de mettre à jour des aspects différents de ceux ou celles qu'ils chérissent, bref de se rapprocher davantage de leur quotidien. Pour ces artistes cependant, les considérations et ragots touchant leurs vies privées peuvent très vite se transformer en de véritables cauchemars. Pour certains d'entre eux, en effet, le dévoilement au grand jour de quelques-uns de leurs secrets, ou tout simplement l'acharnement médiatique contre leur personne, les ont meurtris, voire poussés au suicide. Kurt Cobain, le chanteur du groupe Nirvana, a ainsi mis fin à ses jours en 1994 alors qu'il n'avait que 27 ans, parce qu'il ne supportait plus le cirque médiatique qui entourait le moindre de ses faits et gestes. À cette énorme pression se greffait, il est vrai, une personnalité instable dont la sensibilité extrême faisait mauvais ménage avec la célébrité. Une dépression latente l'a donc conduit à cette fin tragique, mais il n'est pas le

seul à avoir opté pour le suicide. Consciemment ou non, de grandes personnalités du *sshow-business*, comme Dalida ou Presley, ont décidé de fuir par la petite porte le terrible monde du star-système.

Pour ceux qui résistent vaillamment à la pression médiatique entourant leur personne, l'énervement et la lassitude surgissent inévitablement lorsque des paparazzis, en manque d'informations, les pourchassent pour obtenir la moindre photographie croustillante de leur vie privée. Les clichés pris au bord d'une piscine dans une tenue des plus légères, ou les courses éperdues à la recherche d'une image d'enfants qu'on s'évertue pourtant à éloigner des caméras, ne sont que quelques exemples d'un acharnement qui peut conduire les artistes à tout faire pour préserver leur vie privée et, parfois, à faire preuve de violence vis-à-vis de certains journalistes.

Car la notoriété n'est pas toujours facile à vivre. Pour ma part, j'ai connu les instants de folie découlant de cette popularité, mais celle-ci était fort heureusement à mon époque sans commune mesure avec ce que peut vivre un artiste de renom aujourd'hui.

En fait, à partir de l'instant où votre notoriété commence à s'installer, votre vie privée et votre liberté d'action s'amoindrissent de jour en jour. Cela est inévitable et fait entièrement partie de la vie publique à laquelle acceptent de s'exposer les artistes, au même titre que de subir la critique, comme nous l'évoquions en abordant la question des médias.

Toute la difficulté résidera donc, à partir de ce moment, dans votre capacité à préserver votre vie privée tout en favorisant votre visibilité, une visibilité nécessaire à votre reconnaissance et dont le principal objectif, il faut bien l'admettre, demeure que l'on ne vous oublie pas.

Le maintien de cette distance entre les médias et votre personne a en fait deux principaux objectifs. D'une part, de distancier votre image publique des scandales et des rumeurs qui pourraient l'entourer et, d'autre part, de préserver votre vie personnelle.

Mais ne comprenez pas ce dernier point uniquement sous l'angle qui consiste à cacher votre vie privée au grand public. Il vous faudra en fait tenter de vivre pleinement, de la même manière que vous le faisiez auparavant.

Bien sûr, il sera toujours compliqué pour un artiste très connu de vouloir se balader comme si de rien n'était en plein cœur d'une grande agglomération sans déclencher des scènes d'hystérie, ou d'aller faire ses courses à l'épicerie du coin en toute sérénité. Par contre, en sachant aménager son temps avec ses proches, en s'occupant au maximum de ses enfants ou de son conjoint, il préservera un équilibre personnel souvent salutaire. C'est en maintenant ces liens primordiaux, malgré un emploi du temps et une vie professionnelle extrêmement chargés, qu'il parviendra en effet à résister à la pression.

Cet aspect particulier de la vie d'artiste n'est pas toujours facile à assumer, d'autant plus que les proches se sentent lésés par notre absence perpétuelle pour cause de tournées, de spectacles ou d'enregistrements d'albums. Mais si vous leur donnez de votre temps parallèlement à ces activités, ils feront preuve de patience et vous soutiendront dans tous vos projets.

Au cours des dernières années, j'ai rencontré dans le cadre d'un documentaire quelques vedettes dont le visage était souvent empreint d'une certaine tristesse due à l'éloignement que leur activité professionnelle imposait à leur famille. Beaucoup regrettaient de ne pas avoir vu grandir leurs enfants ou d'avoir perdu le contact avec des proches qui leur étaient très chers. Alors, préservez donc cette partie de votre vie. Car si votre carrière professionnelle de star sera toujours importante à vos yeux, il ne vous faudra pas oublier qu'avant tout, nous rêvons tous d'une vie privée accomplie et sereine.

Du naturel !

Il n'y a rien de plus désagréable dans notre métier que d'être confronté à un artiste dont l'ego est démesuré et qui a perdu tout sens des réalités. Pourtant, ces derniers sont toujours nombreux dans le milieu. Je reconnais qu'il faut savoir se distinguer dans ce métier pour y réussir, mais de là à cumuler les singeries et à manquer de respect envers les professionnels pour se faire remarquer, il y a un pas que certains feraient mieux de ne pas franchir !

Plusieurs artistes sont d'ailleurs passés maîtres dans ce domaine. Citons par exemple Michael Jackson et ses innombrables frasques à répétition ; Prince et sa phobie de l'imprévu qui conduit son entourage à tout prévoir dans le moindre détail lors de ses déplacements pour ne pas provoquer l'ire de la star ; ou encore les amendes que James Brown inflige à ses musiciens lorsque ceux-ci commettent des erreurs pendant ses concerts.

D'autres artistes ont même cru bon de s'excuser publiquement tant ils étaient méprisés pas le milieu. Le chanteur Sinclair, un artiste français œuvrant dans le funk grand public, a, par exemple, déclaré, lors de la sortie d'un récent album, vouloir se détourner d'une attitude que beaucoup dans le milieu jugeaient très présomptueuse. En réalité, il était connu pour sa fâcheuse tendance à se croire unique dans le paysage musical français, si bien qu'il adoptait très souvent une attitude ostensiblement maniérée sur scène. Mal lui en a pris, mais il semble avoir tiré les enseignements de ses erreurs, ce qui est une très bonne décision pour la suite de son parcours artistique.

En fait, si jouer un personnage sur scène est une chose, continuer à le jouer dans la vie réelle en est une autre qui relève bien plus de la thérapie ou du cabotinage que du domaine artistique ! Prenons l'exemple de Mathieu Chedid, alias M. Sur scène, ce personnage qu'on croirait tout droit sorti d'une bande dessinée japonaise se permet beaucoup de libertés avec son public. Une tenue extravagante, une coiffure clownesque, des pirouettes et d'incessants jeux de mots qui plaisent beaucoup aux spectateurs. Ce rôle fait entièrement partie de son spectacle, c'est certain. Mais une fois les projecteurs éteints, M redevient Mathieu Chedid, un jeune homme qui a certainement des choses à dire, mais qui brille par sa simplicité et sa gentillesse. Cette attitude devrait être beaucoup plus courante chez les jeunes artistes, car le naturel a beaucoup de vertus. C'est en effet en restant le plus naturel possible que vous mettrez encore une fois le plus de chances de votre côté pour la poursuite de votre carrière.

D'ailleurs, le milieu ainsi que le public vous le rendront au centuple. Ceci dit, vous devrez aussi respecter votre caractère et ne pas vous étouffer vous-même si vous n'en avez pas le tempérament. Alors, restez fidèle à vos principes et soyez sûr de ce que vous êtes !

Francis Cabrel et Johnny Hallyday : deux conceptions différentes de la réussite

À première vue, qu'ont en commun ceux que l'on surnomme L'Homme d'Astaffort et L'Idole des jeunes ? Peu de choses, si l'on se fie au répertoire, au train de vie et aux goûts de ces deux piliers de la chanson française. L'un est en effet aussi réservé et intimiste que l'autre est exubérant et explosif. Leurs chansons, pourtant, sont devenues des classiques que tous les francophiles fredonnent à tous les âges. Et, ceux qui suivent de près l'actualité des Restos du Cœur savent qu'ils ont foulé ensemble, à plusieurs reprises, les scènes qui permettent de récolter des fonds pour ce prestigieux organisme. Ils vivent donc le succès parallèlement et ont prouvé au fil de leur expérience que la réussite peut se gérer de bien des manières.

Intéressons-nous tout d'abord à la recette utilisée par le plus ancien des deux, à savoir Johnny Hallyday, le seul rocker français qui ait réussi à demeurer populaire après plus de 40 ans de carrière. Jean-Philippe, puisque tel est le véritable prénom de cet artiste d'origine belge naturalisé Français en 1961, a grandi dans un environnement propice à la musique puisqu'il a été élevé par sa tante et ses deux cousines danseuses, continuellement en tournée. À l'âge de neuf ans, il effectuait déjà de petites prestations scéniques et jouait de petits rôles dans des films publicitaires. Passionné de cinéma américain, mais plus encore de rock'n'roll depuis qu'il avait assisté à la projection du film *Loving You* avec Elvis Presley, il s'est lancé tête baissée dans la musique dès son adolescence. Après de petits contrats sans envergure, il a gagné à l'âge de 16 ans un concours télévisé qui lui a permis d'attirer l'attention du directeur artistique de *Vogue*. Adoptant alors le nom de Johnny Hallyday, il est devenu en moins de six mois une vedette grâce à un premier tube, *Souvenirs souvenirs*.

Partout, on a immédiatement parlé d'un phénomène. Il n'a en effet cessé, pendant les années 1960, de cumuler les succès — dont les titres *Idole des jeunes*, *Da dou ron ron*, *Noir c'est noir* —, de provoquer des crises d'hystérie collective lors de ses concerts et de défrayer la chronique, soit en faisant la une des journaux avec sa vie personnelle — son mariage avec Sylvie Vartan, une chanteuse elle aussi très connue à cette époque, a fait couler beaucoup d'encre —, soit en réalisant des prouesses scéniques légendaires.

Ce que les critiques pouvaient cependant déjà remarquer, en dehors évidemment du talent inné de cet artiste pour la scène et de sa voix inégalable, était son penchant à suivre les modes et à s'y fondre comme un caméléon. Une fois la vague yé-yé terminée, Johnny a effectivement endossé comme un gant, au cours des années 1970, les tendances du blues (*Toute la musique que j'aime*), de la soul musique (*Amour d'été*), ou encore de la mode hippie (tournée Johnny Circus). Puis il a flirté avec des rythmes issus de la pop (*Je t'attends*), des ballades romantiques (*Je te promets*) et même du rap. Victime de la mode, comme le dit la chanson ? Peut-être. Mais à sa décharge, il faut dire que Johnny a toujours eu du flair pour s'associer avec ceux qui signaient ou signeraient le succès du moment, comme Michel Polnareff, Michel Mallory, Gilbert Montagné, Michel Berger, Jean-Jacques Goldman, Étienne Roda-Gil, Jon Bon Jovi, Patrick

Bruel, Art Mengo, Miossec, Marc Lavoine, Maxime Le Forestier et Catherine Lara, pour ne citer qu'eux. Malgré une vie personnelle et affective tumultueuse — n'oublions pas sa tentative de suicide en 1964, son terrible accident de la route en 1969, ses ennuis avec le fisc en 1975, son divorce en 1980, ses aventures amoureuses avec Nathalie Baye, puis avec la très jeune Adeline, et enfin ses multiples syncopes sur scène — et des changements perpétuels de style au gré des vagues musicales de passage, le chanteur a donc su faire preuve de beaucoup de discernement et s'entourer des meilleurs.

Une qualité qui l'a suivi dans tous les aspects de sa carrière, puisqu'il s'est constitué, en 40 ans, une filmographie importante de plus de 27 films avec des réalisateurs très prisés comme Robert Hossein (*Point de chute*), Claude Lelouch (*L'aventure c'est l'aventure*), Claude Zidi (*L'Animal*), Jean-Luc Godard (*Détective*), Costa Gavras (*Conseil de famille*), ou encore plus récemment Patrice Leconte (*L'Homme du train*). Inébranlable, inclassable, Johnny Hallyday a tiré profit de chaque époque, de chaque courant et n'a pas hésité, à l'intérieur de son dernier opus, *Ma vérité*, sorti au mois de novembre 2005, à collaborer avec des rappeurs ou des signatures très actuelles comme Kyo.

Bref, la chance sourit encore à ce rocker indétrônable qui a parié sur toutes les tendances pour réussir et est parvenu jusqu'à aujourd'hui à vendre plus de 80 millions de disques, en plus de se présenter devant quelque 17 millions de spectateurs.

D'une toute autre manière, mais indétrônable également, Francis Cabrel a fait sa marque dans le paysage musical francophone. Ses parents étaient originaires du Frioul, en Italie, mais il a grandi à Astaffort, une petite bourgade près de Toulouse. Adolescent timide au timbre de voix coloré par le Sud-Ouest de la France, il est tombé amoureux de la musique en écoutant Bob Dylan. Il a alors commencé à jouer de la guitare et à composer des chansons, intégré de petits groupes et adopté un look hippie — cheveux longs et moustaches — qui l'a suivi pendant de nombreuses années et lui a valu le surnom de Mousquetaire de la chanson.

Remarqué lors d'un concours en 1974, ce n'est qu'en 1979, après quelques essais peu concluants, qu'il a eu son premier succès grâce à la chanson *Je l'aime à mourir*, une mélodie charmeuse qui détonnait déjà beaucoup au milieu de la vague disco de cette période. Rapidement considéré comme un grand auteur-compositeur, il a écrit au fil des années plusieurs succès marquants, de *Petite Marie* jusqu'à *L'Encre de tes yeux*, en passant par *Sarbacane, Je t'aimais, je t'aime et je t'aimerai*, ou encore *Il faudra leur dire*. Ces chansons, toutes en nuances et en délicatesse, reflètent parfaitement la personne de Cabrel, un homme discret, attaché à ses racines et fidèle à son style.

En fait, le seul changement notoire qui ait véritablement marqué le public au cours de sa carrière s'est produit en 1983, alors qu'il s'était — enfin, diront certains — coupé les cheveux lors de la sortie de son cinquième opus, *Quelqu'un de l'intérieur*. Les critiques, pour leur part, ont décelé une prise évidente de maturité du chanteur à l'intérieur de *Sarbacane* (1988), un album pensé dans le détail et dans lequel il a affiché avec plus de fermeté ses idées et ses combats. Vendu à plus de 2,8 millions d'exemplaires, ce dernier lui a valu la couverture médiatique la plus importante de sa carrière, une couverture qu'il a par la suite un peu fuie, ne se sentant pas à l'aise trop longtemps loin de sa petite ville d'Astaffort et de sa famille. Car cet homme avare de mots aspire, plus encore qu'à la gloire, à mener une vie paisible auprès des siens. Aussi n'est-il pas nécessaire de chercher de témoignages d'exubérance ou des scandales sur son compte, car il serait impossible d'en trouver.

Cabrel est en effet un homme comme un artiste tranquille, méditatif et sincère qui ne cherche qu'à produire, et non à se produire. Une manière différente de concevoir le succès, mais qui lui a réussi puisqu'il continue, tous les trois ans en général, à sortir des albums très attendus. Les voies du succès sont par conséquent aussi diverses qu'impénétrables.

CONCLUSION

Que vous ayez remporté une victoire lors d'un concours du type de *Star Académie*, ou de n'importe quel autre événement du même ordre, ou que vous vous trouviez encore au tout début de votre carrière artistique, pour réussir dans le spectacle vous aurez tout intérêt à suivre avec soin la mécanique décrite dans cet ouvrage.

Il est évident que le sujet est tellement vaste et intéressant que nous aurions pu traiter d'innombrables autres questions touchant de près ou de loin au domaine de la musique. Nous avons cependant abordé plusieurs points importants de cette problématique et vous pourrez toujours les revoir de temps à autre si vous vous posez des questions sur la pertinence des choix à effectuer pour votre carrière.

L'hésitation et le questionnement sont en effet bien plus rentables qu'une mauvaise décision prise sur un coup de tête ou sans connaissance valable du milieu. Mais quoi qu'il advienne, retenez bien ceci...

N'oubliez pas, pour commencer, que de réelles compétences musicales sont très importantes pour percer dans le métier. Le

monde de la musique n'est pas l'apanage de certains élus intouchables. Tout un chacun, de quelque origine sociale ou culturelle qu'il soit, peut se prévaloir d'y réussir. Le talent n'appartient en fait qu'à ceux qui le cultivent pour lui donner encore plus de poids et d'efficacité, et ce n'est véritablement que le travail qui peut faire la différence entre les grands artistes qui percent et ceux dont on n'entend plus jamais parler.

Je le répète très souvent, et retenez-le également, c'est la chanson qui fait le chanteur, et non le contraire ! Je vous exhorte donc à faire de bons choix de chansons pour vous faire remarquer par un gérant qui voudra bien s'occuper de vous et de votre destinée professionnelle. À ce moment précis de votre parcours, 50 % de votre réussite dépendra de cette relation avec votre imprésario, et surtout de l'équipe qu'il réunira à vos côtés.

Soyez aussi très honnête envers vous-même et n'essayez pas de vous improviser auteur-compositeur si vous n'en avez pas la trempe ! Entourez-vous plutôt, encore une fois, de personnes compétentes et spécialisées en la matière. Une bonne compagnie de disques pourra alors croire en vous et déployer toute son énergie lors de la mise en marché de vos œuvres.

En vous assurant une visibilité positive, vous vous ferez reconnaître comme un interprète de poids auprès du public, et si vos chansons deviennent des hits, ce sera alors le grand départ assuré.

Viendra ensuite un autre défi puisqu'il s'agira de demeurer populaire et de maintenir votre visibilité le plus longtemps possible. La formule sera invariablement la même, que vous soyez un artiste de jazz, de rock ou de variété. Seuls votre détermination, votre passion du métier et le goût du défi seront une nouvelle fois déterminants.

Bien entendu, certains ennemis jalonneront votre parcours et, en devenant l'idole du public, vous susciterez inévitablement de la jalousie des personnes qui vous entourent. Travaillez alors certains aspects de votre personnalité et faites attention à votre ego qui pourrait très vite vous jouer de mauvais tours.

Quoi qu'il advienne, respectez toujours votre public, c'est lui qui vous fera vivre en achetant vos disques ou vos places de concert. Et si vous avez connu des moments difficiles, rappelez-vous tous ceux qui ont cru en vous et vous ont aidé à vous en sortir. Bref n'oubliez jamais d'où vous provenez !

Le respect a d'ailleurs l'avantage d'appeler le respect, et si les personnes qui vous entourent s'aperçoivent que vous n'en avez guère à leur endroit, je doute fort de la viabilité de votre équipe, voire de toute votre carrière.

Gare aussi aux profiteurs et aux manipulateurs en tous genres, il y en a malheureusement beaucoup dans le *show-business*. Méfiez-vous aussi de tous les autres ennemis de l'artiste, au premier rang desquels figurent la drogue, l'alcool et le sexe, lesquels pourraient gravement nuire à votre santé, ainsi qu'à votre image et à votre réputation.

Voici enfin une ultime règle du spectacle : à la fin de toute représentation, il y a toujours un moment où le rideau doit se refermer. Et ce moment est venu. Aussi laissez-moi vous tirer ma révérence, en espérant que vous puissiez faire de même très rapidement devant un public comblé et impressionné par votre talent et votre personnalité.

Ne soyez pas un ballon gonflé. Bien connaître votre métier, le fonctionnement et le rôle de ceux qui vous entourent vous aidera à réussir une carrière à long terme.

Mes collaborateurs et moi-même vous souhaitons un franc succès !

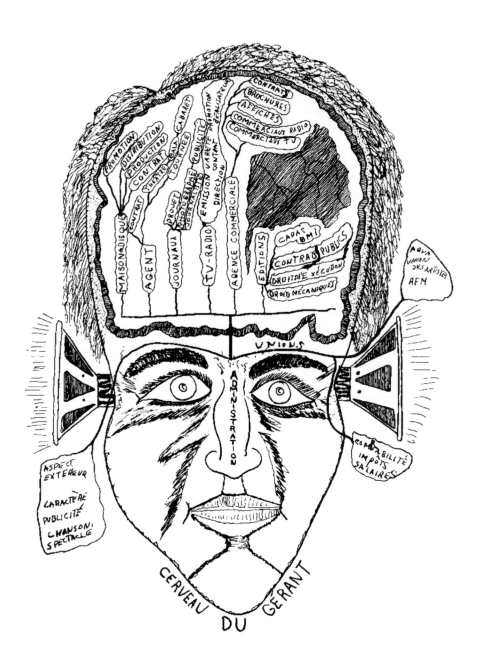

Cet ouvrage a été composé en Avenir corps 11/14
et achevé d'imprimer au Canada en mars 2006
sur les presses de Quebecor World L'Éclaireur, St-Romuald.

Quebecor World
L'Éclaireur/St-Romuald